HERIOT-WATT UNIVERSITY
38007 00095806 7

D0540142

LE TRAVAIL NOIR
ET L'ÉCONOMIE
DE DEMAIN

DU MÊME AUTEUR

chez le même éditeur

LA MONTÉE DES JEUNES
LE PLAN SAUVY
LA RÉVOLTE DES JEUNES
CROISSANCE ZÉRO ?
LA FIN DES RICHES
L'ÉCONOMIE DU DIABLE
LA TRAGÉDIE DU POUVOIR
HUMOUR ET POLITIQUE
LA VIE EN PLUS
MONDES EN MARCHE

ALFRED SAUVY
Professeur honoraire au Collège de France

LE TRAVAIL NOIR ET L'ÉCONOMIE DE DEMAIN

avec la participation
ROSINE KLATZMANN
et le concours de
ANITA HIRSCH

CALMANN-LÉVY

ISBN 2-7021-1229-3

Imprimé en France

Introduction

Depuis quelques années le travail noir, clandestin, s'est répandu dans le monde entier, par les faits d'abord, puis dans la conscience sociale. Il s'agissait, semblait-il, d'un phénomène inédit, propre à notre époque et à notre régime. Pour des libéraux, c'était quelque peu le châtiment de Prométhée, pour avoir enfreint les lois naturelles.

Très localisée au début, la recherche m'a conduit à déborder le thème classique dans le temps et dans l'espace. L'activité clandestine se retrouve, en effet, dans toutes les sociétés, toutes les mythologies et tous les pays.

Comme pour le corps, il y a, pour une société, deux sortes de maladies, celle avec laquelle on vit et celle dont on meurt. Dans quelle catégorie faut-il ranger le travail noir ?

L'examen conduit à distinguer les diverses sortes de clandestinité et à conclure que l'activité clandestine intérieure, simple dérobade, appartient à la première catégorie, alors que l'on doit ranger résolument dans la seconde les mouvements clandestins des hommes pauvres vers les régions riches où les hommes ont perdu le sens de la vie.

Quelques définitions et présentations

Les hommes se ressemblent par ce qu'ils montrent et se distinguent par ce qu'ils cachent.

Le travail noir, ou ce que l'on appelle ainsi, a pris une forme active dans toutes les sociétés contemporaines, tenant lieu de péché ou de fatalité sociale.

Travail noir, qu'est-ce à dire ?

Le Français sans connaissance, ni recherche spéciale, pensera volontiers à cet homme qui est venu travailler un samedi, dans sa maison, dans son jardin, en lui recommandant de ne rien déclarer à son sujet. Lui vient également à l'esprit, ce serrurier, ce peintre, artisan ou patron, qui exécute un travail, en précisant à son client (avant ou après, selon le cas) qu'il ne comptera pas la T.V.A., si ce client accepte de ne pas recevoir de facture.

Pour vivre heureux, vivons cachés.

Du fait même de l'origine récente, non certes de la chose, mais du terme, du fait aussi de la diversité tant des actes que des interprétations, le travail noir ne fait pas encore l'objet de définition, de délimitations précises.

Selon le *Quid?* illustré (volume 3) : « C'est le travail qui s'exerce de manière clandestine, sans être déclaré au fisc, ni à la Sécurité sociale. »

Sous une apparence précise, cette définition ne fait allusion ni à la drogue, ni à la contrebande, ni à la délinquance. Elle est, en outre, suivie d'un petit article, plein d'inexactitudes.

Dans le *Larousse* en dix volumes, nous lisons, à l'article *Travail :* « Travail noir, celui qui se soustrait aux législations sociale et fiscale » et dans l'article *Marché :* « Activité professionnelle qui échappe à la fiscalité. »

Dans la revue du B.I.T. (n° 5, 1980), R. Weissbach et K. Musham attribuent à Mme N. de Grazia la définition suivante :

> « Une activité professionnelle, unique ou secondaire, en marge ou en dehors des obligations légales, réglementaires ou classiques, à titre lucratif et de manière non occasionnelle. »

La question peut, en fait, être vue de façon bien plus large. Seulement ceux qui s'efforcent d'aller plus loin, ne serait-ce que pour légiférer, viennent précisément buter sur la définition, c'est-à-dire le contenu du terme.

La question n'est à notre connaissance pas encore venue dans les débats, sur le dictionnaire de l'Académie.

A la multiplicité des formes d'activité ainsi visées, ou pouvant entrer dans le champ, fait pendant la multiplicité des termes ou expressions employés.

Quelques expressions [1]

Voici quelques expressions plus ou moins couramment employées, dont certaines ne sont que la traduction littérale d'expressions utilisées dans des pays disposant d'une autre langue et soumis parfois à un régime socio-politique différent du nôtre.

Travail noir. C'est l'expression la plus courante. Elle vise une activité ayant une portée économique accomplie clandestinement, du moins hors de vue des autorités et non déclarée.

Travail au noir. Sans doute plus correcte grammaticalement, cette expression est plus facile à employer sous la forme verbale : *travailler au noir.* Le mot *noir* est alors un substantif.

1. Parmi les essais de classification et de terminologie, citons *L'économie cachée : Taxinomie. Lecture française des usages des mots et des notions* de Jocelyne GAUDIN et Michel SCHIRAY (document polycopié).

Est aussi parfois employée l'expression *travail en noir*, sans doute d'origine allemande.

Travail clandestin ou *occulte* est déjà un peu péjoratif; la clandestinité va au-delà de la discrétion. Celui qui se cache est facilement accusé de quelque malversation.

Activité clandestine ou *occulte* ou encore *cachée*. Le troisième terme n'est pas synonyme des deux précédents. Plus large que la précédente, cette expression est, plus facilement encore, péjorative, du moins s'il s'agit d'une activité économique. Traduite de l'anglais *(hidden economy)*, l'expression « *économie cachée* » a été reprise en France, par P. Sachs, J. Gaudin et M. Schiray. Si, au contraire, l'action est politique et correspond à l'idée de complot (aujourd'hui on parle plutôt de *terrorisme*), c'est une tout autre affaire, extérieure au sujet de cet ouvrage, sauf dans certains cas, pour les actes ayant une portée économique.

Très diverses, les activités clandestines ne sont pas toutes illégales. Il peut y avoir une simple question de discrétion, de réputation, de pudeur, de modestie.

Travail atypique. Un peu recherchée, cette expression a été surtout employée par des autorités critiques. (Rosanvallon.)

Economie souterraine, fréquente en langue anglaise (*underground*), elle convient à un grand nombre d'opérations, mais l'image est un peu forte.

Economie parallèle. Venue de l'étranger et particulièrement de pays à économie planifiée, cette expression ne s'identifie pas avec *clandestinité* et s'avère moins péjorative. Il y a même des cas de parfaite légalité et, plus encore, de tolérance.

Seconde économie ou économie seconde. De même origine que la précédente, cette expression correspond, à peu près, à la même idée. Dans cet esprit, on pourrait aussi parler d'économie *supplémentaire* ou *complémentaire*, ce qui conduit, pour l'ensemble de l'économie, à parler d'économie double.

Economie bis. Même idée, mais forme peu heureuse.

Economie duale. Venue de l'américain, cette expression traduit une idée analogue.

Economie pluraliste. Pas très heureux, il n'y a pas plusieurs économies.

Economie immergée. Cette expression, employée surtout en

Italie, fait allusion au fameux iceberg, dont une fraction seulement apparaît.

Economie de l'ombre. Cette appellation, qui prend son origine dans Rosa Luxemburg, dans un sens un peu différent, est employée surtout dans les pays de l'Est. Nous retrouvons l'idée de *noir* et de *clandestinité*, moins accentuée, toutefois, moins péjorative *a priori*. Dans un sens analogue, est employé le mot *invisible*.

Le travail intersticiel (Etats-Unis) introduit une notion de liens de fait, entre travail légal et illégal ; il peut s'agir, par exemple, d'un travail exécuté dans l'usine même, par un ouvrier, pour son propre compte, activité assez fréquente en Pologne.

Travail informel, économie informelle. Le terme est venu des Etats-Unis et correspond à peu près à *non officiel, non réglementaire*.

L'expression est cependant loin de s'identifier à l'idée commune de *travail noir*. Les Anglo-Saxons l'appliquent souvent à la petite production non marchande dans les pays peu développés (spécialiste J. Gershuny).

Travail fantôme (Illich). Expression peu heureuse et peu employée.

Activité domestique. C'est une question assez différente, mais qu'il est nécessaire de poser, en raison des liens possibles avec des travaux hors la loi, ne serait-ce que le fait de se trouver, le plus souvent, hors des comptes nationaux.

Travail en marge. Expression juste, mais peu employée, sans doute du fait que le terme *marginal* a été mis un peu à toutes les sauces.

Il existe, en français, des expressions assez anciennes, correspondant à une idée assez voisine du travail noir, par exemple *sous le manteau* (donc dans l'obscurité), ou encore *dessous de table*, *travail sans facture*, transactions en *arrière-boutique*, etc.

Les activités clandestines

Toute activité illégale prend plus ou moins ce caractère, du moins vis-à-vis des autorités, mais nombreuses sont les activités dont la discrétion est due à d'autres raisons.

Il s'agit parfois de ne pas être vu des voisins, tel est le cas de celui qui cache, dans son jardin, de l'or, détenu légalement ou non, des bijoux, etc. ; c'est aussi celui du cultivateur qui déplace une borne, qui pollue un ruisseau traversant sa propriété, etc.

La naissance clandestine d'un enfant, la non-déclaration, s'il décède très rapidement, l'enterrement du corps dans le jardin ou un autre lieu discret sont beaucoup moins fréquents dans les pays policés, mais se constatent encore dans les pays où l'état civil n'est qu'imparfaitement appliqué.

Les *unions sexuelles* sont traditionnellement à l'abri des regards, surtout si elles sont extraconjugales. La rémunération, même régulière et périodique, n'est pas considérée comme un acte économique, sauf dans le cas de prostitution réglementée.

Lorsque l'activité clandestine a un caractère politique, qui correspond à l'idée de complot (aujourd'hui, on parle plutôt de terrorisme), c'est une tout autre question extérieure au sujet de cet ouvrage. Cependant, certains actes correspondant à cette activité ont une portée économique.

La clandestinité de la Résistance, sous l'occupation allemande, n'a jamais été traitée de *noire,* du moins par les Français (les autorités d'occupation parlaient volontiers de terrorisme), c'est parce qu'elle s'exerçait pour le bon motif, le caractère d'illégalité étant reporté sur le pouvoir lui-même. Le programme économique de la Résistance comportait même une réprobation à l'égard de l'application des lois économiques (livraisons de produits agricoles au ravitaillement par exemple).

L'*abattage clandestin du bétail* est un travail[1], qu'il s'agit de soustraire aux règlements sanitaires et à certaines taxes.

La distillation hors du contrôle, le *transport* de boissons alcooliques, sans la déclaration légale, l'exercice de la médecine sans diplôme, etc., sont des activités clandestines frauduleuses.

La vente par un locataire du droit à l'occupation d'un appartement, d'une maison, soumise à la loi des loyers est le plus souvent clandestine, parce qu'illégale. Elle est souvent couverte par une

1. Le 23 novembre 1982, un homme s'est laissé accusé d'un meurtre et même un moment incarcérer, car il ne voulait pas avouer qu'à ce moment il était allé abattre un veau chez son oncle et sa tante. Ceux-ci avaient, de même, déclaré ne pas l'avoir vu.

« reprise » de meubles. Mais il n'y a là aucun travail proprement dit.

Bien d'autres cas pourraient être cités.

Economie communautaire ou associative

Sans aller et de loin jusqu'à rappeler le kibboutz, l'économie de groupe peut en évoquer quelques aspects. Lorsque le travail est bénévole, il n'encourt aucun reproche d'illégalité, sous réserve, cependant, des cas de réciprocité. C'est alors toute la question des *échanges de services* qui est posée, notamment sur le plan fiscal, ainsi que le troc.

Le terme « noir »

D'où vient l'emploi de cette couleur ? Sans doute, de l'expression *marché noir*, très utilisée pendant la période de pénurie et dont le souvenir est encore présent à l'esprit des Français sexagénaires ou proches de cet âge. C'est le sujet du chapitre III ; mais, entre les deux pratiques, les différences sont importantes.

Elle n'a pas toujours bonne presse, la « couleur » *noire*, dépourvue d'ondes lumineuses. Certes, les cheveux *noirs* sont préférables aux blancs ; très acceptables aussi, les yeux *noirs*, mais, nombreux, les jugements inverses : le *noir* est la couleur, si l'on ose dire, du deuil et cela depuis fort longtemps. Cependant, par une curieuse antithèse, le *noir* a souvent été utilisé pour les fêtes et les cérémonies ! Paysans vêtus de *noir* le dimanche, hommes en tenue de soirée bourgeoise (habit ou smoking noirs). Nous retrouvons la fâcheuse réputation du *noir*, lorsqu'il évoque l'idée de la tristesse : les idées *noires*. Celui qui se tourmente avait naguère le cafard (animal *noir*) ; aujourd'hui, il a plutôt le *noir*, il est au *noir*, dans le *noir*, il broie du *noir*. Le héros de G. de Nerval, le prince d'Aquitaine évoque « le soleil noir de la mélancolie ». Et c'est « dans le coin le plus noir de mon cœur » que Baudelaire veut bâtir un autel pour « la madone ma maîtresse ».

D'ailleurs, *le noir* fait peur, un trou *noir*, un coin *noir*, le cabinet *noir* pour punir les enfants. Lorsque les naufragés de *l'Ile mystérieuse* de Jules Verne voient arriver un navire qui va être le sauveur, ils s'écrient terrifiés : « Le pavillon noir ! »

L'adversaire résolu, ou plus exactement celui qu'on ne prise pas, est la bête *noire ;* le chef des jésuites est volontiers appelé le *pape noir,* l'homme éméché est *gris,* assez bien vu, mais s'il pousse un peu, il est *noir ;* l'œil meurtri est, quoique bleu, appelé au beurre *noir.*

Celui qui, au casino ou ailleurs, connaît une succession de coups défavorables passe par une série *noire.* Le grand krach de 1929 à la Bourse de New York a été appelé vendredi, puis jeudi *noir.* Par contrecoup, comme le lecteur ou le spectateur aime jouer avec le drame, les éditeurs publient des séries *noires* (Fleuve noir etc.), et certains auteurs font de l'humour *noir,* le plus souvent macabre. Et combien triste est la famille, lorsque « le drapeau *noir* flotte au-dessus de la marmite ».

Il y a certes des exceptions : la *boîte noire* du camion, de l'avion est curieusement celle qui va permettre, en cas d'accident, de faire la lumière, ainsi que le *cabinet noir,* bureau où se fait le *déchiffrement.*

La couleur *noire* évoque facilement la saleté de corps ou d'esprit (les mains *noires* pour ne pas parler des ongles), nourrir de *noirs* desseins. La caisse d'une société, d'une association, alimentée par des moyens contestables est la caisse *noire* [1]. Certaines cérémonies privées, bien éloignées de la morale traditionnelle, sont des messes *noires.*

A l'opposé, vient le terme *blanc,* ou *rose,* parfois *bleu,* et il n'est pas jusqu'à la musique où la *blanche* vaut deux *noires.*

Cette fâcheuse réputation du *noir* est bien antérieure aux sentiments racistes, éprouvés à l'encontre des hommes à la peau foncée, mais elle a pu contribuer à nourrir ce sentiment. Au XVIIIe siècle, le code *noir* était un recueil de textes réglementaires sur l'utilisation des esclaves de couleur. En Italie, un avion détourné est « *una negra aero* » !

Le terme *marron* est lui-même péjoratif : un courtier *marron,* un

1. La boîte *noire* d'un avion, d'une motrice, a meilleure réputation car paradoxalement elle est source de lumière.

médecin *marron* relèvent de la justice et de la morale. Mais, paradoxalement, ce terme a été donné aussi aux esclaves échappés dans les îles, qui s'organisaient en petites sociétés autonomes, les « esclaves marrons ».

Travail

Le terme *travail,* d'origine assez récente, dans la langue, s'entend ici dans le sens d'une activité productrice de richesses, susceptible, le plus souvent, de rémunération ou de gain ; il y a, cependant, des travailleurs, des fonctions bénévoles et des travaux domestiques familiaux ou personnels (autoservices) non rémunérés.

Nous les retrouverons au chapitre VIII.

Terminologie

En dépit de l'absence de terminologie officielle ou communément admise, nous nous gardons de chercher à codifier le langage en proposant des définitions précises. Le plus souvent, nous nous efforcerons d'éviter toute ambiguïté, au besoin, en indiquant le contenu des termes employés.

Une précaution est cependant à prendre, dès maintenant : il faut se garder, lorsqu'on parle, par exemple, d'économie parallèle, d'entendre, par là, toute activité hors de la comptabilité nationale. Nous retrouverons plus loin la notion, si importante et si mal connue, de *perte sociale,* hors des comptes.

PREMIÈRE PARTIE

HIER

Historique

Du fait même de la nouveauté de l'expression « travail noir », l'historique se prête à des interprétations très diverses. En poussant à l'extrême, nous pourrions classer en tête de toutes les activités clandestines la cueillette de la pomme par Eve ou la conquête du feu du ciel par Prométhée.

Sans fixer de frontières, ni entreprendre une description continue, contentons-nous de présenter une série de tableaux, d'où peuvent être tirés certains enseignements.

L'histoire des activités illégales est aussi ancienne que celle des lois elles-mêmes. Laissant de côté, bien entendu, les actions criminelles, lesquelles nous obligeraient à remonter jusqu'à Caïn, bornons-nous à présenter quelques contraventions aux règlements économiques, au détriment de la puissance publique ou d'intérêts privés, bien assis.

Parmi ces entorses, figure, en bonne place, le transport des marchandises à travers une ligne ou d'un point à un autre, disons la contrebande, laquelle remonte à des temps reculés. Sont à considérer aussi les fraudes de diverses natures sur les produits, les fabrications interdites, parce que jugées nocives ou bien parce que réservées à des producteurs reconnus. Gardons-nous, dans un tel examen, de confondre *légalité* et *légitimité*.

CHAPITRE PREMIER

La contrebande

La plus classique peut-être, mais non la plus ancienne, est celle des Carthaginois qui, de Cyrénaïque, faisaient entrer en Egypte sans passer par les collecteurs d'impôts des vins et des tissus. Chez les Romains, la contrebande la plus active était celle des esclaves ou, plus exactement, l'entrée de ceux-ci sans payer les droits prévus. Il suffisait pour cela de les revêtir un moment de la toque blanche, au risque peut-être de les faire rêver.

Au Moyen Age, le système féodal, bardé de douanes intérieures, offrait un terrain de choix. Dès le XIVe siècle, les « faux sauniers », ou fraudeurs sur le sel, perçoivent, en somme, l'impôt pour leur compte en transportant la marchandise clandestinement ; ils ne disparaîtront qu'avcc la gabelle elle-même. Pittoresques aussi, les faux lépreux qui, grâce aux étiquettes réglementaires, provoquaient sur leur passage une fuite générale, notamment celle... des gardiens.

Les vues d'un libéral

Un témoignage de poids nous est donné par Antoine Mauchrétien, dit de Montchrétien.

Peut-être protestant, mais peu importe ici, Montchrétien, homme curieux, poète à ses heures, auteur de tragédies aussi, industriel de profession, économiste épris de liberté, s'indigne des fraudes de contrebande commises autour de lui et adresse au jeune Louis XIII ses plaintes [1] :

« Les fraudes qui, tous les jours, s'y commettent, à votre préjudice, sont publiquement connues. On surprend à toute heure des gens entrans à la dérobée des marchandises prohibées. S'ils ne peuvent pas faire autre chose, ils s'en baguent par-dessous leurs habillements. Par les intelligences qu'ils ont au pays et le long des rivières, ils peuvent soustraire à la connoissance de vos officiers, et, par conséquent à vos droits, toutes les meilleures denrées qu'ils amènent en ce royaume et sur lesquelles vous prenez de plus gros imposts : satins, veloux, taffetas, passemens, bas de soye et d'estame, bref toutes manufactures de soye d'or et d'argent filez, clou de girofle, muscade, canelle, cochenille, etc. Car il leur est facile d'avoir des maisons à la main et à dévotion, où ils peuvent descharger et receler les casses des marchandises susdites, pour, puis après, les apporter dans les villes... »

C'est encore, si l'on peut dire, la phase libérale, le temps d'un certain désordre dans la fraude, comme dans la répression. Vient alors le temps de l'organisation.

Colbertisme des deux côtés

Sous Colbert, les agents des douanes reçoivent de larges pouvoirs d'investigation qu'ils ont presque encore : ils peuvent, à l'improviste, procéder à des perquisitions et des saisies, arrêter qui bon leur semble. Il sera suivi Colbert et parfois dépassé. Selon l'édit de 1726, celui qui introduit en fraude des étoffes est condamné à une amende de 200 livres et, en cas de récidive, à six ou neuf ans de galères. Le non-paiement de l'amende entraîne le fouet et l'application du fer rouge sur l'épaule. Quant à l'usage d'armes, il vaut aux porteurs de tabac, de toiles peintes et autres produits, le supplice de la roue ou la peine de mort.

Ces sanctions sévères font hésiter quelques-uns, sans faire cesser toutefois cette activité, d'autant plus lucrative que tout ralentissement de la contrebande encourage le pouvoir à relever

1. *Traité de l'économie politique*, 1615, p. 181.

les droits. Ainsi se crée une sorte d'équilibre stable, au sens mécanique du mot.

En même temps, la sévérité de la répression suscite de nouvelles formes d'organisation. Particulièrement actifs et ingénieux sont les Savoyards et les Dauphinois. Les « margaudiers » ont des chefs, disons même des chefs d'entreprise, qui fournissent le capital. Pour un transport donné, des journaliers de circonstance s'ajoutent aux professionnels.

L'opinion leur est naturellement assez favorable lorsqu'ils se limitent à ces passages en fraude et on cite même des entrepôts de marchandises dans des locaux prêtés par des curés.

Quelques noms sont passés à la postérité, dont le plus connu est Louis Mandrin (1724-1755). Dauphinois de bonne famille bourgeoise, des déceptions professionnelles le conduisent à préférer au commerce légal une activité plus aventureuse : par traités en bonne forme, il s'engage à fournir au maréchal de Belle Isle, en Italie du Nord, mulets harnachés, vivres et fournitures. La fin de la guerre et un compte mal réglé le laissent si désemparé, qu'il se trouve, presque malgré lui, engagé dans la voie de la contrebande à grandes distances. Sous les titres de « capitaine général des contrebandiers », il défie le pouvoir. Ses hommes sont payés, dit-on, 20 sols par jour en temps de paix et 6 livres en campagne. Mais il faut tenir compte de l'auréole de la légende.

Arrêté, tout jeune encore, Mandrin est roué vif, à Valence.

Un moment troublée, si l'on peut dire, par la Révolution, la contrebande reprend sur de nouvelles bases et de nouvelles frontières, en particulier sous l'Empire.

Le blocus continental

En 1806, après Iéna, Napoléon interdit l'entrée sur le continent de toutes les marchandises venues d'Angleterre. Confirmée après Tilsitt, cette interdiction a pour résultat une sorte d'épopée de la contrebande. Ce fut aussi le terrain idéal pour la légende, voire la féerie, car la grande majorité de l'opinion, même française, se rangeait du côté de guignol rossant le commissaire. L'appât du gain, la rareté de certains produits, la vénalité des agents de contrôle, même à un rang élevé, la subtilité des forceurs de blocus, la disposition des côtes d'Espagne et du Portugal, la complicité de la Turquie, tout jouait contre cette immense fermeture. Tous les moyens étaient bons et l'on a même vu les Anglais s'initier au système métrique, pour donner à leurs marchandises une allure... continentale. Heligoland, dite le petit Londres, entrepôt essentiel avec Malte, y connaît le début de sa fortune.

Monnaie courante, si l'on ose dire, sont les doubles papiers, les uns pour les Anglais, les autres pour les gardiens. Tout un monde de personnes, dans les ports et à l'intérieur, y trouve une source de profit. Et le gouvernement lui-même n'a pas hésité en certaines occasions à se procurer ainsi des produits bien utiles à la guerre.

Cet exemple sera encore dépassé plus tard par le gouvernement espagnol, ce qui inspira au libéral J. B. Say l'observation suivante : « Le fâcheux scandale d'un gouvernement, qui portait des lois sévères contre la contrebande et partageait avec un contrebandier le profit qu'il y avait à les violer. » Certaines administrations ne sont freinées aujourd'hui dans l'utilisation de travaux clandestins que par l'accusation grave de détournement de deniers publics qui pourrait en résulter.

Conclure à l'échec simple du blocus continental serait cependant une interprétation trop facile, tranquillisante, car en somme, même rendues à bon port, si l'on ose dire, ces marchandises revenaient plus cher encore que si elles avaient payé un droit de douane classique. Le commerce britannique en a, de ce fait, souffert. Suivons, d'ailleurs, les exportations anglaises vers l'Europe, en valeurs, en prenant pour base 100 l'année 1805 :

	Exportations	*Réexportations*	*Ensemble*
1805	100	100	100
1808	20,9	51,6	37,8
1809	55,2	140,0	87,5
1810	74,6	97,3	83,2

Comme les prix ont notablement augmenté, l'indice mesurant le volume des exportations en Europe doit être sensiblement plus bas, voisin de 40 ou 50 sans doute. Il faut aussi tenir compte des pertes de temps, des délais de livraison, des marchandises avariées ou abîmées, de tout un monde à rémunérer, sur le continent même et aussi du caractère... provisoire de ces activités, qui, avec l'écroulement de l'Empire, seront ramenées à une routine moins avantageuse.

Cependant, au moment où la fin de la guerre entraîne l'abandon de tout blocus, l'interdiction de la traite des Noirs ouvre, aux aventuriers de l'illégalité, un nouveau champ, la traite frauduleuse, que nous allons retrouver dans un moment. Restons encore un peu dans la contrebande classique.

Condamnable sur le plan légal, la contrebande est-elle économiquement dommageable ? A cette vieille question que nous retrouverons à propos du travail noir, les libéraux répondent souvent de façon négative. Dans le *Dictionnaire du commerce*, Blanqui s'exprime ainsi :

« La contrebande est le correctif le plus efficace des mauvaises lois de douane, qui entravent encore le commerce du monde... C'est à la contrebande que le commerce doit de n'avoir pas péri, sous l'influence du régime prohibitif, inventé par les nations modernes. »

Une formule devenue classique contre l'élévation des taux est employée même par le protectionniste Mimerel : « Plus vous élèverez la barrière, et plus il sera facile de passer dessous. »

Il ne s'agit pas seulement de droits, mais aussi de complication des règlements, argument qui sera repris pour la défense du travail noir. Villermé raconte l'aventure d'un Français, qui a demandé à un habitant de Neuchâtel de lui apporter une belle montre suisse, lui confirmant qu'il était prêt à payer les droits. Seulement, « il eût fallu, en entrant sur notre territoire, prendre un acquis à caution, faire plomber la montre, la laisser expédier à l'un des sept bureaux de garantie, qui, seuls peuvent poinçonner les montres étrangères », etc. Afin d'échapper à tous ces tracas, le Neuchâtelois introduisit la montre, sans la déclarer.

Ce temps perdu « clandestinement » par le consommateur ou, du moins, sans entrer dans les comptes, c'est la « perte sociale » du Soviétique Liberman, déjà mentionnée et que nous retrouverons partout sous nos pas.

Décadence et grandeur

S'il veut vivre, survivre, le bon contrebandier se doit non seulement de connaître les tarifs des impôts indirects des deux côtés de la frontière, mais de suivre les techniques, les usages du temps. Et c'est ainsi que, peu à peu, au XIXe siècle, le commerce frontalier perd quelque peu son caractère héroïque, semi-militaire, pour, en quelque sorte, se civiliser. Si la manière forte vis-à-vis des douaniers se perd progressivement, par contre, les chiens sont utilisés dans les deux camps. Le tabac conserve son importance et doit son rang à l'élévation des impôts qui le frappent et à l'intensité des besoins de ses consommateurs.

Des formes bien plus subtiles prévalent alors peu à peu, telles celles du célèbre bijoutier genevois Beautte. Reprenons le père Dumas, qui, cette fois, ne semble pas avoir eu besoin de faire du roman.

M. de Saint Cricq, directeur général des douanes, irrité de la réputation de ce fraudeur réputé, profite d'un voyage à Genève, se rend à son magasin, se fait connaître et achète trente mille francs de bijoux, à livrer à Paris, somme qu'il règle comptant, avec le supplément de 5 % d'usage, pour « passage de la frontière ». En rentrant en France, il alerte tous les postes douaniers, décrit les bijoux en cause et promet une forte prime. Rasséréné, il rentre à Paris, embrasse sa femme et ses enfants et monte dans sa chambre pour se débarrasser de son costume de voyage.

« La première chose qu'il aperçoit sur la cheminée est une boîte élégante dont la forme lui est inconnue. Il s'en approche et lit, sur l'écusson d'argent qui l'orne : “ Monsieur le comte de Saint Cricq, directeur général des douanes ” ; il l'ouvre et trouve les bijoux qu'il a achetés à Genève.

« Beautte s'était entendu avec un des garçons de l'auberge qui, en aidant les gens de M. de Saint Cricq à faire les paquets de leur maître, avait glissé parmi eux la boîte défendue. Arrivé à Paris, le valet de chambre, voyant l'élégance de l'étui et l'inscription particulière qui y était gravée, s'était empressé de la déposer sur la cheminée de son maître.

« M. le directeur des douanes était le premier contrebandier du royaume. »

Célèbre aussi est l'aventure du passeur de tabac, qui téléphone à la douane française, entre Tournai et Lille, pour l'avertir du passage d'un faux évêque, ce qui a conduit, dit-il, à avancer un peu le voyage du vrai. Habillé en prélat, il est reçu à la frontière avec tous les honneurs et prodigue les bénédictions. Quelques minutes après, le véritable évêque est arrêté et fouillé jusqu'à découverte du subterfuge.

La rentabilité se déplace peu à peu, avec l'ensemble de l'économie. Avant 1914 encore, des hommes franchissent à pied les Pyrénées, hors des cols, pour aller vendre de ferme en ferme des paquets d'allumettes au soufre transportées dans des sacs à des prix un peu inférieurs à ceux des boîtes de la Régie. Sans doute, tels les paysans autoconsommateurs de ce temps, n'avaient-ils qu'une notion assez vague du revenu horaire qu'ils se procuraient ainsi.

Après la Seconde Guerre, la hausse des salaires, l'amélioration du niveau de vie obligent à abandonner les méthodes de petit rendement. Plus lucratives s'avèrent la contrebande de l'or et celle de la drogue, nous les retrouverons.

La traite des Noirs

Réprouvée par de nombreux contemporains, la traite de ceux que l'on appelait alors « Nègres » restait, en quelque sorte, autorisée ; jusqu'à la Révolution les règlements ne portaient que sur les conditions de vie des esclaves, sous forme de *Code noir*, plus coutumier que légal et peu respecté.

Interdite en Angleterre, maîtresse des mers, dès 1807, la traite est proscrite par le Congrès de Vienne, de sorte que le commerce devient contrebande. Vers 1820, le trafic est estimé à quelque 50 000 hommes par an. Le congrès de Vérone, en 1822, constate ces infractions et les condamne.

N'ayant plus guère d'intérêts à la traite, du fait de la perte de la plupart de leurs colonies américaines, plus sensibles aussi aux droits de l'homme, la France et l'Angleterre sont maintenant opposées à la traite. La question est désormais soumise à une certaine opinion publique. Dans son *Tamango*, P. Mérimée dénonce le trafic clandestin. Vient ensuite l'action inlassable de Schoelcher.

Dès le début de la Monarchie de Juillet, en 1831, une loi répressive prévoit des peines sévères allant jusqu'aux travaux forcés. L'Angleterre va, elle, jusqu'à la peine de mort. Ne trouve-t-elle pas sa justification dans la mortalité qui sévit sur les bateaux, résultat d'un traitement encore aggravé par le souci de dissimuler la cargaison en cas de visite ?

Le XIXe est une longue lutte contre la traite et contre l'esclavage lui-même. La défaite des Sudistes aux Etats-Unis, la colonisation progressive de l'Afrique, l'évolution des esprits, tout contribue à déplacer la traite vers l'Afrique du Nord, moins dépendante de l'Europe. Cependant, encore au début du XXe siècle, sont signalés de nombreux cas, mais la baisse profonde de la valeur des esclaves et la suppression légale de l'esclavage font plus encore que la prohibition.

En 1906, un décret français fixe des peines pour quiconque aliène la liberté d'une autre personne ; le travail forcé subsistera.

CHAPITRE II

Infractions en matière de production et de commerce

En matière de commerce et de fabrication, les nombreuses pratiques constatées et réprouvées à travers les siècles comme contraires à la législation ou à la loyauté et la morale élémentaire peuvent être classées en deux catégories :

1. *Fraude ou tromperie sur la marchandise offerte :* nocivité non déclarée, tromperie sur la qualité, dans le sens le plus général du mot, annonce trop optimiste, surprise au moment du règlement, etc.

2. *Infraction aux règlements régissant la fabrication et le commerce,* fiscaux, administratifs, corporatifs, etc.

C'est surtout cette seconde catégorie qui s'apparente au *travail noir* contemporain, mais, comme elle est souvent liée à la première et que les réactions de l'opinion sont pleines d'enseignement, donnons aussi quelques vues sur elle.

La fraude ou tromperie

Universelles, de tous lieux et de tout temps, les pratiques frauduleuses. La Bible à elle seule permettrait d'écrire ce chapitre. En grec ancien, les mots « cabaretier » et « fraudeur » s'expriment par le même terme καπηλος (capelos). Pline l'ancien, Horace, Virgile et l'inévitable Martial abondent en citations. Et la fameuse pourpre était trop appréciée pour ne pas inciter les multiples vermillons à une glorieuse promotion.

Au Moyen Age, même « richesse » : ce sont les laitiers qui

ajoutent une eau innocente au breuvage nourricier, les marchands de vin qui adoucissent, au moyen de litharge ou autres sels de plomb, le noble produit de la vigne ; ce sont les innombrables remèdes et poudres miraculeuses, les guérisseurs, les faiseurs de miracles, tel le « sac-omnibus » dont parlera Daumier, et dans lequel se trouvent des remèdes universels, sous forme d'innocents grains de maïs. Et que dire des marchands de chevaux, des diseurs de bonne aventure, des fournisseurs de talismans et gris-gris ? La responsable est bien souvent la dupe elle-même. Comme l'appât pour le poisson, c'est l'attrait du gain qui fait taire, un moment, le sens critique.

Contestataires

Les premiers à s'élever sous une forme précise, c'est-à-dire dans des ouvrages, contre les malversations sont... les protestants. Non seulement leur révolte contre une religion imposée et leur souci de rénovation en font des redresseurs de torts, mais la réprobation et les sévices dont ils sont l'objet, les suites de la Saint-Barthélemy les poussent, avant l'édit de Nantes, à dénoncer les malfaçons de la société, particulièrement dans le haut.

Les plus marquants ? Froumenteau, financier, et Nicolas Barnaud (ou de Montand), protestant dauphinois.

Froumenteau dénonce le nombre excessif de fonctionnaires, civils et militaires, qui, par leur poids, concourent à la cherté des vivres et (en style moderne) à l'insuffisance de la production.

L'admirable *Miroir des Français* (1582) de Barnaud est une longue plainte dirigée surtout contre l'ordre établi. Ses critiques portent notamment sur ce qu'on pourrait appeler « le non travail noir », c'est-à-dire l'oisiveté du clergé et particulièrement des moines ; en passant, est curieusement évoqué, avec regret, le jour où « on faillit surprendre la Bastille » (deux siècles en avance). Thème général : les prix trop élevés, par des moyens déloyaux, créent la misère du peuple. Particulièrement visés sont les magistrats pourvus de prébendes et coupables de malversations :

« D'autre part, on doit rejeter la faute sur les magistrats qui tolèrent, comme dit est, les monopoles de ces garnements (fermiers, marchands, etc.) car tandis (lire « tant ») que les magistrats du Royaume se mêleront de trafiquer les bleds et vins, il ne faut pas peser (penser) qu'ils puissent être à bon marché » (p. 657).

Après les invectives contre les ivrognes, les intempérants, les gloutons, qui réduisent la part des autres et sont cause des prix excessifs, vient inévitablement le tour des meuniers :

« Chacun sait assez, par expérience, combien est large la conscience d'aucuns meuniers et les tromperies et larcins qu'ils commettent en leurs moulins sous prétexte de dire qu'ils ne prennent que ce qu'on leur porte ; mais cette parole est inique et déraisonnable. C'est aussi mal fait à eux de commuer et changer le blé pour un autre et d'acheter la cruche, ou son, partout où ils peuvent en trouver, pour mêler à la bonne farine, afin de trouver le poids de celle qu'ils ôtent dessus les sacs » (p. 667-668).

Les meuniers et les trafiquants de blé ne sont pas les seules cibles, mais sont toujours visés les spéculateurs plus que les gens du peuple ou les paysans.

« Il y a d'autres petits traineurs de sacs, rats de greniers, coureurs de marchés, acheteurs de fruits en herbes, maquignons de dixmes, espieurs de paysans, tricoteurs de paches et monopoleurs de denrées, qui mettent la cherté partout où ils trafiquent... Telles gens sont les vrais hanetons, chenilles et mouchons, qui mangent et dévorent toute la substance et nourriture du peuple, comme nous dirons en son lieu.
« Combien se trouvera-t-il aussi de vinatiers, qui enharrent les vins de toute une contrée et attendent le plus souvent les gelées et froidures... pour vendre leur vin à tel prix que bon leur semble » (p.652-653).

Sans ces multiples fraudes et abus, tout serait, est-il ajouté, en abondance.

Il ne s'agit ici que de tromperie sur la qualité, condamnée par souci national, encore qu'elle soit loin d'être un monopole étranger.

Le XVIIe siècle

C'est sinon l'éveil du commerce, du moins celui des idées critiques à son sujet. Nous retrouvons Montchrétien et son *Traicté de l'économie politique ;* sa cible n'est plus autant la contrebande, mais les malfaçons et multiples fraudes des étrangers, lesquelles parviennent au même résultat qu'elle. Seulement, la victime n'est plus le Trésor, ce sont les travailleurs français. Voici, par exemple, les faux, pour lesquels l'œil ne permet pas de distinguer le mauvais fer du bon acier :

« Par là se comprend facilement que tous utils ont leur prix pour leur usage et qu'il diminue d'autant plus qu'ils s'en départent et en sont moins capables. Qu'il soit permis à nos artisans de faire aussi mal que les estrangers et qu'après ils soient comme eux, exempts de reproche, alors, ils feront les faux à aussi bon marché. En travaillant loyallement, ils ne les peuvent donner à si petit prix que les François... Qui, marchant par la campagne, n'entend les plaintes des pauvres manœuvres, trompez en leur achapt [1]. »

Observation analogue pour les tissus :

« Les estrangers, à nostre veu et à nostre sçeu, vendent leur marchandise vitieuse et mal conditionnée pour la pluspart... et la françoise, bonne et loyalle, est condamnée à garder la boutique ! Ils inventent toujours quelque nouvelle fraude pour nous attraper, cependant que la fidèlité de l'artifice expire et meurt de faim entre nos mains [2]. »

Le tour des Français ne tarde d'ailleurs pas à venir. Sans hésiter à reproduire certains textes de Nicolas Barnaud, cité plus haut, Montchrétien attaque les inévitables meuniers et leur farine, puis passe à d'autres aliments :

« Je ne veux point m'étendre en ce lieu sur l'abus des fripperies... où sans ombre de bon marché, on n'achète autre chose que haillons fardez,

1. *Traicté de l'économie politique,* p. 53 et 54.
2. *Ibid.,* p. 69.

deguisez, frotez, tondus, rognez rapetassés, que, sans de tels artifices, on ne daignerait quasi pas lever de terre...

« ... les sophisteries des grossiers et droguistes, en matière de liqueurs précieuses et senteurs aromatiques... de toutes sortes de simples, qu'ils adultèrent par leur antivolomènes [1], ou qui pro quo ; sur les mélanges es espiceries, où il se fait tant de triaille et déguisement [2]... »

Suit une liste savoureuse, si l'on peut dire, d'ingrédients nuisibles « à la santé, la chose la plus précieuse du monde, après la piété ».

L'ère des contrôles

Colbert réagit et règlemente, enferme les fabricants dans des définitions précises et poursuit les ouvriers absentéistes qui vont, quelque part ailleurs, faire un autre travail, un travail noir. Son souci de loyauté, de précision et de progrès général est malheureusement entaché par une certaine crainte des innovations. A un inventeur qui lui proposait une machine propre à faire le travail de dix hommes, il a répondu, comme Dioclétien vingt siècles plus tôt :

> « Je cherche le moyen d'occuper le peuple suivant ses facultés, afin de le faire vivre doucement de son travail et non celui de ravir au peuple le peu d'occupation qu'il possède. »

L'ordre y gagne au détriment de la vertu créatrice et de la concurrence étrangère. D'ailleurs, l'esprit inventif des Français est alors plus tourné vers les façons de passer entre les règlements que vers la novation progressiste.

La Révolution, qui compte, elle, sur la concurrence commerciale, plus que sur la répression, est cependant obligée de prévoir diverses sanctions, notamment contre des boissons falsifiées et des aliments gâtés.

Peu à peu va s'instituer un contrôle des qualités, suffisamment étendu et répressif pour rendre de moins en moins payante la falsification. Mais que de subtilités !

1. Succédanés.
2. *Ibid.*, p. 264 et 265.

CHAPITRE III

L'activité clandestine et les corporations

Les illégalités peuvent porter sur le produit lui-même, mais aussi sur la fabrication réservée à certains monopoles ou à des personnes dûment autorisées. Laissons de côté des activités telles que la fausse monnaie ou la piraterie sur mer, même exercée pour le « bon motif », c'est-à-dire contre l'ennemi national, pour nous limiter à la fabrication de produits. Nous sommes ainsi amenés à prendre les corporations comme champ central d'observations.

Les corporations

De tout temps, les professionnels ont cherché à s'organiser souvent avec l'approbation et l'aide du pouvoir politique. Intérêt général et intérêts privés se mêlaient, non sans confusion : il s'agit, disait (et dit encore) la voix ou, du moins, l'argument de *l'intérêt général,* de servir le consommateur, en organisant les fabrications de façon à prévenir ou réprimer les fraudes et falsifications et garantir au consommateur une qualité. Mais, dans le même temps, l'intérêt privé pousse les fabricants unis à empêcher non seulement la concurrence réputée frauduleuse des non admis, mais même celle qui pourrait s'exercer entre eux. C'est l'éternelle recherche de la rente, que combattra plus tard le libéralisme.

Quant au pouvoir, il a toujours oscillé entre la vertu purificatrice et le relâchement, seul se maintenant le souci de percevoir des impôts, grâce à une autorité efficace et un contrôle plus direct.

De façon continue, s'est déroulée, comme dans la politique économique la plus contemporaine, la lutte entre la morale et l'efficacité.

Et les aventures n'ont pas manqué : à une politique d'organisation et de bon vouloir a toujours correspondu la naissance d'abus et de malversations, soit à l'extérieur, soit à l'intérieur même de la corporation. Jamais intéressée, la fraude était là en permanence, vigilante, se nourrissant, si l'on peut dire, de la précision même des règlements.

Des collèges d'artisans aux corporations

La Grèce avait ses hétairies. Les rois étrusques, et notamment l'inspiré Numa Pompilius, favorisaient les collèges d'artisans, placés chacun sous la protection d'une divinité, comme ils le seront, plus tard, sous celle d'un saint. Ces collèges vont se perpétuer à travers les siècles, sous des formes diverses, dans la Gaule romaine notamment et jusque sous le bas Empire. Comme tant d'autres institutions, elles ne disparaîtront qu'avec l'invasion germanique.

Au temps de Lutèce, la navigation de la Seine appartenait aux *nautes*. C'est là l'origine du vaisseau, dans les armoiries de Paris.

Dès le haut Moyen Age s'établissent, sous l'autorité de l'Eglise et des seigneurs, des associations et des groupements, des communautés de métier, composés de maîtres, de compagnons et d'apprentis. Le pouvoir royal y trouve, peu à peu, un bon terrain d'autorité et de perception. En particulier, l'édit de 1581 a consacré la *police du travail* en imposant des règles à tous les travailleurs, en intervenant dans toutes les associations de professionnels.

Sous cette autorité royale, le consommateur était, dans le principe ou l'intention, protégé contre les marchands et artisans et ceux-ci l'étaient, eux-mêmes, contre l'oppression des corporations.

Les corporations, a-t-on même dit, sont « le refuge des faibles contre les forts » mais à leur tour, les promus oppressent, une fois bien retranchés.

En face ou en marge de ce secteur organisé, se trouve la masse des travailleurs « libres », en particulier dans les campagnes. A l'ombre de la protection, créatrice de rente pour le protégé, s'exercent un peu partout des activités clandestines. Tout règlement crée « sa » contravention.

L'histoire de ces revanches constantes de la liberté et de la fraude est liée à de nombreux édits, notamment ceux de Colbert, pour rétablir l'ordre par la sanction, la répression et... de nouvelles prescriptions. A la suite de l'ordonnance de 1678 créant un *Code du commerce,* se sont établies partout des jurandes ainsi que des droits et taxes sur toutes les professions ; autant de primes à la clandestinité.

Chaque corps a son patron et son blason.

Les règlements des corporations portent tant sur les techniques que sur le social, en déterminant notamment les salaires et les conditions de travail des ouvriers.

Le contrôle se fait parfois sur le vu des produits, dont un grand nombre sont, en quelque sorte, normalisés. Toutefois, comme ce moyen s'avère, le plus souvent, insuffisant, il faut entrer profondément dans le détail et placer le producteur légal, lui-même, à grands frais, sous une surveillance quasi permanente.

Dès 1614, le tiers état s'est exprimé vigoureusement contre le joug des maîtrises, demandant même une liberté totale du commerce, en Nouvelle-France, au Canada. Cette plainte ne sera entendue que bien plus tard par Turgot, sans qu'il puisse d'ailleurs briser ces barrières (1776). Il faudra attendre la Révolution pour voir supprimer les maîtrises et jurandes.

La lutte contre le secret

Pour asseoir leur pouvoir, qui tendait constamment vers le monopole, les corporations poussaient à l'exécution du travail *à la vue du public,* ce qui les conduisait à lutter contre ce qu'on appelait le *travail secret,* c'est-à-dire en somme le *travail noir.*

Historien attentif et défenseur convaincu des syndicats, avant *même leur légalisation, M. de Gailhard Bancel (1849-1936) s'est* exprimé ainsi :

« Suivant la règle constamment répétée, le travail doit s'exécuter en boutique ouverte, d'où l'interdiction ordinaire de donner de l'ouvrage aux ouvriers, hors de l'atelier. Toute besogne exécutée en lieu secret et détournée, ailleurs que dans la maison du maître, est suspecte. »

Ce souci de grand jour était conçu chez les lapidaires « pour obvier aux fraudes, abus, déguisements et malversations, qui se font ès pierres précieuses, besognes, ouvrages et matières dudit métier ».

Suivons toujours de Gailhard Bancel :

« En 1494, plusieurs tondeurs de draps avaient installé leurs tables à tondre dans le haut de leurs maisons. Une décision du commissaire du Parlement... leur défendit de travailler à l'avenir ailleurs qu'en lieu ouvert et donnant sur la rue, leur accordant seulement un délai de deux mois, pour effectuer le déplacement des appareils. »

Pour les mêmes raisons, était interdit le travail de nuit. Du reste, défectueux et onéreux était l'éclairage que le travail nocturne ne pouvait guère tenter que le fraudeur.

Concurrences et publicités suspectes

A travers les siècles, les communautés corporatives ont multiplié leurs plaintes contre les marchands forains, demandé même leur interdiction ou de sérieuses restrictions.

Les gardes jurés, chargés de surveiller les ateliers et les boutiques des maîtres et de vérifier les marchandises foraines, n'étaient pas au bout de leurs peines : il leur fallait encore se préoccuper des colporteurs trouvant leur sécurité dans leur mobilité et des ouvriers en chambre, mal vus entre tous. Traités de chambrelans, de chambristes, voire de croque-chats, ces hommes, poussés par le besoin, travaillaient dans des lieux retirés et en changeaient facilement. Les corporations furent alors conduites à demander un élargissement de leur pouvoir d'investigation, étendu jusqu'aux académies et bâtiments religieux.

Placés eux-mêmes sous une surveillance spéciale, les clandestins sortent par quelque issue dérobée dès qu'ils voient les bayles et l'assesseur.

Suspecte était toute publicité, un peu large ; particulièrement visée, était la distribution de prospectus annonçant la vente de marchandises à prix fixes.

« A la faveur de ce prix fixe, on évacue les marchandises inférieures et défectueuses que le public saisit avec enthousiasme, parce que les nuances, dans les qualités, sont au-dessous de leur connaissance. »

C'est, au contraire, pour défendre le consommateur que Boucicaut instituera bien plus tard son système de prix fixes.

Contre l'innovation

Ainsi constituées, les corporations sont fortement conservatrices, notamment en matière de technique. *A priori*, toute innovation est suspecte. Au début du XVIIIe siècle, P. Bauvat, inventeur d'un laminoir (ou tout au moins introducteur de cette technique), se voit opposer les fabricants de plomb fondu classiques ; l'affaire est portée non seulement devant la juridiction des maîtres des corporations, mais remonte jusqu'au Parlement, à deux académies et au ministre lui-même. En fin de compte, prévaut, comme en tant de cas semblables, l'argument de la concurrence anglaise.

Les cas se multiplient : en 1742 [1], deux industriels amiénois sont poursuivis par les autorités pour avoir mis en action deux cents métiers à peluche permettant de baisser le prix des étoffes. A ce moment, le travail interdit, et parfois maudit, mais qu'on n'appelle pas le travail noir puisqu'il ne peut guère être clandes-

1. Sur les dispositions restrictives de cette période, le lecteur peut consulter notre *Histoire économique de la France entre les deux guerres* (Economica, 1984) et particulièrement les chapitres du volume 2, « Les ententes » de Mme A. HIRSCH et « Le malthusianisme économique ».

tin, c'est le progrès en lutte avec la tradition. En dépit de la chute de Turgot, les techniques nouvelles vont saper peu à peu les corporations séculaires, jusqu'au moment où survient la Révolution. L'industrie frappe à la porte.

Le compagnonnage

Revenons quelque peu en arrière.

Les privilèges des corporations, leur « malthusianisme » ne pouvaient que suggérer constamment de nouvelles formes de travail individuel ou collectif.

Bien différentes et presque en opposition, les associations de compagnonnages, très anciennes elles aussi. Les objectifs de ces ententes professionnelles ne sont cependant pas purement marchands ; leur origine est d'ailleurs religieuse ; on la place volontiers dans les confréries unissant les travailleurs appelés à construire des églises ou monastères. Ce travail en commun les a incités à poursuivre leur activité, hors du champ initial. L'union se manifeste par des noms pittoresques, éloignés du commerce (Avignonnais, la Vertu, Bourguignon, la Fidélité, etc.), des rites aussi qui, curieusement, inspireront les maçons. Constitués en dehors des autorités et faisant concurrence aux corporations et à toutes les personnes bien établies, les compagnons vont volontiers de ville en ville, avec leur bâton légendaire, pour proposer leurs services.

En état de rivalité, voire d'hostilité permanente, tout en pratiquant une large entente mutuelle à l'intérieur de chacune d'elles, ces communautés gêneuses, en marge de la loi, sont à demi clandestines et seront même interdites en 1781. Elles survivront néanmoins aux corporations et auront une plus grande portée. Résolument sociales, révoltées, sinon révolutionnaires, elles inspireront le syndicalisme, surtout dans sa forme chrétienne. Elles subsistent aujourd'hui, surtout dans la fabrication d'objets artisanaux de haute qualité.

La suite de l'aventure, nous la trouvons dans les origines du travail noir, qui fait l'objet du chapitre suivant.

La contrefaçon

Cette activité illégale, donc plus ou moins clandestine, s'exerce contre la propriété (autre que matérielle) sous ses différentes formes, artistique, littéraire, scientifique, industrielle (brevets d'invention conférant un monopole), marques et dessus de fabrique, griffes dans la couture, etc.

Il ne s'agit plus de produire contre les règles ou sans autorisation, mais de reproduire. La contrefaçon en tant que délit n'a — nous laissons de côté la monnaie, problème très spécial — grandi qu'à la suite des procédés de reproduction, imprimerie, gravure, lithographie, galvanoplastie, photographie etc. La propriété littéraire a mis plus longtemps encore à faire reconnaître ses droits. Au XVIIIe, des pages entières d'un ouvrage étaient parfois reproduites, sans même mention du nom de l'auteur et sans guillemets. A chaque progrès de la propriété, la contrefaçon a suivi.

CHAPITRE IV

Origines du travail noir contemporain

Si partielle, si sommaire qu'elle soit, cette succession de tableaux a mis en évidence une lutte permanente entre deux forces :

1. *En haut le pouvoir,* public ou privé, organise, réglemente en matière financière ou économique, dans un but qu'il juge conforme à l'intérêt général ou à des intérêts professionnels.

2. *En bas, une masse d'hommes* cherche à y échapper par divers moyens. Certains gagnent d'ailleurs à l'existence d'impositions fiscales et de certains règlements.

A la Révolution, le tableau change profondément.

Le despotisme libéral

Fruit des idées de Rousseau et du culte de la nature (il est même question de « religion naturelle »), le libéralisme semble, comme tant d'idées révolutionnaires, la solution définitive pour la société. Pourquoi chercher autre chose ? *La main invisible, guidée par l'œil invisible,* nc règlcnt-ils pas tout, nc donnent-ils pas réponse à toutes les questions par leurs automatismes souverains ? Souveraineté est d'ailleurs bien le terme qui convient, car ce régime de liberté est celui de la grande rigueur. Si le libre jeu, la fluidité doivent permettre à chacun de trouver ce qu'il lui faut, c'est au besoin par la mobilité professionnelle, géographique du travailleur et de l'entreprise.

Mésaventures de l'histoire

Notre XXe siècle est, paradoxalement, celui pour lequel sont formulés les contresens les plus persistants, non certes par manque d'informations, mais du fait de la sélection de celles-ci, plus naturelle encore que voulue : la société permissive contemporaine éprouve du remords à l'égard de ce XIXe que, dans un but pharisien de disculpation, elle qualifie volontiers de temps de la jungle. Sans augmenter comme on le croit, la misère populaire est devenue plus visible et, dans un sens, moins supportable, par ceux qui en sont jugés responsables. Ce n'est pas la misère qui a fait son apparition, mais la conscience à son égard et à sa suite, le remords.

De ce fait, les historiens se sont surtout attachés à la condition ouvrière ainsi qu'aux indigents secourus ou aux bas-fonds, oubliant notamment les paysans.

Saisis par les tableaux cruels des quartiers ouvriers, ils ont trop négligé tout un monde incertain qu'on ne sait appeler que « marginal ». Quand nous nous reportons aux difficultés éprouvées, de notre temps, pour mesurer, même approximativement, l'importance du travail noir, nous pouvons penser qu'une masse confuse a échappé non seulement à l'observation statistique, mais à une documentation au-dessus de l'anecdote.

Entre les classes laborieuses et les classes « dangereuses », nous dit, du reste, Louis Chevalier dans son remarquable ouvrage[1], toutes les nuances se rencontrent.

Si étonnant que cela puisse paraître, ce régime libéral qui, en termes matériels, a, en un siècle, fait progresser la condition humaine plus qu'elle ne l'avait fait pendant des millénaires, qui a, à peu près, doublé la longueur de la vie (guère supérieure jusque-là à celle des hommes de la préhistoire) n'a jamais été bien compris, du fait même de sa franchise et de l'étalage de ses rigueurs. Le mécanisme du marché n'a d'ailleurs jamais séduit que les théoriciens :

Ni lu ni compris,
Aux meilleurs esprits
Que d'erreurs « promises ».

1. *Classes laborieuses et classes dangereuses*, Plon, 1958.

Ce siècle qui sent éperdument le besoin de chercher quelque refuge dans la poésie, qui produit Watt et Baudelaire, est encore trop jeune pour avoir le droit au sourire et pour être jugé avec la même sérénité que ceux de l'esclavage ou de la torture. Il sert, au contraire, à donner bonne conscience.

Revenons aux infractions à la légalité, combien différentes des nôtres.

Refus du droit d'association [1]

La loi Le Chapelier du 14 juin 1791 a interdit toute association.

A cette époque, où n'existe aucune indemnité de chômage (si faibles qu'ils soient, les secours du bureau de bienfaisance ne constituent pas un droit), la recherche du travail par l'ouvrier ou même par l'employé est bien plus vive qu'aujourd'hui, et le seul recours est de se courber sous les exigences du despotique marché. L'illégalité n'est pas dans le travail individuel, mais, au contraire, dans l'union : si vive est la crainte d'un retour au corporatisme qu'elle incite à interdire même les sociétés de secours mutuel.

En 1804, par exemple, est créée à Lyon la Société de bienfaisance et de secours mutuel des approprieurs chapeliers de Lyon, que d'autres suivent. Leur ensemble reste très minoritaire, mais l'autorité est néanmoins aux aguets ; dans l'impossibilité de tout réprimer, elle tolère, mais n'autorise que les associations proprement charitables et non assorties d'une quelconque obligation ; une ordonnance municipale de 1817 interdit les cotisations obligatoires.

En 1838, les fabricants de soude à Marseille sont poursuivis pour avoir provoqué une hausse artificielle des cours.

La crainte du gouvernement et du patronat est, du reste, fondée, de leur point de vue, car ces associations seront, par pente naturelle, enclines à soutenir les grèves.

A Paris, par exemple, la Bourse auxiliaire de prévoyance des

1. Les données de fait citées ici sont en partie empruntées à la remarquable *Histoire du travail et des travailleurs*, de Georges LEFRANC, Flammarion, 1975.

fondeurs et mouleurs en cuivre accorde 12 francs par semaine, chiffre très appréciable, aux ouvriers sans travail pour avoir voulu « résister pacifiquement à une réduction abusive et injuste ». Il ne s'agit d'ailleurs pas nécessairement de grèves, mais d'attitudes individuelles, vis-à-vis d'un salaire trop bas. On ne peut mettre en doute, disent les membres lyonnais du Devoir mutuel, le droit naturel qu'a tout homme de ne livrer son travail qu'au prix qu'il lui plaît d'accepter. Ce refus du marché, que pourraient aussi invoquer les éternels oubliés que sont les paysans, est, certes, plus symbolique que réel.

Si vif qu'il fût — et en somme « naturel » lui aussi — le désir d'association échouera, cependant, dans la recherche du travail en commun. Le nom de Fourier subsistera, attaché vaguement à l'idée (ou plutôt au mot) de phalanstère, mais ni Proudhon, ni Cabet, ni même Buchez, ne surmonteront le mur des réalités.

Le travailleur

Auprès de lui et à sa charge, la famille, devant lui, le marché. Il faut accepter les conditions offertes, lesquelles resteront longtemps inférieures aux besoins vitaux. Etes-vous malade, hors d'état de travailler ? Il n'y a pas de bureau de réclamations ; le seul bureau auquel vous puissiez vous adresser, en dehors du placement, est celui qu'on appelle de bienfaisance. Son but n'est pas de supprimer la misère, mais de la rendre moins visible, plus supportable aux autres, en ramassant les épaves et en réduisant le remords. Comme le droit au secours n'existe pas, il ne peut y avoir fraude de la part de l'assisté. Des renseignements sont d'ailleurs pris sur lui, à son domicile et auprès de l'entourage.

Donner davantage, assurer un minimum vital, ne pose pas seulement une question financière : un tel appui détournerait, dit-on, du travail normal. Le terme *paresse* est loin d'être proscrit du langage, comme il l'est aujourd'hui.

C'est seulement en 1848 que naît l'expression « droit au travail », présentée sous une forme que Lamartine déclare « ne pas comprendre ».

L'évasion

A l'isolé malchanceux ou peu productif, il reste, si l'on ose dire — et en dehors de la contrebande, examinée plus haut —, la ressource du vol ou de la mendicité sur la voie publique, sérieusement réprimée ; les deux actions peuvent s'exercer dans la mobilité sur les grands chemins. Ce sont les vagabonds, les « sans aveu », les chemineaux, chantés par Richepin. Le travail, noir ou autre, n'est guère leur affaire.

Quant aux bohémiens, aux gitans, tsiganes ou non, assez mobiles, ils sont souvent en marge de la légalité, mais constituent une population à part.

L'entreprise

Dans l'entreprise, tout est permis, dans le cadre, bien entendu, du droit commun. Embaucher, licencier, selon l'intensité de la demande, est autorisé et même recommandé. Le livret de travail, que possèdent les ouvriers au début de l'industrie, est, avant tout, un document d'information pour les patrons.

Il a été souvent estimé, même par de non-socialistes, que les employeurs pouvaient profiter de leur position de semi-monopole pour imposer des salaires à leur convenance. Il y avait, certes, des situations locales, entièrement à leur avantage, mais le marché était loin d'être à sens unique. Du reste, c'est précisément au moment où Marx a parlé de « paupérisation progressive » que le pouvoir d'achat des salariés a commencé à monter durablement.

Ce n'est pas le lieu ici de porter un jugement de valeur sur l'ensemble du système, ni même de mesurer les parts respectives du salaire et du profit. C'est d'ailleurs en termes de nourriture qu'il faudrait juger cette économie de subsistance, plutôt qu'en termes financiers. En outre, le reproche pourrait être formulé plus sérieusement sur la *rente foncière*, combien plus assurée que le *profit*.

Du fait même de la liberté, les longues journées de travail, l'emploi des enfants, excluent tout travail clandestin. C'est seulement au milieu du siècle que conscience sera prise et corrigés certains excès.

La fraude

Toute action frauduleuse en matière économique est cependant loin d'être exclue ; en dehors même des tarifs douaniers aux frontières, existent des taxes à la consommation (sur le sucre, par exemple) et divers règlements, notamment sur la qualité des produits, ce qui donne l'occasion de s'exercer fructueusement à des actes illégaux. Mais, du fait même que le travail n'est pas protégé, les diverses formes du travail noir contemporain ne sont guère concevables, à l'exception de quelques cas, comme le travail des enfants. Même après son interdiction et l'obligation scolaire, il reste fréquent, dans les campagnes, le plus souvent, mais pas toujours, pour le compte de la famille. Les vols d'enfants attestent le profit possible sur leur travail.

La clandestinité trouve bien d'autres terrains, car il existe non seulement des impôts indirects, mais des règlements sanitaires, des droits de propriété littéraire, artistique, la législation des brevets, etc. Citons notamment : la culture clandestine du tabac, l'abattage clandestin du bétail, l'exercice illégal de la médecine (rebouteux), les bourses noires, sous la dénomination pittoresque de *pieds humides*, le braconnage, sous ses diverses formes, l'abattage de bois, les contrefaçons, les ventes à la sauvette, en roulotte, les publications clandestines.

Celles-ci ne peuvent prendre une grande extension, du fait de l'abolition de l'autorisation préalable ; circuleront cependant, sous le manteau, quelques fleurs du mal, au sens le plus général du terme.

Il y a, en outre, un secteur, où la réglementation, assez sévère, donne lieu à fraude : la fabrication et le commerce des boissons alcooliques.

L'alcool

En tous pays et de tout temps, les boissons alcooliques sont, ou ont été, l'objet de fortes taxes et de règlements, de sorte qu'elles constituent le terrain classique de la fraude et de la clandestinité. Mais, comme le droit est invoqué, par le paysan, de distiller ses propres produits, est institué le privilège des *bouilleurs de cru*, dont voici la marche sommaire :

En 1808, les propriétaires ou fermiers, qui distillent leurs propres fruits, sont dispensés d'avoir une licence.

En 1872, est précisée la possibilité de distiller une certaine quantité (le plus souvent 40 litres), sans payer de taxe.

En 1875, consécration du privilège, qui devient un champ de bataille politique et la source d'abus et de fraudes.

En 1914-1918, l'intensité de la lutte du pays pour son existence permet au gouvernement de décider la suppression du privilège, par extinction.

De 1919 à 1923, rétablissement du privilège, par paliers successifs : 10 litres par exploitation sont autorisés en franchise, largement dépassés dans la pratique.

De 1935 à 1940, institution d'un forfait dans une trentaine de départements. D'où suppression du contrôle et trafic clandestin.

De 1940 à 1947 sous l'effet de la pénurie en aliments et en produits, réduction profonde de la distillation.

Depuis la Libération, la lutte a repris au Parlement et sur les routes, où la régie et les gendarmes pourchassent les transporteurs, mais, du fait de la diminution importante du nombre de paysans, qui facilite le contrôle, la question a perdu de son acuité.

L'ordonnance du 30 août 1960 (Michel Debré) a, en outre, prévu la disparition du privilège par extinction progressive. Les nouveaux exploitants, par héritage ou acquisition, n'ont plus le droit de distiller leur récolte de fruits ou de la faire distiller par les bouilleurs ambulants, mais l'application reste difficile. Quoi qu'il en soit, le nombre de bouilleurs ayant déclaré avoir distillé est passé de 1 900 000, en 1960, à moins de 1 300 000 aujourd'hui, mais la fraude subsiste.

Le transport des vins a, d'autre part, été réglementé à la suite des émeutes de 1907 dans le Midi viticole, provoquées par la chute des cours. Il est interdit de transporter une quantité, même faible, sans un acquis, délivré par les Contributions indirectes. Des fraudes subsistent sur de faibles parcours, surtout dans les régions du centre où le vin est une récolte accessoire.

La fabrication de « vins doux naturels » (expression savoureuse) a été à son tour réglementée et surveillée par la régie.

L'impôt

L'Etat voit ses fonctions réduites au minimum (« qu'il ne touche pas à l'économie, ce grand maladroit »). Il faut, certes, des ressources pour remplir les fonctions essentielles, mais les impôts doivent, le plus possible, respecter l'activité économique pour ne pas en fausser le jeu. Aux droits de douane traditionnels, justifiés du reste, admis même par certains libéraux pour protéger l'industrie et l'agriculture nationales, s'ajoutent des droits fixes (foncier, patente, portes et fenêtres) qui ne se prêtent guère à la fraude. Sont signalés et parfois dénoncés des artisanats en chambre et des ventes « à la sauvette », mais la fraude est très modeste. Un peu plus importante, l'évasion devant les droits d'octroi perçus au profit de diverses villes et surtout devant les droits de succession et les droits sur les ventes immobilières.

L'impôt sur le revenu, que les Anglais adoptent dès 1840, ne sera voté qu'en 1914 et appliqué qu'en 1920.

Retour à des règles

Le retour aux interventions de l'Etat en matière économique n'a pas été marqué par une date aussi précise que leur suppression en 1789-1791. Date importante toutefois que l'éveil de 1848, qui coïncide, à peu près, avec le manifeste de Marx. La bourgeoisie se trouve, tout d'un coup, placée devant un immense problème, au moment même où disparaît (symbole frappant) le champion de la non-intervention, Frédéric Bastiat.

Les économistes libéraux (dont la foi est d'ailleurs un peu

émoussée) étant désormais sur la défensive et dépourvus d'influence, la résistance est surtout menée par la classe possédante. Parmi les arguments avancés, ne figure pas la menace d'activités clandestines. Le terme « clandestinité » n'est d'ailleurs cité ni dans le dictionnaire économique de Coquelin et Guillaumin, paru en 1854, ni dans celui de Léon Say (1900), ni même dans celui de Jean Romeuf (1956).

La marche à l'intervention se manifeste de trois façons :

1. Les ententes patronales dans l'industrie et le commerce.
2. La montée de la fiscalité.
3. La protection sociale, accompagnée de pression syndicale.

Ententes et cartels [1]

Les corporations n'ont pas pu résister au double assaut de l'esprit libéral et de l'industrie, mais ce régime de pleine liberté durera bien moins longtemps qu'elles. C'est même dans l'industrie, bénéficiaire du régime, que part, un siècle plus tard, le premier mouvement contre l'ordre libéral et que naît un retour à l'idée d'organisation et de défense.

Dans la seconde moitié du XIXe se multiplient les ententes industrielles en divers pays et les réactions législatives contre elles. Célèbre est aux Etats-Unis le Sherman Act de 1890.

Conçues, au début, pour lutter contre la baisse des prix et les abus de la concurrence (qui, si elle est vive, tend à ramener les prix au coût de revient marginal), les ententes en viennent, par une pente naturelle, à limiter leur production et même à freiner le progrès technique, toujours destructeur de rentes.

Bien que leur action s'exerce dans le sens d'un relèvement des prix, l'opinion ne leur est pas défavorable (toujours le concept du « juste prix »). Les syndicats se prononcent même en leur faveur, sous la réserve que les interventions portent aussi sur les salaires, avec leur concours. Peu à peu se répand l'idée de distinguer les « bonnes ententes » et les « mauvaises ».

1. Voir dans notre *Histoire économique de la France entre les deux guerres* (Fayard, 1965 à 1973 et Economica, 1984), l'article de Anita HIRSCH et A. SAUVY, « Les ententes ».

La guerre 1914-1918 voit un effacement de la concurrence, mais les entreprises n'ont guère besoin de s'unir.

C'est la crise des années trente qui précipite la tendance ; il s'agit non seulement de fixer les prix par voie d'entente, mais de lutter contre la « surproduction » en répartissant la production entre les divers associés. Il y a, bien entendu, des récalcitrants, des entorses, soit sous forme de ristournes occultes, soit sous forme d'entreprises « sauvages », refusant d'adhérer à l'entente et de suivre ses prix. Ces rebelles donnent aux professions l'idée de rendre les ententes non seulement légales, mais légalement obligatoires. Du reste, non seulement le gouvernement et le pouvoir judiciaire ne poursuivent pas les ententes, contraires, en somme, à la législation, mais ils cherchent à les autoriser ou même à les rendre obligatoires.

On peut citer, non seulement l'interdiction de certains transports, sous l'égide de la « coordination du rail et de la route », mais divers textes s'appliquent à l'industrie sucrière, aux pêches, à la potasse, aux taxis, à la chaussure.

Le 10 janvier 1935, un projet de loi, de tendance corporatiste, est déposé à la Chambre par Marchandeau, ministre du Commerce et de l'Industrie, en vue de « provoquer le rajustement entre la production et la consommation, grâce à un effort de discipline et d'organisation professionnelles ». Adopté par la Chambre, le projet ne viendra pas en débat devant le Sénat, mais le décret-loi Laval du 30 octobre 1935 ouvre la porte aux restrictions de production et à l'étouffement des initiatives.

Le cas le plus remarquable et le plus extravagant est celui de la chaussure :

La loi Le Poullen du 22 mars 1936, votée au moment où Hitler réoccupe la Rhénanie, interdit non seulement toute construction de nouvelles usines ou ateliers, mais d'agrandir ou de modifier les organisations existantes. Paul Reynaud dénoncera « la république des semelles percées », sans parvenir à faire abroger ce veto extravagant, ni même à soulever contre lui une opinion foncièrement malthusienne. La loi ne disparaîtra que dans le brouhaha de la guerre.

Il n'en sera pas de même de la loi du 13 mars 1937 ; votée en pleine ivresse malthusienne des 40 heures, elle autorise les préfets à rendre obligatoires les accords entre professionnels du taxi, pour limiter le nombre des voitures.

Cette loi, qui dure encore, caractérise le corporatisme malthusien : ignorant aussi bien le marché que les besoins, il ne sait pas davantage que le travail crée le travail.

Cet état d'esprit, un moment disparu, dans le tourbillon des « 30 glorieuses », est, plus vivace que jamais, en partie responsable des 2 millions de chômeurs en 1984. Ne soulevant aucune résistance dans l'opinion, plutôt soutenu par les syndicats (l'organisation), curieusement délaissé par les experts de la prévision et du plan, il ne pourrait inquiéter les pouvoirs publics que si le travail noir s'étendait considérablement, ce qui est difficile dans cette branche, placée sous le contrôle étroit de la police.

Les verrous

Les taxis ne sont pas la seule disposition mise en travers de la production. En 1960, un comité présidé par L. Armand et J. Rueff avait été chargé par le gouvernement de dresser une liste des entraves législatives, réglementaires ou corporatives mises en travers de la production. Après un an de travaux, le Comité a, sans avoir encore terminé sa tâche, remis un long rapport au gouvernement.

Il n'y eut à peu près aucune suite et le Comité abandonna sa tâche.

Interdictions de travail

Imbu de l'idée ingénue et malthusienne selon laquelle le nombre des emplois est limité dans un pays, comme les kilomètres carrés du territoire, le législateur est intervenu de deux façons, chaque fois dans le but de réduire le chômage :

Avant la guerre, par une législation des cumuls (décrets du 8 août 1935 et du 29 octobre 1936 interdisant aux agents publics de tous grades d'occuper un emploi privé, rétribué), et sur le travail au-delà du terme légal : les lois sociales décidées en juin 1936 prévoient des pénalités, pour les travaux exécutés au-delà de la quarantième heure de la semaine ou pendant la durée du congé payé.

Si les infractions à la loi de 40 heures, très sévèrement appliquée, ont été rares, assez nombreux ont été, en revanche, les travaux, notamment agricoles, exécutés pendant le congé, mais la répression a été très faible.

Pendant l'Occupation, l'acte, dit loi, du 11 octobre 1940 et le décret d'application du 22 janvier 1941 étendent cette interdiction aux autres catégories professionnelles de l'industrie et du commerce. Le décret correspondant pour l'agriculture n'a jamais été pris.

La montée de la charge fiscale

Tout le long du XIXe siècle, la progression des dépenses publiques n'avait dépassé que légèrement celle du revenu national, ce qui a permis de vivre sous le régime fiscal des « quatre vieilles » de la Révolution. En 1913, les recettes fiscales n'atteignaient encore que 8 % de ce revenu et les recettes budgétaires 12 %. Il était couramment admis parmi les économistes et les conservateurs qu'il s'agissait là d'un plafond, d'un maximum, qui ne pouvait guère être dépassé sans détruire la matière imposable (selon le dicton classique « l'impôt se dévore lui-même »).

Après 1918, les lourdes charges de la guerre et de la reconstruction ont obligé à instituer deux impôts nouveaux de grand rendement :

1° l'impôt progressif sur le revenu, déjà voté, dans son principe, en 1914 ;

2° la taxe sur le chiffre d'affaires, qui deviendra plus tard la taxe à la production, puis, en 1954, la taxe à la valeur ajoutée (T.V.A.), qui a conquis le monde entier.

En raison du caractère déclaratif de ces deux impôts, la fraude est plus tentante et plus facile que pour les « quatre vieilles ». Depuis longtemps, les projets de budget comportent, classiquement, un article : « Répression de la fraude fiscale », moyen de compenser, apparemment du moins, un déficit tenace.

Les charges sociales

A peu près négligeables pendant le XIXe siècle, elles se limitaient, au début, à des interdits (travail des enfants, etc.). En 1898 a été votée la loi sur les accidents du travauk. La France était, dans ce domaine, en retard sur d'autres pays, notamment l'Angleterre et l'Allemagne (la Sécurité sociale avait été instituée par Bismarck, *dès 1883*).

La législation de 1912-1913 sur les retraites ouvrières et paysannes n'a pu être appliquée. Après la guerre, ont été conçues par des groupes conservateurs les assurances sociales (maladie, invalidité, vieillesse). Considérées comme un moyen réformiste de consolider le régime capitaliste, en lui ôtant quelques épines, elles n'étaient pas, au début, bien vues des syndicats et des partis avancés, révolutionnaires. Préparées dès 1921, elles n'ont été votées qu'en 1930 et cela par une majorité conservatrice.

Quant aux allocations familiales, généralisation d'une initiative patronale, elles n'ont été votées qu'en 1933, grâce à Adolphe Landry, à des taux d'ailleurs modestes, jusqu'en novembre 1938 et en 1939 (Code de la famille).

En 1936, la Chambre du Front populaire a décidé la semaine de 40 heures (au lieu de 48) et deux semaines de congés payés. La première de ces deux mesures a entraîné pour le pays des dommages si profonds, qu'un demi-siècle plus tard, personne n'ose encore en mesurer l'étendue. Domaine sacré.

La loi sur la Sécurité sociale, votée en 1945, pleinement novatrice, assurait non seulement les retraites, la maladie et l'invalidité, mais compensait partiellement les charges de famille. C'est à la faveur de la rapide inflation, de 1946 à 1950, que l'application a pu se faire sans trop de heurts. Le prélèvement de 50 % des salaires qui paraissait, à l'époque, énorme et non acceptable, a été facilité par la modération de la hausse *nominale* des salaires. En somme, les charges ont été supportées, au début, par le salarié lui-même et par le porteur de tous titres, en valeur nominale.

Pendant quelque temps, aidées par le vent favorable des « 30 glorieuses », les charges sociales ont exercé une influence positive sur la productivité (la difficulté créatrice). Le travail noir n'en a pas moins connu un certain essor, restant encore faible en 1973.

A nouveau, en 1981, le gouvernement a surestimé les facultés d'adaptation et notamment l'élasticité de la production nationale sous l'effet de la demande. C'est par un globalisme aveugle, qui persiste aujourd'hui, dans les doctrines comme dans les politiques, qu'a pu être proposée par des hommes sérieux la semaine à 35 heures, assortie d'une cinquième semaine de congé. Bien que très partielle, l'application a eu sur l'économie des conséquences graves peu visibles, sous-estimées et durables : intention excellente, mais calcul déficient.

En tout état de cause, les charges sociales ont été mal supportées par les chefs d'entreprise. C'est un fait universel, dans le temps et l'espace, que chacun aime « voir où va son argent » :

Pour le salaire, l'entreprise voit bien à qui il revient. D'autre part, il y a toujours un syndicat à apaiser. Défense certes, mais acceptation.

Pour l'impôt, il y a une certaine accoutumance, mais les charges sociales restent l'objet des protestations les plus fortes. L'entreprise ne cesse de demander qu'elles soient fiscalisées.

Sans doute, une certaine localisation, professionnelle ou géographique, aurait été mieux accueillie, mais l'esprit de centralisation l'a emporté.

Dans les autres pays occidentaux, certaines localisations atténuent le sentiment de frustration, mais l'élévation des charges fiscales et sociales a été à peu près la même.

Pression syndicale et rigidités

Les syndicats, même réformistes, n'ont jamais admis, en fait ou en droit, la fluidité des marchés et, en particulier, des salaires. Leur action s'exerce toujours en faveur de salaires aussi élevés que possible, et fixés, sans possibilité de baisse ultérieure. Souvent, d'ailleurs, les salaires sont indexés aux prix.

Parce que les charges sociales sont proportionnelles aux salaires, ce sont elles qui sont toujours données en motivation ; l'opinion est du reste hostile aux bas salaires, de sorte que ceux-ci sont assez rares (travailleurs sans permis, par exemple).

Bien qu'elle soit, à peu près, une tautologie (il suffit de pousser à outrance pour le voir), l'influence des hauts salaires (et surtout de leur rigidité) sur le chômage reste contestée, même à court terme, car elle est, pour les uns, antisociale, et pour d'autres, une mauvaise note pour le régime qu'ils défendent. L'impossibilité du retour à une fluidité totale n'est pas contestable, mais l'exemple des pays de l'Est (voir notamment le chapitre sur la Hongrie) est éloquent. Toute *rigidité* est naturellement favorable au *travail noir*.

Le travail noir devant le Parlement

A la cause principale du travail clandestin (montée des charges fiscales et sociales) se sont ajoutées des causes favorables complémentaires :

1° *la réduction de la durée du travail* et, par suite, l'augmentation du temps libre ;

2° *le chômage,* bien que, nous le verrons, son influence soit souvent surestimée ;

3° *le laxisme général,* c'est-à-dire le relâchement dans l'application des règles, assez étendu dans les pays occidentaux.

Dès 1950, l'étendue des activités clandestines a été jugée suffisante pour justifier une étude par le Conseil économique. On a vu le président des artisans du bâtiment, A. Lecœur, monter à la tribune avec un objet de dimensions inaccoutumées : c'était une grande toile représentant la reproduction d'une maison entièrement construite « au noir » dans la région niçoise. Les débats (rapporteur, M. A. Antoni) ont abouti à la définition suivante :

« Le travail clandestin ou celui qui est, de façon habituelle, exécuté en violation des lois sociales et fiscales, soit par un salarié, soit par un particulier pour son compte, que cet employeur soit, ou non, inscrit, au registre des métiers ou au registre du commerce. »

La question a été reprise par le Conseil, en mars 1961 (M. J. Soupa, rapporteur).

La loi du 11 juillet 1972, encore en vigueur, précise dans son article 2 d'une façon un peu laborieuse :

« Est réputé clandestin, sauf s'il est occasionnel, l'exercice, à titre lucratif, d'une activité de production, de transformation, de réparation ou de prestations de services, assujettissant à l'immatriculation au répertoire des métiers et le cas échéant au registre du commerce, ou consistant en acte de commerce, accompli par une personne physique ou morale n'ayant pas requis son immatriculation au répertoire des métiers et au registre du commerce et n'ayant pas satisfait aux obligations fiscales et sociales inhérentes à cette activité. »

L'article 3 innove, par la présomption de rémunération, qui existe quand une seule des conditions suivantes est remplie :

1° la fréquence établie de l'activité ;

2° l'importance de l'activité exercée ;

3° l'importance des travaux exécutés ;

4° la nature de l'outillage utilisé ;

5° le recours à la publicité en vue de la prospection de la clientèle.

Ne sont visées par la loi ni les activités agricoles, ni les activités spécifiquement intellectuelles, ni les activités salariées non déclarées, lesquelles devaient faire l'objet d'une autre loi, qui n'a jamais vu le jour. Mais, en tout état de cause, subsistent le droit fiscal et le droit fisco-social, ainsi que les sanctions contre ceux qui se dérobent aux déclarations et aux paiements prévus par la loi.

Le rapport Ragot

En janvier 1983, le Conseil économique et social, saisi à nouveau de la question, a approuvé le rapport confié à M. Ragot. Devant le bilan négatif de l'application de la loi de 1972, la lutte contre le travail clandestin devrait reposer sur :

1° la définition de plans d'action, à caractère sectoriel, professionnel et (ou) géographique ;

2° un suivi d'opérations menées, de leurs résultats et des problèmes rencontrés ;

3° une coordination renforcée.

Ce rapport devait servir, pensait-on, à l'élaboration d'une nouvelle loi, conforme à la politique actuelle de l'emploi, mais cette loi n'est pas encore en chantier.

Les syndicats ont toujours été embarrassés par cette question et divisés quant aux décisions.

Nous verrons, dans la seconde partie, quelle peut être l'étendue du travail noir en France et dans quelques pays étrangers.

CHAPITRE V

Prix et marchés noirs

SANS s'identifier et de loin avec le travail noir d'aujourd'hui, le marché noir, tel qu'il a, en quelque sorte, fonctionné pendant la pénurie 1939-1945, et tel qu'il est dans les pays européens socialistes aujourd'hui, fournit d'intéressantes indications et suggère, sur le plan juridique, économique et moral, des jugements et des attitudes, qui peuvent faciliter l'interprétation des pratiques actuelles, notamment dans les pays socialistes.

Diverses études ont été menées sur cette forme de commerce, où l'usage trop rigoureux des mathématiques laisse, comme si souvent, de côté, ce qui ne se mesure pas, notamment cet insaisissable qu'on appelle le facteur humain.

L'expression « marché noir » doit avoir une origine assez ancienne mais ne s'est vraiment répandue qu'à la faveur de l'économie de guerre et cela dans toutes les langues (*black market*, *schwarzes handel*, etc.) et dans tous les pays où le contrôle des prix avait une efficacité notable, sans être totale.

Avant d'examiner les mécanismes du marché noir et ses analogies avec le travail noir, rappelons quelques vues, classiques mais peu répandues, sur la formation des prix.

Erreurs et lois éternelles

S'agissant d'un point sensible, où se rejoignent, en quelque sorte, ou se heurtent même, l'économiste penseur, doctrinal, éloigné de toute affectivité et l'humble ménagère, soucieuse de son niveau de vie et parfois de sa vie, le prix des marchandises est fatalement le terrain voué aux erreurs et aux malentendus les plus sévères et les plus durables.

Pour la ménagère de la rue Mouffetard ou de White Chapel, même éclairée, le prix d'un produit c'est la somme demandée par le marchand pour délivrer telle quantité de ce produit. Plus le produit est bas, plus il lui sera possible, pense-t-elle, d'en acquérir davantage ou bien de disposer d'un agréable reliquat.

Il ne s'agit ici que de microéconomie, micro s'il en fut; l'horizon est bien limité et la notion de quantités disponibles dans la nation, absente des préoccupations. Du reste, le plus souvent, l'optique de l'étalage laisse croire à un flux non limité.

Plus perplexe, l'économiste prend du recul et se préoccupe des quantités disponibles ou susceptibles de l'être. Entre les deux points de vue, aucun rapprochement possible, la divergence est millénaire.

Le juste prix

Soucieux de repos, de justice, l'esprit trouve la solution de ce problème irritant dans le concept de « juste prix ». Le conflit permanent, en politique économique, entre la morale et l'efficacité est ainsi résolu en faveur de la première. Les quantités disponibles ou susceptibles de le devenir ? Hors de toute préoccupation. Les partisans du juste prix estiment que le producteur et plus encore l'intermédiaire, le commerçant, doivent réaliser un bénéfice « raisonnable », « honnête », sans plus.

L'Eglise chrétienne s'est, comme d'autres, longtemps prononcée, au nom même de la morale, en faveur du juste prix. En aucun temps, il n'a été vraiment admis, du moins par l'opinion, qu'un homme puisse profiter de la rareté du produit qu'il détient pour en relever le prix.

Il ne s'agit pas uniquement de la vente finale, mais de toute la chaîne : de son origine au point de vente au consommateur, la prix devrait suivre une progression convenable, dans un climat de justice, qui permette à tout le monde de vivre.

Dans cette optique, qui est facilement celle de chaque gouvernement enclin au contrôle, le prix se forme, en quelque sorte, en haut, à l'origine. Partant, par exemple, de la ferme, il se modifie graduellement (toujours en progressant), en allant vers le bas, à l'écoulement. En fait, lorsqu'il y a vraiment marché, c'est au contraire au stade final que s'établit le prix (par le refus du consommateur d'aller au-delà), qui remonte ensuite jusqu'à la production. C'est ainsi que, pendant les années trente, la baisse des prix au détail, d'environ 20 % dans l'alimentation, s'est traduite, en raison de la stabilité de nombreux frais ou rémunérations, par une baisse de plus de 50 % à la production, à la ferme. En toute période, en régime de liberté, le prix de la viande, par exemple, résulte de la demande et, par un curieux caprice du langage, de la *réponse* du consommateur.

Les économistes ont, pendant longtemps, expliqué ce mécanisme. Mais depuis une génération au moins, saisis de la peur d'être mal jugés, d'être traités de technocrates, de paraître défendre le marchand, au détriment des masses populaires, ils n'osent plus faire appel à la lumière.

Toujours dans le même esprit de justice, de loyauté, l'opinion s'émeut lorsqu'un même produit est vendu dans deux magasins à des prix différents. C'est, selon elle, le plus bas des deux qui est sinon le juste prix, du moins le plus proche du juste prix. Celui qui vend au-dessus est volontiers accusé d'abus, sinon de vol. En fait, s'il s'agit bien du même produit, la différence montre, au contraire, que la concurrence joue son rôle, alors qu'un prix uniforme (en dehors de la taxation ou d'un prix de marque) atteste une entente entre vendeurs, avec alignement inévitable vers le haut.

Le prix « à la tête »

De tradition, alors même que l'économie était soumise à la loi du marché, les prix proposés variaient facilement selon le client. Le vendeur cherchait ainsi à maximiser son bénéfice en moulant le prix demandé sur les ressources, réelles ou supposées, des clients et leur plus ou moins grand désir du produit. Cette pratique a été mise en échec par le « révolution Boucicaut » du prix fixe, bien stipulé sur le produit. Du reste, aujourd'hui encore, un gouvernement qui n'ose pas aller jusqu'au contrôle décrète tout au moins l'affichage obligatoire des prix.

Le prix « à la tête » est-il vraiment immoral comme il a été jugé de tout temps ? Ce jugement doit être nuancé. Qui, par exemple, a jamais reproché à un médecin de faire payer moins cher sa consultation à un patient dépourvu de ressources qu'à un client bien renté ? Ici encore, réflexe et réflexions ne donnent pas la même réponse. Le marchand « social » est voué à la réprobation.

L'économie de marché

En économie de marché tout à fait fluide, le débouché d'un produit offert à un prix déterminé dépend de deux facteurs :

1. Des ressources des divers consommateurs possibles.
2. De l'intensité du désir de chacun d'eux d'acquérir ce produit.

Une erreur fréquente, commise en particulier par le législateur, consiste à ne retenir que le premier de ces deux facteurs. On dira, par exemple, « médecine de riche » et « médecine de pauvre ». Or, deux personnes, disposant des mêmes ressources et atteintes de la même maladie, peuvent différer dans leur comportement, selon qu'elles attachent à leur santé ou leurs soins de santé un prix plus ou moins important. La satisfaction maximale est obtenue, non par l'égalisation des droits, mais par la satisfaction des aspirations de chacun. C'est ainsi que la suppression du service privé des hôpitaux, décidée par le gouvernement Mauroy en France, peut satisfaire un désir de morale ou plus exactement d'égalité, mais au détriment de l'efficacité, et par là de la santé des plus modestes.

Prenons en effet deux personnes âgées de trente ans et suivant une même carrière professionnelle : soucieuse de consommer le plus possible, la première vit largement et s'en remet pour sa santé au service public. Selon la formule « c'est son droit », l'autre désire, au contraire, ajouter quelque chose à ce service public et, dans ce but, accumule des ressources financières. Grâce à cette attitude, cette fourmi pourra, le jour venu, acquitter le montant de frais supplémentaires, ce qui facilitera l'équilibre financier du service public, car les ressources supplémentaires des médecins d'hôpitaux soulageront la collectivité (service privé). Le veto prononcé entraîne une égalité vers le bas. Naïveté de la toise libératrice.

Ce système, décidé dans la candeur, consiste en somme à autoriser à un individu toutes les formes d'épargne et d'accumulation, excepté en vue de sa santé.

De ce souci peuvent résulter aussi des « consultations noires », un circuit médical hors de l'officiel ; nous le retrouverons dans les pays socialistes.

Le marché fluide

En économie de marché totalement fluide, il ne peut y avoir de pénurie apparente. Pour prendre un exemple assez classique, un verre d'eau pourrait être proposé dans le Sahara à un prix si élevé qu'il ne trouverait pas immédiatement preneur.

L'équilibre du marché vraiment fluide est de caractère stable, au sens économique du mot. Par exemple, une augmentation des quantités disponibles provoque une baisse de prix, qui entraîne, à son tour, une augmentation des quantités demandées par les consommateurs et une réduction de l'offre des producteurs dans leur ensemble. Processus aussi classique que mal connu.

Le contrôle des prix

Le souci d'adoucir le sort des humbles ou la peur de susciter leur courroux ont conduit, à travers l'histoire, de nombreux gouvernements à intervenir dans le jeu des prix, sans avoir toujours bien en vue le mécanisme dont ils entendaient modifier la marche. Le plus souvent, il s'est agi d'empêcher les prix de monter, mais la situation inverse s'est aussi présentée.

Le cas le plus ancien cité est celui de Sumer (Lacour-Gayet), mais, de cette civilisation à Mirabeau et à la Convention, en passant par Dioclétien, se sont multipliés les exemples de taxation en période de pénurie, aboutissant chaque fois à la disparition de la marchandise, suscitant des rumeurs de complot, d'accaparement et de richesses cachées.

Lors de la Révolution française, les assignats devaient, selon les vues, ô combien éloquentes, de Mirabeau et les conseils antérieurs de L. S. Mercier, féconder l'économie par la stimulation de la demande et engendrer ainsi une prospérité insoupçonnée. Dutot avait été plus loin encore, en écrits seulement.

Si sévère a été la leçon des assignats, qu'elle a longtemps marqué les esprits. Et si souverain est devenu le marché au cours du XIXe, qu'en 1914-1918 encore, le gouvernement n'a eu, dans des conditions cependant tragiques, que timidement recours à la taxation des prix.

Il faudra ensuite attendre la grande crise pour voir une intervention formelle, inspirée par la notion de juste prix, mais cette fois en sens inverse. Un prix minimal a été fixé en 1933 pour le blé, mais, comme cette décision ne s'accompagnait pas d'une action corrélative sur les quantités, une sorte de marché noir s'est institué (appelé à l'époque blé gangster), cette fois au-dessous du cours officiel. Résultat aussi antisocial que possible : faible rémunération pour le paysan et prix fort pour le consommateur de pain.

Sautant les ingénuités du Front populaire, ainsi que la guerre, marquée en tous pays par un rationnement, nous arrivons en 1981 : sans taxer vraiment les prix (le service s'appelle aujourd'hui « Contrôle des prix et de la concurrence »), le gouvernement Mauroy a fait le même calcul que Mirabeau, sans l'éloquence ni l'ampleur, il est vrai : la demande intérieure va stimuler la production de richesses. Seulement, l'offre n'est jamais aussi élastique que le laissent croire les étalages, la publicité, le nombre de chômeurs et le désir légitime de plaire. Vertige et réalités.

Les trois conséquences d'une pénurie

Voici maintenant le cas de la pénurie inhabituelle : lorsque, en économie de marché, les quantités d'un produit diminuent, l'équilibre peut se rétablir automatiquement, comme il a été dit plus haut (plus de producteurs, moins de clients).

Mais si l'offre diminue notablement pour un grand nombre de produits, comme c'est le cas pendant une guerre et si, en outre, la masse monétaire augmente, éventualité moins fréquente, la répartition des quantités disponibles peut se faire de trois façons :

1. par le prix, selon la loi du marché (les ressources des consommateurs ne sont jamais augmentées en proportion) ;

2. par la queue, ou plus généralement par l'*attente*, plus ou moins longue, de la marchandise, qui finit par décourager certains consommateurs ;

3. par le rationnement autoritaire, qui attribue à chacun, selon des critères déterminés, une certaine quantité de produits, l'ensemble étant équivalent aux quantités disponibles.

Pour tout détournement de produits hors des circuits réguliers, reparaît irrégulièrement la première façon.

Le plus souvent jusqu'ici, pendant les guerres, les prix montaient presque librement en dépit des contrôles. Pendant la Commune et le siège de Paris, le prix du rat a atteint des niveaux très élevés. Mais l'organisation de la société donne aujourd'hui aux gouvernements des armes plus efficaces.

La marche des événements

Voici le déroulement observé lors de la Deuxième Guerre :

1. Par suite de l'état de guerre (consommation militaire accrue, baisse de la production, blocus, spéculation) les quantités disponibles des divers produits diminuent ; les prix montent, dès lors, par les lois du marché.

2. Cette hausse est encore accentuée par la progression de la masse monétaire, pour faire face aux exigences des dépenses publiques, compenser la baisse des recettes et faire un peu plaisir à tout le monde.

3. Inquiet devant la montée des prix, le gouvernement fixe d'autorité des prix maximaux, sinon pour chaque produit, du moins pour les denrées de première nécessité, aliments notam-

ment. C'est le réflexe immédiat, la mesure la plus facile à décider, d'autant plus que la pression de l'opinion agit dans ce sens.

Les prix fixés par voie autoritaire sont, bien entendu, inférieurs à ceux que donnerait le cruel marché libre. Cette décision répond à deux objectifs :

1° social : permettre aux familles modestes de se procurer les produits nécessaires, éviter les troubles ;

2° financier : éviter la spirale inflationniste, telle qu'elle se produisit, faute d'un contrôle efficace, en divers pays pendant les années vingt.

Comme tout gouvernement quelque peu démocratique (et souvent même autoritaire) appelé à décider une politique économique, celui-ci se trouve devant un double souci :

1. Faire évoluer les choses dans le sens désiré (lequel est le plus souvent d'accroître la production, les salaires, les investissements etc., et modérer les prix).

2. Donner satisfaction immédiate aux hommes ou, tout au moins, ne pas trop les mécontenter.

La taxation simple des prix répond à ce deuxième souci, tout au moins pour les denrées et produits non vitaux, mais non au premier.

Il arrive que l'efficacité du contrôle soit nulle : la loi étant purement nominale, les prix illégaux sont alors pratiqués ouvertement dans les magasins. Dans ces conditions, le terme noir ne se justifie pas.

A l'opposé, si le contrôle est d'une efficacité totale, soit que la marchandise soit suivie, de stade en stade, sans détournement possible, soit que les peines soient suffisamment fortes pour être dissuasives, le marché clandestin disparaît, ou est extrêmement limité.

4. Placé devant une demande supérieure à ses disponibilités, le vendeur, producteur ou commerçant écoule au début de préférence ses marchandises à des amis ou à des personnes susceptibles de lui rendre des services. Cette pratique peut se passer dans l'arrière-boutique ou au-dehors, mais n'est pas encore illégale, parce qu'il n'y a ni refus de vente au consommateur ni vente à des prix supérieurs à la taxe. Le commerçant qui stocke en espérant une hausse des prix taxés peut (les législations des divers pays

peuvent varier sur ce point) être accusé d'accaparement, mais il n'y a pas encore de *marché noir*.

5. A un stade ultérieur qui vient assez vite, le détenteur de la marchandise profite de la rareté pour l'écouler à un prix supérieur au prix officiel. Avant même de rien entreprendre de positif en ce sens, il trouve devant lui des consommateurs pour lui proposer des prix plus élevés. Il arrive aussi que les amis auxquels il a cédé des marchandises les écoulent à d'autres, à un prix plus élevé.

Comme ces ventes doivent être clandestines, nous sommes bien en état de marché noir.

La file d'attente : le temps et la richesse

Il arrive que, disposant de quantités insuffisantes pour fournir tous les consommateurs, le commerçant — et particulièrement le détaillant — ne délivre à chacun d'eux qu'une quantité déterminée du produit vendu, soit de sa propre initiative, soit sur injonction de l'autorité. Pour participer à cette distribution, le consommateur accepte de consacrer un temps plus ou moins long à attendre. Dès qu'est commencée une vente de pommes de terre, de pâtes, de chocolat, etc., le bruit s'en répand et la foule se presse. Mais une attente trop longue entraîne des abandons par lassitude, donc une réduction de la demande.

Le système de la file d'attente, qui a donné lieu à des études mathématiques complexes, désavantage les faibles et, plus précisément, les inaptes, les invalides, les familles chargées d'enfants, etc. Il est défavorable aussi à ceux qui manquent de temps

En tout état de cause, il entraîne une perte sociale, hors des comptes

La file d'attente n'est pas nécessairement une « queue » dans la rue, devant la boutique ou le comptoir ; au stade de gros ou de demi-gros, les demandeurs s'inscrivent et attendent eux aussi leur tour.

Aujourd'hui, dans les pays socialistes, l'attente d'un logement ou d'une voiture peut durer plusieurs années.

Le rationnement

S'apercevant, le plus souvent trop tard, de l'impuissance du contrôle des prix et de l'allongement excessif des files d'attente, l'autorité politique limite d'autorité la consommation pour la ramener au niveau de la production : c'est le rationnement des produits. Dans certains pays, peu développés, la distribution est directe, mais, le plus souvent et presque toujours en Europe, le rationnement se fait par distribution de bons ou de tickets, qui sont autant de droits. Pour avoir du pain, du beurre, etc., le consommateur doit remettre au marchand, en plus du montant monétaire de sa dépense, un ticket correspondant à la quantité achetée.

La consommation est fixée autant que possible d'après les besoins relatifs des uns et des autres. Par exemple, pour le lait, des tickets sont accordés à chaque enfant ; pour le pain la ration augmente avec l'âge, puis diminue pour les âges élevés. Ce n'est certes pas le « à chacun selon ses besoins », puisque les quantités sont insuffisantes, mais en « proportion de ses besoins ».

Marché noir, malgré le rationnement

Le rationnement et le contrôle des quantités, à tous les stades, constituent le moyen spécifique de lutter contre le marché noir, malgré la pénurie. L'efficacité devrait, cette fois, jouer dans le sens de la morale, mais l'opinion, nous le verrons, ne se prononce pas dans la même direction.

Tout produit échappe plus ou moins au contrôle, de diverses façons :

1. Dans le commerce régulier, le contrôle des quantités ne peut être assuré de façon parfaite. Il faut tenir compte des freintes, des pertes, de l'aléa. L'agent chargé du contrôle ne peut exiger, de tout commerçant, le montant de tickets correspondant rigoureusement aux quantités qui lui ont été fournies. Il y a toujours des marges de tolérance.

2. Quelques pratiques déjà plus contraires au droit commun

s'étendent : eau dans le vin, au sens propre et au sens figuré, lait mouillé, taux de blutage de la farine supérieur au taux légal, etc.

3. Dans certains cas, notamment la viande (produit pour lequel le contrôle est plus difficile), le détaillant refuse « d'honorer » les tickets présentés, en affirmant que la marchandise fait défaut « pour le moment ». Le consommateur n'adresse que rarement une protestation à un stade supérieur.

4. Pour l'alimentation, le contrôle à la ferme est particulièrement difficile. Pendant la guerre 1939-1945, il a cependant été assuré, en Suisse, de façon si efficace que la consommation propre du cultivateur se trouvait contrôlée et limitée. En France, au contraire, sous la prétendue pression de « l'opinion », en fait des plus riches et des plus influents, ont été autorisés en 1941 les « colis familiaux ». Ils devaient, en principe, permettre à des cultivateurs d'envoyer des quantités déterminées de denrées précieuses (beurre, fromage, etc.) à des parents ou amis. Les faibles et les familles modestes ont fait les frais de cette hypocrisie bourgeoise. Les arrondissements riches de Paris (7e, 8e 9e et 16e) ont reçu au moins deux fois plus de colis (et des plus volumineux) que les arrondissements pauvres, l'apport personnel allant facilement jusqu'à 400 calories par jour. D'autre part, les restaurants et diverses personnes intéressées ont trouvé là un moyen de se procurer des denrées très lucratives. Cette ressource supplémentaire du marché noir n'a pas nui aux Allemands, qui bénéficiaient, eux, de priorités absolues, mais en réduisant les quantités disponibles, a entraîné une réduction des quantités délivrées par tickets au détriment des familles sans ressources, des vieux sans relations, des collectivités, etc.

L'opinion n'a pas réagi, non seulement parce que ceux qui peuvent s'exprimer sont en général au-dessus de la moyenne sociale, et bénéficiaient donc du système, mais aussi parce que, comme toujours, elle ignorait ou sous-estimait le problème des quantités.

Un exemple : la viande sous l'Occupation allemande

Nous disposons pour la période d'Occupation, au sujet de laquelle la mémoire défaille et dévie si facilement, d'un document précieux. C'est la marche du produit, depuis la ferme, depuis le paysan, vers le consommateur ordinaire, sans protection. Elle évoque le débit d'une rivière, en terrain sec, épuisée peu à peu par des prélèvements successifs.

Production d'avant-guerre : 1 680 000 tonnes						
Perte de production	Prélèvements allemands	Abattage familial	Abattage clandestin	Fraudes et détournements	Priorités	Consommateurs ordinaires
530 000 t	240 000 t	250 000 t	250 000 t	20 000 t	100 000 t	190 000 t

FIGURE I
Les malheurs du consommateur de viande dans le rang pendant l'Occupation

Laissons de côté la perte de production due à la guerre et même les prélèvements allemands. Il reste donc 910 000 tonnes disponibles pour la population civile. Sur cette masse, 190 000 seulement parviennent aux consommateurs ordinaires ; ajoutons-leur même les 100 000 tonnes affectées aux collectivités (hôpitaux, asiles, lycées, prisons, etc.). Le total 290 000 ne représente que 32 % du disponible. Le marché noir proprement dit ne porte cependant pas sur 68 % de ce disponible, car il faut déduire la consommation des préleveurs (paysans, commerçants) et celle des proches, qui bénéficient d'un prix intermédiairc. Néanmoins, il est permis de dire que, pour ce produit, le marché clandestin l'emportait sur le marché légal, mais c'est un cas exceptionnel[1].

1. Bien différent par exemple le marché du sucre ; nous pouvons en juger à l'exemple suivant : à la Statistique générale, modeste ancêtre de l'INSEE, survient, en 1943, une personne inconnue qui formule une proposition exceptionnelle ; il s'agit de sucre, produit extrêmement bien contrôlé. Prix demandé 300 F le kg. Précisons la portée de ce chiffre : le traitement mensuel d'une employée modeste n'atteint pas toujours, à cette époque, 2 000 F. Ce kilo de sucre lui couterait donc quatre jours et demi de salairc. Pour une employée aujourd'hui à 5 000 F par mois, le prix correspondant serait 750 F (75 000 francs anciens) le kg, soit cent fois le prix qu'elle acquitte. Si exorbitant que fût ce coût, il n'y a pas eu une seule défection. Un grand nombre de personnes auraient été

Les quantités détournées étaient donc selon le cas :

1° directement consommées par la personne bénéficiaire, légalement ou non, du prélèvement ;

2° livrées à des parents et amis, à un prix un peu supérieur au prix légal (« marché gris ») ;

3° vendues au « marché noir » à un consommateur acceptant un prix élevé.

Le plein marché noir, c'était la vente clandestine, sans remise de tickets, à une personne acceptant un prix très supérieur au prix légal.

A tous les stades et pour tous les produits, les choses se passaient comme si la marchandise, animée de sa propre vigueur, s'efforçait de se libérer du corset qui lui était imposé, pour se valoriser le plus possible « à l'air libre ».

L'avantage reste au vendeur

Il ne s'agit jamais d'un véritable marché où le jeu des prix équilibre l'offre et la demande. Le plus souvent, la demande reste largement supérieure à l'offre, notamment pour l'alimentation. Nombreux étaient, pendant la pénurie, les consommateurs qui auraient payé du beurre, un pneumatique, des chaussures, bien plus cher encore, s'ils avaïent trouvé un vendeur. De même, celui qui, le dimanche, allait de ferme en ferme, en quête d'un lapin ou d'œufs, devait démarcher positivement et solliciter. Seul le marché légal assurait, pour certains produits non rationnés, un équilibre traditionnel, à base d'offre : vins de qualité supérieure ou prétendue telle, œufs « à couver » mais comestibles, chapelure vendue par les boulangers, etc.

En cas de rationnement imparfait, le prix noir d'un produit dépend de divers facteurs :

1° de la quantité détournée du circuit légal ;

2° de l'importance des ressources monétaires des consommateurs ;

prêtes à payer davantage. Cette disproportion résulte du fait que le marché noir du sucre ne représentait, contrairement à la viande, qu'une part infime de la consommation.

3° de l'intensité de leur besoin, de leur désir d'acquérir ce produit ;

4° du degré de contrôle de police donc probabilité d'être accusé de délit ;

5° de l'élévation de la pénalité risquée.

Il est difficile, cependant, de parler de « prix noir » au singulier. Du fait même de la clandestinité, les prix pratiqués sont très divers. Chaque transaction a, en fait, sa loi. C'est cette diversité et la faible connaissance des opérations pratiquées qui ont donné naissance à la formule : « Le marché noir est de moins en moins un marché, mais il est de plus en plus noir. »

Dans ces conditions, tout en restant largement supérieur au prix légal (en période de pénurie), le prix noir reste inférieur à celui que donnerait la liberté de marché sur les quantités détournées, mais il n'est pas nécessairement inférieur au prix que donnerait le marché libre de toutes les quantités disponibles.

L'efficacité du contrôle varie largement selon les pays et les époques. C'est ainsi qu'en France, après la Libération, les prix du marché noir ont peu à peu baissé, par relâchement prématuré des contrôles du rationnement. Ensuite seulement est venu l'accroissement des quantités disponibles. Mais l'Angleterre a longtemps conservé le rationnement, dans un but *social* (gouvernement Attlee).

Aujourd'hui, lorsque le contrôle est insuffisant (pays de l'Est, Afrique du Nord, etc.) les prix noirs ne sont parfois que peu supérieurs aux prix officiels.

L'opinion publique à l'égard du marché noir

Cet autre aspect du phénomène présente un intérêt particulier, du fait des transpositions possibles au travail noir contemporain.

L'opinion se manifeste de deux façons :

1. Sur les faits eux-mêmes dont elle évalue l'intensité et les modalités ; c'est la *rumeur*.

2. Par *une attitude et un jugement de valeur ;* c'est l'aspect moral, avec la notion du Bien et du Mal.

Il faut, en outre, distinguer les jugements du moment et ceux qui sont émis rétrospectivement (l'histoire).

La rumeur du moment

Déjà peu sensible aux statistiques, quand elles existent, l'opinion peut se donner ici libre cours ; liberté n'est cependant pas le terme qui convient, puisque les lois de la rumeur s'appliquent d'une façon presque rigoureuse :

1° *sur les prix pratiqués*, les déviations de la rumeur se font en un sens ou l'autre, selon que le colporteur de bruits entend impressionner son auditoire, par un chiffre suggestif, élevé, ou, au contraire, montrer que le marché noir est une pratique courante (« Moi, vous voyez, je suis bien au fait ») ;

2° *sur les quantités* au contraire, l'erreur est systématique : la rumeur gonfle toujours le volume des transactions clandestines et le fait avec d'autant plus d'amplitude qu'elle cherche, en quelque sorte, à prendre le parti du consommateur contre l'autorité. Le volume du travail noir est aujourd'hui, nous le verrons, toujours grossi par l'opinion.

Pendant l'occupation ennemie, l'opinion a été poussée, par une volonté intérieure, à surestimer largement l'importance des prélèvements allemands. Mal vu, suspect, celui qui se serait exprimé en sens inverse [1]. Confort d'esprit et stimulation de la rancune allaient de pair.

Mais, sans s'inquiéter du paradoxe, la rumeur donne à croire à l'existence de disponibilités importantes. Pendant toute la pénurie, même après l'Occupation, le jugement courant s'exprimait ainsi. « De la viande, il y *en* a, du beurre, il y *en* a puisqu'*on en* trouve au marché noir. » Ce pronom *en* explétif, indéfini, accompagné du pronom *on* également indéfini est particulière-

1. La production agro-alimentaire a diminué du fait de la guerre d'un tiers et les Allemands prélèvent sur elle par les divers moyens 10 % des disponibilités (Commission du coût de l'Occupation, *Evaluation des dommages subis par la France du fait de la guerre et de l'occupation ennemie*, Paris, Institut de conjoncture, 1945). Mais les Français croyaient volontiers que les prélèvements s'établissaient entre 40 et 50 %.

ment évocateur. Un jugement analogue a été émis lorsqu'ont circulé de faux tickets de pain. « Le pain est abondant, puisque les faux tickets sont honorés aussi bien que les vrais. » C'est l'attitude classique dans l'Histoire, en temps de pénurie ou de famine. Toute annonce de trésor caché, de grenier abondant, trouve crédit, au-delà du raisonnable.

Nous retrouvons ainsi les deux déformations classiques :

1° *en économie de marché,* l'opinion ne voit dans le prix que le chiffre qui commande une répartition entre l'acheteur et le vendeur. La fonction de régulateur des quantités que remplit le prix lui échappant, la croyance subsiste largement en « l'abondance », du fait de la permanence de l'étalage et de la sollicitation permanente par la publicité commerciale ;

2° *en économie de pénurie* réglementée, le consommateur, toujours orienté contre le rationnement, qui le prive, juge-t-il, de son dû, croit que les quantités disponibles permettraient de le supprimer ou tout au moins de l'adoucir.

La vue rétrospective

Bien que l'idée d'abondance se soit quelque peu estompée, elle persiste couramment dans les souvenirs des survivants, par le jugement suivant : « Pendant la guerre, le ravitaillement était fort mal organisé, mais, nous-mêmes, nous nous sommes débrouillés, grâce au marché noir. » Le manichéisme subsiste intégralement. Le souvenir de la forte pénurie persistante et même un moment aggravée, après la Libération, a presque disparu ; toujours le confort d'esprit. Quelque peu perdus dans cette aventure, manquant de documents et redoutant le rebrousse-poil, les historiens abondent dans le sens de la rumeur ou font preuve d'une prudence inadmissible.

Dans son *Histoire du marché noir*[1], par exemple, remplie d'inexactitudes et d'outrances, J. Debu-Bridel sépare, avec soin, le bon grain de l'ivraie et consolide en termes violents les légendes

1. La Jeune Parque, Paris, 1947.

les plus reposantes, telles que « l'organisation du marché noir par les Allemands ».

Le marché noir et l'occupant

Dans son manichéisme, soucieuse de bien distinguer les bons et les mauvais, l'opinion et divers ouvrages ont présenté l'occupant comme favorisant le marché noir à son profit. C'est simplifier quelque peu un enchevêtrement moins commode à démêler.

Il était — et il est encore — d'usage de citer en termes généraux « les Allemands » ou encore « l'occupant » comme si l'unité parfaite régnait alors chez l'ennemi. Deux fractions, tout au moins, sont à distinguer :

L'administration générale, appelée communément « le Majestic », était attachée au bon fonctionnement de tout le mécanisme, en particulier, en termes de nourriture. Les prélèvements à la source (le ravitaillement) devaient fournir en même temps les autorités d'occupation, prioritaires, et les faibles de la population française (communautés, notamment écoles, hôpitaux, etc.).

Diverses autorités spéciales avaient un besoin impérieux de certains produits rares (le cuivre par exemple). Pour le satisfaire, elles n'hésitaient pas à s'adresser à de gros trafiquants, qui leur procuraient le précieux métal à un prix supérieur au prix officiel et en dehors de tout le système de répartition.

Morale, justice

Dans l'optique du moment, l'acte du marché noir est un délit qui trouve dans l'opinion une indulgence, du moins pour l'acheteur, à la mesure de ses besoins. En France, pays peu réputé pour son civisme, jamais l'opinion ne s'est prononcée contre des transactions, baptisées familiales, pour la cause, dès l'instant qu'elles étaient pratiquées pour la consommation et non pour la revente.

Jamais l'opinion n'a d'ailleurs reconnu les raisons sociales du rationnement. Si imparfait qu'il fût, il a sauvé les faibles, les familles nombreuses, les infirmes, les très modestes, etc.

Personne n'osait dire que les collectivités se nourrissaient à la même source que l'occupant, par le prélèvement à la source. Sur ce point, le Conseil national de la Résistance a étourdiment failli, par simplisme et pureté, en encourageant les paysans à ne plus livrer de produits. L'idée d'enlever un produit aux Allemands donnait à l'opération un certain caractère de résistance, purement fictif, car la Libération n'a marqué aucun fléchissement des pratiques illégales.

Exceptionnel a été le refus de principe de toute clandestinité. Citons, cependant, ce magistrat qui s'est présenté à la consultation, en 1943, à l'hôpital Laennec ; diagnostic : œdème de la faim. Il estimait que, magistrat, il se devait de respecter la loi. N'étant, d'autre part, pas en mesure de cultiver un jardin ou de faire un petit élevage, il ne consommait guère que les 1 200 calories de sa ration plus quelques légumes, peut-être 1 500 calories par jour et peu de protéines.

Autre épisode, bien différent, mais non moins curieux : un homme avait dérobé de l'électricité, de façon régulière, au moyen d'un fil particulier accroché à une ligne du réseau. En même temps, il envoyait, de façon anonyme, à la compagnie d'électricité le montant du courant dérobé. Par ce moyen, il pouvait en cas de découverte du détournement faire valoir qu'il n'y avait eu aucun vol. Le délit se réduisait ainsi à une contravention aux règles du rationnement, délit pour lequel les tribunaux étaient plus qu'indulgents, bien que le dommage réel fût, à l'époque, plus important. Un précédent qui peut avoir des suites.

La morale générale s'établissait, de même façon, surtout après la Libération. Voler cinquante centimes eût été pour un ministre, un directeur, un acte dégradant, alors que la livraison de pneumatiques, voire d'un camion, hors des règles normales de la répartition était jugé en quelque sorte de bonne guerre. Les pays socialistes voient aujourd'hui des attitudes analogues.

Et de cette aventure se dégage une étrange morale : pour un esprit avancé, et même dans la vue bourgeoise (que l'on suive, par exemple, le théâtre de la première moitié du siècle), l'argent est vil, dégradant. Supportable pour des marchandises, le mercantilisme prend une allure déjà péjorative quand il s'exerce dans le domaine de l'amour et profondément avilissante dans le commerce des consciences. Et, par une ironie cruelle, les régimes qui quittent l'aspect monétaire risquent davantage de connaître la corruption. Nous le verrons précisément à propos du travail noir.

Il est donc bien difficile de porter un jugement moral, *a priori*, sur l'illégalité. Nous le voyons d'ailleurs à l'embarras qu'a manifesté l'Eglise vis-à-vis du marché noir : conseil de respecter les lois de son pays, mais yeux fermés s'il s'agit de défendre sa famille.

Aucune règle générale ne peut donc être posée. La morale, la justice ont deux motivations fondamentales, deux argumentations, qui servent avec, si l'on ose dire, la même conscience.

Rebelles en faveur de la baisse des prix

A l'inverse du marché noir, l'histoire est jonchée d'actions entreprises en vue de faire baisser les prix, le plus souvent en bouleversant les lois usuelles du commerce.

Le plus célèbre de ces rebelles, avec Boucicaut, est Gottlieb Dutweiler. Fils d'un commerçant de Zurich, il entreprend dès 1925, en Suisse, une action en vue de défendre tant la libre concurrence que le principe coopératif. Faisant baisser les prix, grâce à la vivacité de son organisme, la Migros, il a vite contre lui, non seulement le monde du commerce, mais tout l'ordre établi, y compris la magistrature et les juristes.

Poursuivant, dans les années trente, sa lutte contre la stabilité des prix, malgré la crise, il se voit en 1933 interdire d'agrandir ses établissements et de créer de nouvelles succursales. Dans la suite, il continuera la lutte, pendant toute sa vie, attaquant les repaires les plus fortifiés, comme l'essence.

En 1941, après une immense réussite, il a mis son affaire sous forme coopérative et a laissé l'ensemble, comme jadis Boucicaut, à son personnel, après avoir instauré le libre-service et les supermarchés.

En France, rappelons l'aventure du blé pendant la crise des années trente. Après Dutweiler, Edouard Leclerc a entrepris une lutte analogue soulevant, comme lui, la réprobation de l'ordre établi. Ni les syndicats ni les cultivateurs, tous deux bénéficiaires de cette réduction des différences du commerce, si souvent réclamée par le public, ne l'ont soutenu.

Tout récemment, le commerce du livre, rendu par Jack Lang au régime du prix fixe, a trouvé quelques rebelles. La question reste à débattre.

Un secteur noir peu connu

Pendant l'Occupation et la pénurie qui a suivi, l'industrie a été soumise à une organisation complète, le contrôle des produits devant se faire de la source au dernier consommateur. Mais cette organisation allait, du moins pour les produits industriels, en se dégradant de la source au dernier usager.

En haut, l'ordre absolu, répartition autoritaire des matières premières entre les diverses branches, prix fixés, dont économie planifiée pour tout acte extérieur à l'entreprise. A ce stade, quantités et prix étaient strictement respectés, du moins jusqu'à la Libération.

A un niveau un peu plus bas, les contrôles étaient déjà moins stricts et plus on descendait dans l'échelle, vers de petites et de moyennes entreprises, plus il fallait admettre un certain jeu, donc des pertes.

Tout en dessous, vivait un petit monde, à peu près « hors circuit », composé de personnes ayant perdu leur métier (chauffeurs de taxi, personnel licencié d'entreprises sans activité, etc.) ou ne pouvant l'exercer qu'avec des sérieuses difficultés (artisans « oubliés » par les services de répartition des matières premières, travailleurs à mi-temps, etc.). Le contrôle des prix perdait, lui-même, ses droits dans ce secteur instable et fugace. Loin d'être toujours proprement clandestines, les transactions ne se faisaient pas, dans de profonds souterrains entre hommes masqués, mais elles n'en étaient pas moins hors de la légalité, par la pratique de prix libres supérieurs aux règles et néanmoins prix de vendeur, le plus souvent.

Tout n'était cependant pas vraiment noir, dans cette activité, ni même nécessairement illégal, moins encore contraire au droit commun.

Voici cet homme qui vend « aux Puces », sur le trottoir, dans un morceau de journal, une douzaine de petits clous, dont le prix au kilo ferait fuir le millionnaire, mais qui sont très appréciés par l'acheteur, contraint de réparer lui-même les chaussures de sa famille, avec des semelles de caoutchouc taillées dans de vieux pneus. Tel autre répare les bicyclettes ou même les construit en en faisant une avec deux hors d'usage ; la récupération est reine. Acheteur et vendeur trouvent, bien entendu, chacun leur avantage à l'opération et cependant l'on ne peut pas parler de marché, non plus que de marchandages, comme dans les souks. La souplesse du système n'en est pas moins remarquable. A Paris, par exemple, dans les derniers jours de l'Occupation, alors que nul ne savait si le siège allait durer deux jours ou un mois et que, pour la cuisson des aliments, gaz et électricité manquaient déjà, ou risquaient de manquer, sont sortis de divers côtés, comme par une génération spontanée, de petits poêles à papier en tôle mince, en même temps que les conseils pour fabriquer de grosses mottes de papier, mouillées et séchées.

Cet ensemble remarquable d'artisans, sans organisation collective, mais toujours au fil de l'actualité et des besoins, préfigurait, de façon assez remarquable, le secteur noir et complémentaire, tel qu'il existe aujourd'hui dans quelques villes d'Italie, avec, sans doute, plus de souplesse encore, plus d'aptitude à se plier aux événements mouvants, à répondre toujours aux besoins du moment. Aucun désintéressement, aucun dévouement, bien sûr, mais besoin de vivre et parfaite adaptation au moment. Il ne s'agissait pas non plus de résistance politique, mais seulement d'assurer son existence.

La littérature sur le sujet est malheureusement étonnamment pauvre ; alors que le marché noir a été étudié et fait l'objet de tentatives de mesures effectives, ainsi que d'études théoriques, alors que les milieux d'en haut, littéraire, artistique ont été décrits, le travail artisanal sauvage est tombé à peu près dans l'oubli et, sans doute, des secrets de fabrication, de récupération des métaux, etc., ont-ils été perdus.

DEUXIÈME PARTIE

AUJOURD'HUI : TRAVAIL NOIR ET PERTES SOCIALES EN DIVERS PAYS

Présentation

POUR décrire la diversité et la multiplicité des formes de travail noir en divers pays, plusieurs volumes seraient nécessaires ; il faut ici se contenter qu'une série d'aperçus.

La clandestinité rend, bien entendu, l'observation particulièrement difficile ; non seulement il ne peut pas être question de véritables statistiques, mais il n'est même pas possible de compter, si l'on peut dire, sur l'aléa, sur les compensations, tant est forte la dispersion. Nombreuses sont les publications officielles qui ne font même pas allusion aux pratiques réprouvées ; un souci de pureté semble leur dicter l'ignorance du péché. Ou encore le scrupule scientifique les conduit à ne pas mentionner ce qui n'est pas connu, attitude qui revient en somme à compter l'inconnue pour zéro, vraiment peu scientifique.

A l'opposé, les nouvelles, la rumeur, conduisant à amplifier et à généraliser des pratiques isolées ; celui qui les transmet a une tendance naturelle à grossir, à étendre. D'où la grande diversité des appréciations globales et l'insatisfaction du lecteur.

D'autre part, nombreux sont les auteurs à évaluer, voire à mesurer le nombre de clandestins sans faire intervenir le facteur essentiel : le temps passé. C'est ainsi que le sage B.I.T. n'hésite pas à citer avec emphase la proportion de 10 % de travailleurs clandestins, dans le monde, jugement à peu près dépourvu de sens.

Quelques vues préliminaires ont porté sur l'influence des activités clandestines sur les comptes nationaux et sur la notion si importante et peu répandue encore de *perte sociale*.

CHAPITRE VI

Les activités clandestines et les comptes

Aux deux extrémités de la société, nous voyons agir deux groupes :

1° les comptables nationaux ont pour mission de voir, de plonger dans les profondeurs de l'économie, qu'ils souhaiteraient de cristal ;

2° les hommes, tous les hommes, agissent dans leurs intérêts et comme ceux-ci diffèrent de ceux de la collectivité, ils s'efforcent d'échapper à la vue.

Cependant avertis, les premiers entendent voir, tout au moins, comment leurs comptes qu'ils voudraient fidèles, sacrés, sont déformés et s'efforcent, dès lors, de saisir l'invisible.

Les recherches sur le travail noir ont un double aspect, juridique (et éventuellement pénal) et économique. C'est surtout ce second point qui nous intéresse ici. Il s'agit de savoir :

1° dans quelle mesure les activités économiques illégales faussent les comptes ou plus précisément les résultats présentés ;

2° comment établir les comptes qui les comprennent.

Rappelons d'abord quelques notions élémentaires sur les comptes de la nation.

Les comptes de la nation

Jusqu'à la Deuxième Guerre, le gouvernement n'utilisait que des comptes financiers : budget et dette publique. Toute prévision était proscrite[1] et seuls quelques originaux s'efforçaient de mesurer le *revenu national.*

En bouleversant tout, la dernière guerre a, dans un but destructif, obligé les gouvernements à construire et notamment à tenir compte de la production de richesses et de leur utilisation. Comme si souvent, la difficulté a été créatrice ; au lendemain de la guerre, le cadre était prêt, il suffisait de tout mettre en ordre, concepts et méthodes. Dorénavant, le budget classique, presque millénaire, a été, en particulier grâce aux initiatives de Claude Gruson, accompagné d'une vue effective et prospective, sur la marche de l'économie, pendant le même exercice.

Les comptes de la nation, tels qu'ils sont aujourd'hui, un tiers de siècle plus tard, se ressentent de cette origine et comparent, par blocs de douze mois, les trois aspects fondamentaux intéressant la nation :

1. La production de richesses réalisée ou attendue.
2. L'utilisation de ces richesses, consommation, investissement, amortissement, variation des stocks.
3. Les dépenses des ménages, des entreprises et des administrations.

Ces trois façons de parvenir au résultat sont loin de donner une idée complète de l'évolution économique. S'agissant de flux, la dégradation ou l'accroissement de la fortune nationale ne sont comptés qu'en partie. Par exemple, l'érosion, la croissance de forêts appartenant à des particuliers, la perte de bijoux, etc., ne sont pas comptés.

Du fait de leur origine financière et de leur source principale, les comptes de la nation sont assez étroitement liés à la fiscalité, tant en concepts qu'en base de mesure. Une tendance bien naturelle conduit à considérer comme *production* ou comme *revenu* ce qui est susceptible d'être saisi, évalué, par la fiscalité. De ce fait, sont le plus souvent exclues diverses activités, productives de richesses, au sens économique du mot, en particulier les services

1. Telle était, en France, la méfiance vis-à-vis de la prévision des recettes que le budget établi pendant l'année *n*, pour l'année *n* + *1*, devait suivre la règle « de la pénultième » : les recettes de l'année *n* + *1* devaient être basées sur celles de l'année *n* — *1*, corrigées éventuellement des changements de tarifs (et plus tard des prix).

et activités domestiques et les services réciproques ou même troc de marchandises, au-dessous d'une certaine limite.

Les activités clandestines devraient, en bonne règle, être comprises, ou, tout au moins, être citées hors des comptes sous forme d'estimations. En fait, l'influence des finances joue à nouveau : seules sont prises en rectification de comptes les sous-déclarations de revenus par les ménages ou par les entreprises, pour leurs activités connues.

Faute d'un code complet de toutes les activités ou opérations élémentaires ayant un caractère économique, les définitions ne sont pas toujours précises et peuvent varier d'un pays à l'autre ou dans un même pays au cours du temps.

En dépit de leurs imperfections, les comptes jouent, plus encore que les comptes budgétaires traditionnels, un rôle essentiel dans l'observation et la politique économiques. Ce changement satisfait surtout les milieux avancés, qui, avant même les comptes nationaux, mettaient en garde contre un attachement excessif aux comptes financiers ; « mentalité de comptables » était-il dit parfois. Sous cette forme, les comptes de la nation ont eu paradoxalement un caractère d'évasion, de libération ; mais la contrainte n'a changé que de forme.

Quelques mots maintenant, sur les activités illégales en soi, du fait même de leur existence, notamment le commerce de drogues nocives et les activités criminelles. Sous certaines formes, la prostitution pourrait être rangée dans cette catégorie.

Fabrication et commerce de drogues

S'agissant de stupéfiants ou autres drogues prohibées, du fait de leur nocivité, deux aspects doivent être distingués, économique et financier, la nation et l'Etat.

1. La nation. Le consommateur éprouve une satisfaction correspondant à son débours, de sorte qu'il y a bien, comme pour tout produit, une valeur d'usage ; mais son état de santé, son travail, peuvent s'en ressentir défavorablement, d'où perte de production nationale, au sens large du mot, que ne compense pas, même en partie, le supplément d'activité médicale, pharmaceutique, etc., puisque celui-ci doit être couvert par quelque prélèvement ailleurs, accompagné d'une réduction de la consommation. La nation subit donc une perte.

Le dommage peut-il être considéré, dans certains cas, comme négligeable, ainsi qu'il est dit parfois ?

Prenons le cas d'une personne âgée, inactive et incurable, qui trouvant quelque satisfaction dans l'absorption d'une drogue abrège un peu sa vie ; le dommage physiologique qu'elle subit ne se traduit, est-il estimé, par aucune perte économique, par aucune diminution du P.I.B. Ce raisonnement hédoniste pourrait être étendu à d'autres secteurs, notamment l'*euthanasie,* il y a même gain dans cette optique. La question échappe alors à l'économie, puisque sa prise en considération conduirait à accepter une violation de tout l'ordre social, c'est-à-dire à supposer une société bien différente.

2. *L'Etat.* Comme l'activité relative à la drogue échappe à la fiscalité, le Trésor subit une perte. Laissons maintenant de côté le dommage physiologique : la somme dépensée par le consommateur aurait pu être consacrée à une autre satisfaction, sous forme de produit ou de service, laquelle eût entraîné une certaine production, à divers échelons, accompagnée de paiement d'impôts et de cotisations sociales.

Les boissons alcooliques et le tabac

Il ne s'agit ici que de productions, de transports et de commerces en marge de la loi (par exemple, distillation sur place supérieure au maximum autorisé et vente au-dehors). A la perte fiscale, commune à toute activité clandestine, s'ajoute éventuellement une détérioration de la santé, qui nous reporte au cas précédent.

Un calcul pourrait être tenté pour connaître le niveau optimal de la fiscalité correspondant quelque peu au modèle de Laffer, si ingénu qu'il soit. C'est le niveau qui assurerait le gain le plus élevé ou la perte la plus faible pour la nation et pour l'Etat.

A notre connaissance, aucun calcul économétrique, tenant compte de tous les facteurs en jeu, pour aider le législateur, n'a été tenté, du moins pour la France. Il serait d'autant plus délicat qu'il faudrait faire état des dommages indirects, tels que la perte de production du travailleur alcoolique, la dégradation du cadre familial, etc. Le calcul hédoniste serait ici encore plus scabreux que précédemment, car il devrait faire intervenir aussi le gain réalisé par la nation et par l'Etat sur les retraites et autres revenus du fait de la réduction de la longévité des alcooliques et des tabagiques. Même les grandes entreprises en boissons alcooliques ou les grandes sociétés fabriquant des cigarettes, les mieux armées pour la propagande, n'ont pas osé utiliser un tel argument.

Bornons-nous ici à rappeler quelques données sur la valeur d'une vie humaine, pour la société, c'est-à-dire pour la nation, aux divers âges. Elles permettent d'examiner les conséquences économiques de divers événements, notamment les accidents de la route et de toutes morts prématurées, ainsi que des migrations internationales.

La valeur d'une vie humaine [1]

Nulle à la naissance, ou plus exactement à la conception, la valeur de l'homme pour la nation (il s'agit naturellement de moyennes) s'élève pendant toute la période inactive de croissance et de formation et passe par un maximum, vers dix-huit ou vingt ans. Elle diminue ensuite pendant toute la période active, s'annule, pour un âge critique, vers quarante-cinq ans, devient négative et atteint un minimum, à la fin de la vie active ; elle augmente ensuite à nouveau, tout en restant négative, pour être nulle à la mort (figure 2).

Cependant, du fait de l'accumulation du capital productif pendant la vie d'une génération, il faut distinguer deux âges critiques :

Aux environs de trente-cinq ans, l'individu a, par les divers prélèvements subis (fiscalité, famille), rendu à la nation l'équivalent de ce qu'il lui a coûté, pendant sa croissance ; il est en somme « quitte » avec elle.

1. Voir notre *Coût et valeur de la vie humaine*, Hermann, 1977.

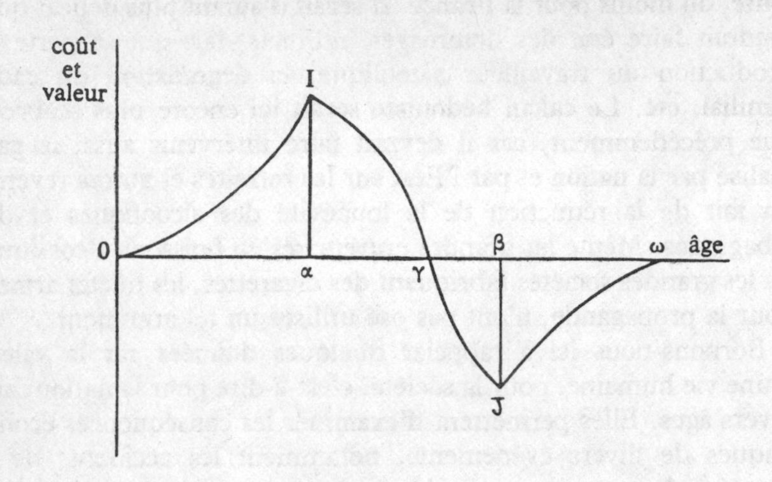

FIGURE 2
Valeur de la vie humaine selon l'âge.

Vers la cinquantaine, l'individu peut se dire qu'il va encore donner à la société, pendant sa vie active, l'équivalent de ce qu'il lui coûtera ensuite pendant la vieillesse inactive (retraite supposée à soixante-cinq ans).

La production nette réalisée entre les deux âges critiques correspond à l'accroissement du capital national, à l'investissement net, pendant la vie, investissement dont profitera la société, après sa mort.

Il s'agit bien entendu de moyennes et de données très approximatives ; les résultats dépendant du reste, du progrès technique, de la législation sociale, en particulier des retraites, de la durée des études, etc. Le chômage équivaut, pour une génération, à une diminution de productivité et a, de ce fait, tendance à rapprocher les deux points critiques.

La valeur d'un homme pour la société est bien différente de sa valeur telle qu'on peut l'estimer en cas de dédommagement, par exemple après un accident de voiture même compte non tenu du *pretium doloris*. Une compagnie d'assurances doit, par exemple, verser une somme à la famille, même si le défunt est retraité.

Les activités criminelles

Comme pour la législation pénale, mais pour des raisons différentes, il convient de distinguer les actes commis contre les biens et ceux qui ont touché les personnes. Mais ceux-ci, nous les laissons de côté. Pour les premiers, en particulier pour le vol simple, il peut y avoir, ou non, destruction de biens.

Le vol sans destruction a des effets différents sur les comptes nationaux, selon qu'il est commis au détriment d'un particulier (d'un ménage), d'un service public ou d'une entreprise.

Si la victime est un particulier ou une administration, il n'y a de répercussion directe ni sur la fortune nationale, ni sur le produit national, ni sur les recettes fiscales, puisqu'il s'agit d'un simple transfert. Il a même été souvent observé, sans aller jusqu'aux théories sociales de la « récupération », que le vol d'une voiture à une personne inactive peut accroître la production nationale, en devenant un instrument de travail. Cet exemple confirme combien la morale peut se distinguer des comptes de l'économie.

Par contre, le vol sans destruction à une entreprise entraîne, par le canal de ses bénéfices, une réduction du produit national et des recettes fiscales.

Si le vol est accompagné de destruction de matériel (effraction, etc.), il faut ajouter aux observations précédentes une réduction de la fortune nationale, ainsi que la production (et par là des recettes fiscales), s'il s'agit d'un instrument de travail.

Activités productives clandestines

Venons-en maintenant aux activités économiques clandestines, c'est-à-dire au travail noir, dans un sens général, déjà évoquées pages 55 à 57.

Avant la guerre, en dehors de la contrebande, de la drogue et de quelques autres formes spéciales, comme la culture du tabac ou la distillation, peu d'activités économiques étaient vraiment clandestines. C'est la montée des charges fiscales et plus encore sociales qui a, en France comme dans les autres pays occidentaux, rendu de telles activités suffisamment « avantageuses » pour braver les contrôles. Il s'agit surtout des petites entreprises, artisanat compris, notamment dans le bâtiment, le logement, la réparation, les services personnels (ménage, enfants, etc.).

Les diverses formes sont :

1° les heures supplémentaires non déclarées par l'entreprise ;

2° le travail exécuté par un artisan et non déclaré ;

3° le travail de non-actifs déjà socialement assurés : étudiants, retraités, invalides, femmes mariées sans profession ;

4° l'activité professionnelle de chômeurs ;

5° l'activité rémunérée d'étrangers sans carte de travail ;

Nous les retrouverons plus loin, pour les divers pays.

Activités clandestines et fraude fiscale

Les nombreuses formes d'activités ou de pratiques illicites et les diverses formes de fraude fiscale agissent de façons diverses sur les comptes de la nation.

La fraude sur le revenu, la plus familière au public, ne correspond pas nécessairement à une activité productive clandestine ; le déclarant peut jouer notamment sur les revenus à l'étranger, les frais professionnels, l'amortissement de son outil de travail, les coupons de valeurs mobilières, perçus à sa place par un ami moins imposable, la pension alimentaire, certains revenus perçus en espèces (étrennes, gratifications, etc.) sans qu'il y ait activité productive clandestine. Quant à la fiscalité sociale, elle n'est touchée que dans certains cas.

De même, quoique moins souvent, *la fraude sur la valeur ajoutée* peut ne correspondre à aucune activité productive clandestine.

La déclaration du salaire minimal, alors que le salaire effectif lui est inférieur (le cas s'est vu), est à l'inverse de la fraude fiscale, mais laisse un gain à l'employeur. Pas d'activité productive clandestine.

La fraude sur les successions par sous-déclaration de l'actif ou sur-déclaration du passif peut s'accompagner de dissimulations (tableaux, bijoux, etc.), mais il ne s'agit pas d'activité productive.

Par contre, certaines activités productives clandestines n'entraînent aucune fraude fiscale, du moins à l'impôt sur le revenu, par exemple, l'octroi d'un salaire supplémentaire clandestin laissant le revenu total du salarié au-dessous du minimum légal imposable. Cet acte est, par contre, une fraude sociofiscale.

Les deux notions *fraude fiscale* et *activité productive clandestine*, parfois identifiées, ne se recouvrent donc qu'en partie. Il en est de même pour la fraude sociofiscale.

Ce que dit la comptabilité nationale en France

Le texte le plus précis est le suivant [1] :

« Il existe des activités le plus souvent exclues des comptes nationaux, bien qu'elles soient, sans conteste, marchandes ; il s'agit des activités illégales, telles que la contrebande, le trafic de drogue ou de devises, la prostitution ou la fabrication d'alcool dans certaines législations. On ne voit, à vrai dire, aucune raison théorique de ne pas en tenir compte... En pratique, on ne peut faire autrement, le plus souvent, que de ne pas les prendre en considération, mais c'est, alors, seulement parce qu'on ne les connaît pas... »

Ce texte, dont la rédaction assez confuse cadre bien, si l'on ose dire, avec le sujet, permet simplement de conclure que les travaux clandestins ne sont comptés que partiellement.

Les comptes de la Nation donnent parfois, en France, une estimation de la fraude fiscale, laquelle, nous l'avons vu, est loin de s'identifier avec l'activité clandestine sociofiscale.

Influence sur les comptes

Nous nous trouvons devant une activité économique clandestine, non enregistrée. Quelle a été son action sur les comptes ? Imaginons qu'un gendarme, un contrôleur clairvoyant se soit trouvé là. Deux éventualités sont alors possibles :

1. L'activité clandestine aurait bien eu lieu, cette fois accompa-

1. Bulletin *Economie et statistique*, INSEE, septembre 1983, p. 66.

gnée des déclarations conformes à la légalité et du versement des sommes légalement dues.

2. L'activité n'aurait pas eu lieu. C'est, précisément, la possibilité d'échapper aux taxes qui a décidé le travailleur.

Les conclusions peuvent être assez différentes. Le plus souvent, nous nous placerons dans la première hypothèse, celle qui est le plus couramment employée pour rectifier les comptes.

Il faudrait, en outre, en bonne règle, tenir compte des répercussions indirectes sur l'économie : par exemple la dissimulation de revenus et d'activité a pu permettre à l'intéressé d'éviter la faillite et de se rétablir.

Au contraire, cette opération noire a pu entraîner la faillite d'entreprises travaillant légalement. Elle a pu aussi provoquer un changement de consommation des ménages ou d'orientation des entreprises.

Une fraude étendue sur les impôts ou sur les cotisations sociofiscales peut influencer la législation. Il a même été dit, souvent, que la fraude était le seul frein au relèvement des tarifs. Rappelons notamment la « loi de Laffer » aux Etats-Unis. Il s'agit alors plutôt d'évasion fiscale.

Mais une fraude étendue à la Sécurité sociale pourrait entraîner une augmentation de la mortalité.

En sens inverse, la facilité que représente, pour une femme, le fait de faire garder son bébé par une voisine pourrait décider une naissance, lorsque celle-ci est en balance, à cause du travail professionnel.

Tout peut, on le voit, entrer en jeu. Les répercussions sont diverses, multiples et certaines peuvent ne pas être défavorables.

Nous n'examinerons, en général, que les conséquences directes sur les comptes.

Quelques cas

1. La vente « à la sauvette », dans la rue, un hippodrome, un lieu public est, si l'on peut dire, du travail noir, à l'état pur. Elle entraîne des fraudes fiscales (valeur ajoutée, revenu ainsi qu'impôt foncier et patente, ou taxe professionnelle) et sociofiscales.

Le P.I.B. est diminué du fait de la dissimulation, mais non de l'activité en soi. Mais, à l'achat par le client aurait correspondu quelque achat régulier ou une épargne.

2. L'artisan, le chef de petite entreprise, qui exécute lui-même, pour un client, un travail, sans délivrer de facture et sans inscrire la recette dans ses comptes, est, sur le plan comptable, dans un cas peu différent du précédent : fraude fiscale (l'impôt foncier et la taxe professionnelle sont cependant payés) et sociofiscale : P.I.B. diminué par la dissimulation.

3. Le ménage qui, en fin de journée ou de semaine, utilise sans le déclarer un ouvrier, qui dispose déjà d'un salaire régulier, ne commet pas toujours, nous l'avons vu, une fraude fiscale, car le revenu de cet ouvrier peut être inférieur au minimum imposable. Par contre, il élude une charge sociofiscale. Cette fois encore, le P.I.B. est diminué par la dissimulation.

4. L'entreprise qui agit de même évite bien la charge sociofiscale, mais son revenu net se trouve augmenté, du fait de la non prise en compte de la dépense. Il y a donc, paradoxalement, une majoration de l'impôt, parfois acceptée pour raison de commodité, parfois effacée par une autre irrégularité ; par exemple, une minoration du salaire versé.

Si les déclarations étaient faites régulièrement, le P.I.B. ne serait pas modifié, en termes de revenu.

5. Les heures supplémentaires non comptées par l'employeur dans ses dépenses déclarées constituent un cas analogue ; l'entreprise régulière et l'entreprise occasionnelle ne font alors qu'une et il est rare, en ce cas, que le salaire puisse être minoré.

6. La location ou la sous-location meublée non déclarée d'un appartement, d'un local, est une fraude fiscale, mais non une fraude sociofiscale. Le P.I.B. est minoré, du fait de cette non-déclaration.

7. Le passage d'une frontière, clandestin ou non, sans déclaration d'un objet taxable est une fraude fiscale, mais non fiscosociale. Le P.I.B. n'est pas changé.

8. L'utilisation de la voiture d'une administration à des fins personnelles est un revenu en nature, qui, en bonne règle, devrait être déclaré. Personne, même un opposant politique, ne reprochera cependant au président de la République d'avoir laissé

utiliser la voiture officielle par sa femme ou par un proche, en dehors de toute utilité publique. Le P.I.B. se trouve, en somme et en bonne règle, minoré du fait de la consommation de carburant et de l'usure.

9. L'utilisation de la voiture d'une entreprise à des fins personnelles crée également un revenu en nature non déclaré ; mais, cette fois, le bénéfice et la valeur ajoutée de l'entreprise se trouvent minorés, ainsi que le P.I.B.

Des considérations analogues peuvent être formulées pour l'usage de divers matériels d'usine, de bureau : voici le cadre d'une entreprise, le professeur d'université, le directeur de ministère, le député ou le sénateur, qui utilise à des fins personnelles (courrier, articles, etc.) le secrétariat et les moyens mis à sa disposition. Si ce personnel et le matériel durable étaient en sous-emploi, il n'y a pas dommage, le P.I.B. est même augmenté. Cependant, si le geste devient habituel, un manque de personnel ou de moyens matériels finira par se faire sentir, action défavorable sur le P.I.B.

Des nuances peuvent être introduites, si le courrier ou les textes rédigés ont quelque rapport avec l'activité professionnelle.

La majoration d'une note de frais au détriment d'une entreprise réduit son bénéfice, donc ses impôts, sans accroître le revenu déclaré de l'employé responsable ; perte fiscale, mais non socio-fiscale. P.I.B. diminué par la majoration.

La majoration d'une note de frais pour une administration ne modifie guère les comptes nationaux ; l'administration réduit une autre dépense pour un montant équivalent ; il est cependant possible qu'à l'exercice suivant, les crédits accordés à cette administration soient augmentés, d'autre part la dépense non faite aurait peut-être été productive.

Les cadeaux offerts par les entreprises donnent lieu à des contestations de la part des services fiscaux. Ils diminuent les bénéfices apparents de l'entreprise, donc le P.I.B., sans contre-partie pour celui qui reçoit (les objets sont, en général, sans valeur marchande).

Les tarifs préférentiels accordés au personnel par G.D.F. et E.D.F. sont des revenus en nature, non déclarés et non taxés. Cette pratique diminue apparemment le P.I.B.

La sous-déclaration d'une vente immobilière, soumise à des droits d'enregistrement (dessous de table), est une fraude fiscale, mais non sociofiscale. Elle comporte, en outre, vis-à-vis de la déclaration correcte, une diminution du revenu de l'étude notariale (du moins, si le notaire reste étranger à l'accord entre les deux parties), sans accroissement correspondant du revenu du fraudeur, s'il s'agit de particuliers. Diminution du P.I.B.

Le don d'une somme importante entre particuliers (cas fréquent pour réduire les droits d'une succession) entraîne une fraude fiscale, sans altérer le P.I.B.

Le troc entre deux particuliers augmente la satisfaction, puisque les deux parties y trouvent leur avantage ; mais cette satisfaction ne saurait être comptabilisée. En règle générale, il n'y a guère de fraude fiscale, dès l'instant qu'une telle opération n'est pas possible pour les immeubles. Il y a, cependant, une irrégularité s'il s'agit de valeurs mobilières.

L'échange de deux jeunes filles au pair (de deux pays différents) devrait, en bonne règle, donner lieu à déclaration fiscale pour chaque jeune fille (revenu en nature) et déclaration sociofiscale pour chaque famille d'accueil.

Sans cet échange, le P.I.B. de chacun des deux pays serait plus bas (services rendus), mais la non déclaration diminue le P.I.B., tel qu'il est calculé.

Le troc entre deux entreprises équivaut à une double opération d'achat et de vente. Le bénéfice de l'une et de l'autre n'est pas modifié. Cependant, pour de nombreuses législations, il y a dissimulation fiscale.

Le P.I.B. s'en trouve-t-il majoré ? En termes comptables, il reste identique, bien qu'il y ait accroissement de la satisfaction totale ; l'avantage trouvé par l'un et l'autre pourra, peut-être, se retrouver dans les comptes.

Le squatterisme, l'occupation illégale d'un local, ne semble pas modifier les comptes. Si, cependant, le clandestin avait payé un loyer régulier, le P.I.B. n'aurait-il pas été augmenté ? Ce n'est pas certain, car sa consommation aurait diminué sur un autre poste. On pourrait même dire que l'occupation provisoire d'un local vacant augmente la satisfaction nationale. Mais il y a lieu de tenir compte des conséquences indirectes. De toute façon l'optimum économique exige un certain jeu donc un certain sous-emploi de l'ensemble des logements.

Si l'habitation illégale prend un caractère systématique, les dommages peuvent devenir étendus.

La contrefaçon, la fabrication sans payer le droit de brevet entraîne directement une diminution du P.I.B., si ce brevet est national, mais nombreuses sont les conséquences indirectes possibles ; importantes, par exemple, sont les contrefaçons de disques, de cassettes, etc., pouvant mettre l'industrie légale en péril.

Le pourboire, la gratification, non déclarés, ne paraissent guère influencer les comptes, si le versement est fait par un particulier. L'usage de gratifications peut cependant entraîner une diminution de salaire dans une entreprise et même dans un service public. Le plus souvent, les fiscaux proposent à l'intéressé un forfait ; quant aux comptables nationaux, ils tentent des évaluations globales.

La contrebande, dont nous avons déjà parlé, entraîne directement une perte fiscale pour le Trésor et il peut en résulter, en outre, une perte de production nationale, un déficit de la balance des paiements. Cependant si le tarif douanier est excessif, par exemple, sous l'effet d'une pression politique, la contrebande peut être présentée comme salutaire.

CHAPITRE VII

Pertes sociales

AUSSI importante que peu connue, cette notion ne figure dans aucune comptabilité nationale, même pour mémoire. Si le dicton dit bien « le temps c'est l'argent », la mise en pratique reste problématique ; du reste, la perte sociale peut se manifester sous d'autres formes que du temps perdu. A proprement parler, nous visons ici toute perte nationale non mesurée ou non identifiée.

L'origine de l'expression semble remonter à l'économiste soviétique Liberman, à tendances libérales ; au moment de la réforme de 1965, il en a donné l'exemple suivant :

« Lorsque 100 personnes font la queue devant un magasin, pendant une heure, en dehors de leur temps professionnel, il y a 100 heures perdues, sans que cela paraisse dans les comptes nationaux, ni même dans les comptes financiers du ménage. Seul figure l'achat effectué. Il peut même y avoir attente, sans aucun achat final.

« Si, par contre, le matin, pendant une heure creuse, un employé du magasin se trouve inoccupé, cette heure inactive entre dans les comptes, parce qu'elle est payée. »

Liberman laissait ainsi entendre que l'Etat, le gouvernement a, en somme, intérêt, en termes comptables, à la solution qui assure le plein emploi du personnel, si importante que soit la perte sociale résultant de l'attente.

Ce jugement, qui semble nous choquer, nous le retrouverons à chaque pas et de plus en plus dans les pays capitalistes.

Le TGV et les bureaux

En juillet 1981, sauf erreur, M. Dubedout, maire de Grenoble, a écrit à M. Mauroy pour lui signaler qu'il appréciait vivement le gain de temps réalisé de Paris à Grenoble, par le TGV, mais qu'il avait perdu vingt minutes à la gare pour prendre son billet. Ces vingt minutes pouvaient avoir une valeur productive (donc négative ici), puisqu'il s'agissait d'un homme exerçant une activité importante et sans doute intense.

Cette perte sociale n'est entrée dans les comptes ni de la S.N.C.F. ni dans ceux de l'intéressé ou de la mairie.

Ces vingt minutes perdues pouvaient, il est vrai, provenir de la nécessité de réserver la place avec quinze minutes d'avance, mais pour tous les trains l'attente est fréquente, devant les guichets, à certaines heures.

Depuis la réduction du temps de travail professionnel, en 1981, l'attente du public est plus longue dans les bureaux de poste, les mairies, les gares, les commissariats de police, les hôpitaux, les services des contributions, etc. Parfois même, il y a renoncement.

Les administrations intéressées font valoir l'insuffisance de leurs crédits et parfois aussi la sous-activité, à certaines heures, du personnel en relation avec le public. En fait, qu'il attende, qu'il modifie son horaire ou qu'il abandonne son projet, le citoyen subit un certain dommage. Si, du fait de l'attente, il arrive en retard à son lieu de travail, la perte se retrouve ailleurs.

Création de travail

Le gouvernement Mauroy semble avoir été surpris, en 1981-1982, du maintien et même de l'augmentation du nombre de chômeurs, à la suite de la réduction de la durée du travail. Ce concept global, arithmétique, de « partage du travail », si courant dans tous les milieux, dénote une connaissance sommaire de ce qu'il faut bien appeler le marché du travail.

Voici un exemple de cette méconnaissance, si outrancier qu'il tourne parfois à la tragédie (cas du malade sans moyen de transport pour se rendre auprès du médecin). C'est celui des taxis. A l'abri de la loi du 13 mars 1937 (voir page 51), le nombre de véhicules autorisés est à Paris, et dans certaines villes, inférieur de moitié et parfois davantage aux besoins. L'opinion n'est pas émue parce que les plus fortunés ou les plus influents ne sont pas touchés et aussi du fait de la méconnaissance du mécanisme dénoncé plus haut. Aiguë à certaines heures, la rareté entraîne une réduction de la clientèle, qui semble justifier une nouvelle réduction du contingent. Inversement, si le nombre des taxis augmentait, leurs occasions de travail iraient de pair, *le travail créant le travail.*

Cet exemple symbolique permet d'expliquer dans une large mesure la sous-activité, appelée ingénument *crise.*

Etendue de la perte de temps

Pour mesurer le nombre d'heures perdues chaque mois par le public, nous disposons de l'enquête de l'INSEE (voir page 108), mais depuis 1974, sont survenus des changements importants : le gain réalisé sur le temps professionnel s'est retrouvé, sauf progrès de la productivité, sur le temps libre. Or le progrès de la productivité a fortement ralenti, et, dans l'administration, a été grevé de nombreuses complications. Faute de contrepoids, tout notre dispositif politique et syndical agit de ce fait dans le sens de l'extension de la perte sociale. Le syndicalisme actif ne porte, en effet, ses efforts que sur le plan professionnel ; en face, les associations d'usagers sont sans force, sans efficacité, en particulier contre la complexité croissante des règlements.

Les trois objectifs clés

La pression syndicale sur les entreprises et les pouvoirs publics s'exerce constamment en vue de trois objectifs, lesquels se mesurent chacun par un indice :

1° les salaires horaires qu'il s'agit de relever ;

2° la durée du travail qu'il convient de réduire ;

3° les prix à la consommation qu'il faut maintenir le plus bas possible.

En dehors de la charge médico-sociale, ce sont les trois indices clefs sur lesquels le gouvernement a constamment l'œil. Par contre, *aucune pression ne se manifeste, ni sur le gouvernement ni sur le Parlement, contre le temps perdu.* Tout travail non professionnel est appelé « temps libre ».

Du fait de cette différence de pressions, l'économie se déforme au profit, si l'on ose dire, de la perte sociale. Sans doute, la pression se traduit-elle aussi par un effort de productivité, mais de moins en moins efficacement. Dans les services publics, la productivité se détériore même, sous l'effet de la complexité croissante des règlements et du laxisme. Nouvelles pertes sociales.

La principale victime est la population inactive : non seulement, elle ne dispose guère de moyens de pression, mais elle n'est pas consciente de ses intérêts. C'est ainsi que les retraités n'ont pas compris le dommage qu'ils ont subi en 1981, ni ceux qu'ils subiront, du fait d'avantages accordés à la population active. Quel que soit le mode de transmission, l'inactif vit grâce au travail des autres, mais le retraité n'en a pas conscience, l'aspect social l'emportant sur le mécanisme économique.

Une solution pourrait-elle être trouvée par le jeu des élections politiques ? C'est très peu probable, aucune conscience du problème n'ayant été prise. Celui qui essaierait de montrer les intérêts respectifs des salariés et des retraités serait accusé de vouloir diviser le prolétariat. Aucun parti politique n'est d'ailleurs bien au fait de cette perte sociale. Loin de faire la lumière, chacun agit dans le sens d'une plus grande complexité de la législation.

La sécurité

La montée de la délinquance, la progression des vols surtout, inquiètent l'opinion, mais elle n'en perçoit pas la cause principale. Lorsque, à tout carrefour, se trouvait un agent et que les rondes de nuit étaient fréquentes, les agressions étaient moins faciles ; mais une grande pudeur s'oppose à la présentation de cette carence, si claire qu'elle soit. Il s'agit bien d'une perte sociale, car le montant des pertes n'entre pas dans les comptes de la nation, du moins pour celles des ménages. Du fait des pertes subies et des gains réalisés, la nature des consommations peut être modifiée, des passages de l'investissement à la consommation et vice versa peuvent en résulter, mais ces changements ne sont pas mesurés.

Laissons maintenant de côté la question de la durée du travail, qu'il est si difficile de juger en toute raison, tant les commentaires peuvent être déplaisants (le prétendu sens de l'Histoire), et abordons d'autres formes de perte sociale.

L'environnement

C'est au début des années soixante-dix, par un curieux effet indirect de l'exploration de la Lune, que les hommes ont pris vraiment conscience de dégradations de l'environnement, jusque-là sous-estimées à l'échelle mondiale et restant, même dans le code national, hors des comptes, c'est-à-dire pertes sociales. Une importante littérature a été alors consacrée à ces phénomènes, la prise en compte de certains dommages a été imposée à des entreprises ou à des particuliers, d'autres ont été mises à la charge de l'Etat, le reste étant maintenu hors des comptes annuels et considéré comme une dégradation du patrimoine national ou international (la mer, l'atmosphère).

Goulots et travail noir

Voici maintenant un phénomène bien moins connu, malgré son importance, et qui n'est pas sans rapport avec la perte sociale :

Dans l'exemple cité par Liberman, l'attente des clients résultait d'un insuffisant écoulement à la vente, donc d'un goulot. Lorsque, dans un circuit économique, quelques entreprises, voire une seule, sont en plein emploi et dans l'incapacité de produire davantage, pour répondre à la demande (leur nombre varie en France de 10 à 20 %, selon la conjoncture, mais personne ne le sait, même M. Delors), elles ralentissent le débit en amont et en aval et même latéralement (les salaires payés, les impôts). Il peut s'agir d'une insuffisance quantitative ou qualitative de l'équipement, du risque d'augmenter le coût de revient, en utilisant un matériel quelque peu vétuste, de la peur de recruter un personnel qu'il sera ensuite difficile de licencier, parfois d'un simple souci de sécurité (maintien d'un carnet de commandes suffisant).

Si une entreprise en une telle situation « forçait quelque peu la vapeur », par un moyen ou l'autre, elle féconderait les branches situées en amont et en aval, paierait plus de salaires et d'impôts et ainsi de proche en proche.

L'exemple historique le plus frappant est la reprise générale de l'économie française par le desserrement du goulot acier-travail des métaux, en 1938-1939 (assouplissement de la durée du travail). Dès que la possibilité a été donnée à ces entreprises en plein emploi d'accroître cette durée, elles ont acheté davantage et distribué plus de salaires ; ce supplément de salaires, les ouvriers l'ont utilisé à acheter des vêtements, des objets ménagers, etc., d'où reprise dans les textiles et diverses branches (contre tous pronostics) et même forte reprise de la construction de logements[1]. *Mais la leçon est si contraire aux conceptions globalistes qu'elle n'a pas été retenue.*

L'élargissement d'un goulot a un effet multiplicateur bien plus sûr que la stimulation de la demande « globale », mais il peut s'associer à elle. Dans un tel cas, « produire à tout prix », le travail noir peut même trouver une justification économique, quelle que soit sa forme.

La réduction et, plus encore, la rigidité de la durée du travail, les dommages de l'environnement, les goulots de production, quelle que soit leur nature, sont loin d'être les seules causes importantes de pertes sociales. Parmi les autres, citons-en deux seulement, les transports et le logement.

Les transports

Si souvent dénoncé qu'il ait été dans les publications et les discours politiques, l'encombrement, dans les villes et aux

1. Voir notamment notre *Histoire économique de la France entre les deux guerres*, vol. 1. *Le déroulement*, Economica, 1984.

moments de pointe sur les routes, est longtemps resté sans même un essai de mesure ou de chiffrement.

C'est M. J.-M. Beauvais qui a eu le grand mérite d'entreprendre les recherches nécessaires. Dans son ouvrage *Coût social des transports parisiens* [1], il a publié le résultat de travaux poussés avec une extrême conscience et a donné précisément le nom de déficit social à l'ensemble de la perte subie par la nation, perte qui n'entrait pas explicitement dans les comptes annuels.

Nous laissons ici de côté les pertes proprement économiques et financières résultant des faveurs accordées aux véhicules routiers [2], par le jeu des pressions politiques et même celles qui ont été dénoncées successivement par le F.M.I. (M. de Larosière), la Banque Mondiale (rapport 1980) et l'O.C.D.E. (*L'Observateur*). Il s'agit, en effet, de mesures politiques, cause fondamentale de la prétendue crise, hors de notre sujet.

C'est la perte sociale qui nous intéresse ici ou, plus précisément, la partie des pertes dont l'existence est connue, mais non mesurée, de sorte qu'elle ne figure pas explicitement dans les comptes de la nation et n'est imputée à aucune catégorie d'agents.

Pour la seule région parisienne, le « déficit social », dû à l'encombrement, s'est avéré plusieurs fois supérieur au déficit financier de la R.A.T.P., auquel il contribue d'ailleurs. Par qui est supportée cette perte ?

Par le Trésor public de diverses façons, notamment par la R.A.T.P. (lenteur de rotation des transports en commun, en surface).

Par les ménages, usagers de ces transports (pertes de temps).

Par les conducteurs et passagers des véhicules utilisés à des fins non lucratives, par exemple lors des retours de fin de semaine (à nouveau, pertes de temps).

Par les chefs d'entreprise utilisant des véhicules à des fins industrielles et commerciales (salaires supplémentaires, retards de livraison, etc.).

Par l'Etat, sous forme de déficit de la balance des paiements ; en

1. Economica, 1977.
2. La suppression du bilan des charges et avantages pour la collectivité, résultant de la route, dans le rapport annuel de la *Commission des Comptes des Transports de la Nation*, est, à elle seule, un indice significatif.

contrepartie des dollars perdus il reçoit des francs par voie fiscale, mais la perte d'ensemble est importante.

Il y a d'autres dommages moins sévères. De façon générale, la perte est supportée en valeur par la collectivité et les entreprises et en temps par les ménages.

Aux pertes sociales, dues à l'encombrement, s'ajoutent celles qui résultent de la gratuité du logement des véhicules sur la voie publique nuit et jour, au détriment non seulement de la circulation, mais des riverains, des services de nettoyage, d'enlèvement des ordures ménagères, etc.

Est-il besoin d'ajouter que les résultats sensationnels de M. J.-M. Beauvais ont, tout le comme le coût du logement gratuit des véhicules, subi la loi du silence, proprement religieux, qui règne dans ce domaine ?

Le logement

L'afflux dans les villes s'est, pendant longtemps, traduit par une rente foncière, au profit des propriétaires de terrains, rente à laquelle ne correspondait aucun mérite, aucun effort, aucune contrepartie. Depuis la guerre de 1914, les législations, en matière de loyer et d'impôts, ont, dans de nombreux pays, réduit ou même supprimé ce privilège et l'ont en partie transmis aux locataires, devenus dans la suite souvent propriétaires de leur logement.

Tout en réduisant la rente foncière, la législation a entraîné de nombreuses pertes sociales : logements laissés vacants ou peu occupés, distorsions entre les besoins et leur satisfactioon (dimension, quartier, convenances personnelles, etc.). Aucun calcul n'a été fait, à notre connaissance, de cette immense perte sociale ; une partie seulement correspond aux transports journaliers et s'exprime en dépenses et en temps.

Vue générale et conclusion

Les exemples cités plus haut se retrouvent, pour une large part, dans d'autres pays. Une tendance générale s'exerce d'ailleurs en faveur d'une augmentation de la perte sociale, du moins dans les pays en régime parlementaire. La balance n'est, en effet, pas égale entre un avantage social bien apparent et une perte qui n'est pas mesurée correctement. Les comptables nationaux emploient parfois le mot *pervers* à propos d'événements ou de mesures jugés défavorables, mais sans plus. Nous retrouvons, en de nombreuses occasions, la prédominance des intérêts particuliers sur l'intérêt général, chaque fois que celui-ci ne s'exprime pas d'une façon suffisamment précise. Perdre beaucoup n'est rien ; l'essentiel est de ne pas le savoir.

CHAPITRE VIII

Économie domestique et bénévolat

La comptabilité nationale est, rappelons-le, fille et complément de la fiscalité. Partout où s'exerce une activité marchande (toujours plus ou moins protégée par la loi), la puissance publique trouve, tôt ou tard, une source possible de recettes. Les locaux où ne pénètre pas Asmodée, percepteur, sont également hors de portée du statisticien, du comptable.

C'est, en particulier, le cas des relations à l'intérieur d'un ménage, entre les membres de la famille, et cela non seulement parce que l'habitation a un caractère relativement sacré, mais parce que les comptes intérieurs, quand il y en a, ne sont pas directement liés aux activités. Rien ne montre mieux cette situation que l'exemple fameux de l'homme qui, en épousant sa cuisinière ou sa dactylo, fait baisser le P.I.B. Compté en effet dans la situation première, le salaire disparaît ensuite.

Faut-il compter l'activité domestique dans le P.I.B. ?

Pendant longtemps, une évaluation de l'activité domestique est restée hors de question, les économistes se contentant de souligner son existence et parfois son importance. Une mesure correcte paraît aujourd'hui utile, mais la question de savoir si le P.I.B. doit la comprendre, ou non, n'a guère de sens. Tout est permis, à condition de savoir de quoi on parle. Dans certains cas, il est utile de connaître l'activité économique totale (y compris la domestique) ; dans d'autres, c'est l'économie marchande qui retient seule l'attention. L'essentiel, comme toujours, est :

1° d'avoir une bonne terminologie, de bien définir les termes que l'on emploie ;

2° de ne comparer que des grandeurs de même définition.

Comparaison dans le temps et l'espace

Particulièrement importantes sont ces précautions, pour comparer divers pays (ou régions) ou bien suivre l'évolution d'un pays (d'une région) dans le temps. Il s'agit, dans ce cas, de juger l'influence du développement.

La transformation subie, dans les pays développés, a revêtu deux aspects, allant quelque peu en sens inverse.

1. *Réduction d'activités domestiques :* le ramassage du bois, l'entretien du feu, la lessive, une partie de la cuisine, etc., ont été remplacés par de nouvelles techniques ou par des produits et appareils acquis au-dehors. Le restaurant, la cantine, ont pris, en outre, une assez large extension. De ce fait, l'augmentation du P.I.B., tel qu'il est mesuré, est un peu supérieure à la réalité (les activités disparues n'étaient pas comptées dans le calcul antérieur). Une série observée sur un siècle, ou même un demi-siècle, devrait donner lieu à des corrections.

2. *Remplacement de l'activité de personnes, jadis rémunérées, par des travaux des membres de la famille.* Le profond recul du nombre de domestiques a, aujourd'hui, un prolongement, par la diminution importante du travail artisanal. Les familles doivent, dès lors, se livrer à des tâches (bricolage, etc.) pour lesquelles elles ne trouvent plus de titulaires. Parfois même, les objets vendus doivent être terminés chez soi ; c'est le cas de certains meubles et ce fut le cas pour les logements eux-mêmes, après la guerre (castorisation, finition par l'acquéreur). La fiscalité joue cette fois dans ce sens. Le P.I.B. est alors sous-estimé.

Mesure de l'activité domestique

C'est seulement après la Première Guerre qu'apparaissent les premières évaluations sérieuses de l'activité domestique à l'échelle nationale, au moyen d'enquêtes appropriées ; aujourd'hui encore elles sont trop rares et incomplètes.

En France, les premières enquêtes sur le « budget temps » ont été entreprises, après la guerre, par MM. J. Stoetzel et A. Girard à l'I.N.E.D. Elles se sont multipliées ensuite, comme dans tous les pays occidentaux, mais elles demandent de tels moyens d'exécution que le besoin persiste. Comme le boa, le statisticien est, en quelque sorte, victime de sa proie et condamné à un effort continu d'absorption.

La mesure de l'activité domestique dans un pays (ou une région) comporte trois stades :

1. *Définition de l'activité domestique.* Certaines frontières sont imprécises, notamment dans le monde agricole. Selon les cas, selon l'objectif poursuivi et les moyens dont on dispose, la définition peut être plus ou moins large ; l'essentiel est, lors de la présentation des résultats, de bien préciser leur contenu. Si l'on se propose de voir les changements survenus, la définition doit rester constante dans le temps, mais ces changements eux-mêmes peuvent soulever des points de méthode délicats.

2. *Evaluation du temps passé.* C'est l'objet même des enquêtes : les personnes interrogées doivent donner leur emploi du temps, pendant une période donnée, généralement une semaine. Cette méthode laisse de côté les périodes anormales, en particulier les congés.

3. *Valeur de l'heure de travail,* d'où l'on déduit la valeur monétaire totale de l'activité. Plusieurs méthodes se présentent, nous allons le voir sur un exemple.

L'enquête de l'INSEE [1]

Cette enquête a été réalisée sur un échantillon de 7 000 personnes de dix-huit ans et plus, appartenant à des ménages normaux et résidant dans des communes urbaines. Elles ont tenu un relevé de leurs activités d'une journée, par tranches de cinq

1. Anne CHADEAU et Annie FOUQUET, « Peut-on mesurer le travail domestique », *Economie et statistique*, n° 136, septembre 1981. Enquête menée en 1974.

minutes. Ces journées ont été échelonnées sur toute la semaine. La délimitation a été faite avec soin : certaines activités relèvent-elles du travail ou du loisir ? (le jardinage, par exemple et, dans certains cas, la lecture). Le choix a été guidé (mais non nécessairement décidé) par la référence au marché : le résultat de telle activité pourrait-il être vendu, ou bien encore aurait-il pu être acheté, acquis et à quel prix ?

Temps passé. Voici les résultats pour une semaine, en heures et dixièmes d'heures :

TABLEAU I

	Par un homme actif	*Par un homme inactif*	*Par une femme active*	*Par une femme inactive*
Alimentation (cuisine et vaiselle)	2,3	5,0	10,9	16,8
Ménage [nettoyage intérieur (balayage, lavage, lit) et extérieur (fenêtres, ordures)]	0,6	1,6	4,7	7,6
Lessive (lessivage et repassage ; réparation et entretien des vêtements, du linge, des chaussures ; couture)	0,1	0,4	3,7	5,1
Autres travaux ménagers (réparation et entretien du logement et du véhicule ; jardinage ; soins aux animaux ; chauffage, comptes, écritures, rangement ; soins donnés à des adultes)	3,4	7,2	2,1	3,2
Soins aux enfants (soins matériels aux nourrissons et aux enfants, soins médicaux hors et à domicile ; surveillance des devoirs et leçons ; lectures et conversation ; instructi[illegible] manuelle ; promenades)	1,2	0,4	3,4	5,3
Courses (achats de biens et services ; soins médicaux hors du domicile ; services administratifs)	2,3	3,5	3,5	4,7
ENSEMBLE DU TRAVAIL DOMESTIQUE	9,9	18,1	28,3	42,7

Actif et inactif sont employés dans le sens statistique habituel : est active toute personne exerçant une profession.

TABLEAU II

	Temps hebdomadaire passé…			*« Temps contraint »*
	… au travail professionnel[1]	*… au travail professionnel y compris les trajets domicile-travail* *(a)*	*… au travail domestique* *(b)*	*Total* *(a) + (b)*
Femmes actives	34	38	28	66
dont :				
Femmes actives salariées	34	38	27	65
Femmes actives non salariées[2]	36	37	33	70
Femmes inactives	—	—	43	43
Hommes actifs	42	47	10	57
dont :				
Hommes actifs salariés	42	47	11	58
Hommes actifs non salariés[2]	46	50	7	57
Hommes inactifs	—	—	18	18

1. Y compris les pauses.
2. Actif non salarié : indépendant, à son compte, aide familial.

Source : Enquête sur les emplois du temps, 1974.

TABLEAU III

	Activités professionnelles		*Activités domestiques*	
	Taux d'engagement en %			
	Hommes	*Femmes*	*Hommes*	*Femmes*
7 heures	20	10	– de 5	15
9 heures	60	55	10	20
11 h 30	60	55	15	30
12 h 45	20	20	5	20
16 heures	60	55	7	20
19 heures	20	20	– de 20	50

Une partie seulement de la perte sociale se trouve dans les courses et dans les transports (chiffre visiblement minoré) mais elle n'a pas été dégagée. Elle a dû augmenter sensiblement depuis la conduite de l'enquête. Sans doute, faudrait-il donner à l'activité non professionnelle une appellation plus large qu'activité domestique.

Activité professionnelle et activité domestique

La comparaison des deux activités est le principal objectif de l'enquête et c'en est aussi le résultat le plus intéressant. Voici les données pour une semaine (voir tableau II).

Partant de ce tableau, les auteurs ont extrapolé, pour l'ensemble d'une année et pour l'ensemble de la population nationale, opération qui comporte un double biais :

1° les ménages ordinaires urbains ne sont pas représentatifs de l'ensemble des ménages ;

2° la semaine choisie n'est pas représentative de l'année.

Voici, d'autre part comment s'établit, selon Caroline Roy, la journée moyenne des citadins. Il s'agit du taux d'activité à diverses heures (voir tableau III).

Le profil de la journée moyenne d'une femme de 18 à 65 ans, sans activités professionnelle est donné par la figure 3.

Ne considérons donc les chiffres suivants que comme de larges ordres de grandeur.

TABLEAU IV

Temps passé (en milliards d'heures)	*Par l'ensemble des hommes*	*Par l'ensemble des femmes*	*Total*
Au travail professionnel [1]	27,9	13,3	41,2
Au travail domestique			
Non rémunéré [2]	11,1	37,0	48,1
AU TRAVAIL TOTAL	39,0	50,3	89,3

1. Temps de travail rémunéré (non compris trajets) × 48 semaines × effectifs de la population active de plus de 18 ans.

2. Temps de travail domestique × 52 semaines × effectifs de la population de plus de 18 ans.

La liaison entre travail professionnel masculin et travail domestique féminin est forte, et sans doute inférieure à ce qu'elle a été, mais supérieure à ce qu'elle est aujourd'hui.

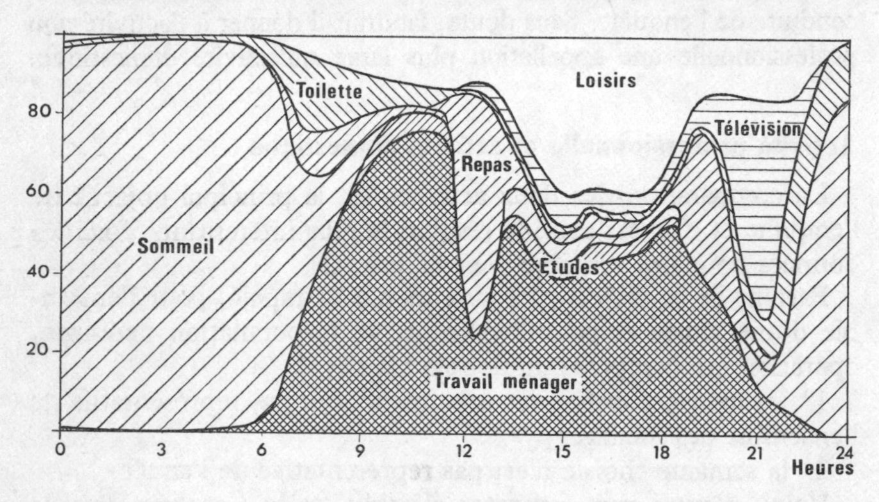

FIGURE 3
La journée moyenne d'une femme de 18 à 65 ans,
sans activité professionnelle
(% de personnes engagées dans une activité)

Dans l'ensemble, le travail domestique (non rémunéré) l'emporte, en temps, sur le travail professionnel. Sans être connu d'avance, ce résultat n'a rien de surprenant ; la différence a dû s'accentuer encore depuis, du fait du chômage, de la réduction de la durée du travail et de l'avancement de l'âge de la retraite.

Le montant monétaire

Pour évaluer en unités monétaires, comme le P.I.B. classique, ce que l'on pourrait appeler la « production domestique », ou même la production privée des ménages, la méthode consiste à affecter à chaque heure de travail domestique le salaire qui serait donné dans l'économie marchande. L'application suggère diverses variantes, parfois curieuses, telles que : « Faut-il ajouter la T.V.A., les charges sociales ? » Contentons-nous de citer quelques résultats d'ensemble sur ce que les auteurs ne craignent pas d'appeler l' « économie-fiction ». Voici les valeurs monétaires du travail, dans diverses hypothèses ou conventions, le tout ramené aux prix de 1983 :

Evaluation aux prix du substitut marchand :	
global	929
produit par produit	1 200
Evaluation au gain potentiel	1 432

Ces chiffres sont calculés sans charges sociales. Le P.I.B. s'étant élevé, en 1983, à 3 344 milliards, nous avons les chiffres suivants en % du P.I.B. :

	Sans charges sociales	*Avec charges sociales*
Evaluation aux prix du substitut marchand :		
global	27,8	43,3
produit par produit	35,9	50,2
Evaluation au gain potentiel	42,8	57,1

Sans chercher à discerner si une façon de compter l'emporte sur les autres, nous trouvons un résultat d'ensemble correspondant, avec charges sociales, à la moitié du P.I.B. Or le nombre d'heures domestiques dépassait déjà à l'époque, nous l'avons vu, le nombre d'heures de travail professionnel. Pour concilier ces deux résultats, en apparence contradictoires, il faudrait faire intervenir divers facteurs, notamment fiscalité, investissements, temps de travail des chefs d'entreprise, etc.

Relations entre le travail domestique et le degré d'emploi

Nous pouvons, *a priori*, penser que lorsque le plein-emploi est atteint, même sans heures supplémentaires, cette activité est prise en partie sur le travail domestique et qu'inversement une crise de chômage se traduit par une augmentation des activités ménagères ou de bâtiment. Seule une enquête toute récente, comparable à celle de 1974-1975, nous donnerait la réponse. Encore les résultats récents dépendent-ils non seulement de la conjoncture, mais de la tendance fondamentale.

Les deux enquêtes locales, parvenues à notre connaissance, traduisent bien le danger des recherches légères, menées en dehors des règles scientifiques. Elles donnent ou entretiennent des illusions et risquent de suggérer de fausses voies. Elles concluent heureusement en sens opposés.

Dans l'agglomération lilloise[1], la centaine de demandeurs d'emploi observés n'aurait en rien accru ses activités domestiques du fait du « désœuvrement ».

Dans la sidérurgie de Grand Failly[2], village lorrain, on constate, au contraire, une augmentation du travail domestique, notamment pour améliorer le logement.

Rappelons combien sont sujettes à caution ces enquêtes locales entreprises sur un échantillon trop faible, une technique statistique imparfaite, mal armée, en particulier contre les erreurs systématiques.

Le bénévolat

Sans avoir peut-être l'importance qu'il avait autrefois (congrégations, etc.), le bénévolat est assez répandu, notamment dans des associations d'utilité générale et particulièrement dans les activités sportives. Le travailleur bénévole s'estime, en quelque sorte, payé par l'intérêt qu'il porte à son club, à son parti, à sa cause.

Quelle est l'influence de l'action bénévole sur les comptes de la nation ? Prenons d'abord un exemple : lorsque Jean Borotra a, dans les années vingt, reversé tous ses gains de tennis réalisés à travers le monde au Racing Club de France, pour construire un

1. R. Foudi, F. Stankiewicz, N. Vaneeclo et *Alii*, *Travail au noir, production domestique et entraide*, doc. université de Lille, C.N.R.S. 1982.

2. Claire Legrain, « L'économie informelle à Grand Failly », *Cahiers de l'O.C.S. C.N.R.S.*, n° 7, Paris, 1982.

bâtiment de sport à la Croix Catelan, il a augmenté le P.I.B., tout en améliorant la balance des paiements.

Aujourd'hui, le bénévole se double parfois d'un mécène (et non d'un « sponsor », selon le ridicule jargon contemporain) ; plusieurs mobiles peuvent le pousser, du désintéressement total à l'intention publicitaire ou politique. S'il est en société, ses libéralités sont prises, en fait, sur ses bénéfices, de sorte que la perte (marginale) sera presque entièrement supportée par l'Etat, bienfaiteur involontaire.

Dans bien des cas (club local d'amateurs, par exemple), le bénévole trouve dans son activité, non un avantage matériel, mais une satisfaction personnelle, à voir s'améliorer l'œuvre entreprise. Il est, en somme, payé en espoir, bien précieux certes, mais qui n'a jusqu'ici guère pénétré dans la comptabilité nationale.

Il ne serait pas impossible de mesurer, comme pour l'activité domestique, l'importance du bénévolat, en attribuant à tous les bénévoles désintéressés une rémunération de leur travail, par comparaison avec des activités salariées.

Les travaux dans ce sens seraient cependant rendus délicats par la diversité des situations.

Prenons par exemple le cas des comités contre l'alcoolisme et celui des comités agissant en faveur de la consommation d'alcool. Ils peuvent exercer deux activités qui s'annulent.

De même, certaines activités s'exercent en vue de limiter la vitesse sur les routes, moyen spécifique de réduire le nombre de morts, alors que d'autres sont orientées contre cette limitation.

Le degré d'utilité ou de nécessité

Revenons particulièrement à la famille : les valeurs respectives que décrète le marché, pour telle ou telle activité, n'ont de signification que dans les conditions du moment. Par exemple, l'abondance de produits de première nécessité, dans les pays occidentaux, les place, de plus en plus, à un niveau très inférieur à leur « valeur d'usage ». Monte-Cristo utilise, pour sa vengeance, cette notion de valeur d'usage, quand il fait payer un poulet cent fois son prix au banquier Danglars affamé. Un rat se payait fort cher pendant le siège de Paris en 1871. Parmi les travaux domestiques, il y a aussi toute une échelle d'utilités qui vont de la décoration et de l'ornement au chauffe-bain, à la préparation des aliments et à l'administration au bébé de soins vitaux.

Bien rares seraient aujourd'hui les familles qui pourraient se passer même temporairement de tout achat au-dehors. Sans un minimum de produits indispensables à l'agriculture, l'Europe occidentale aurait traversé, pendant la pénurie de guerre, une famine sévère. Elle a été, en somme, sauvée par son relatif sous-développement. Depuis ce moment, la dépendance vis-à-vis de l'étranger s'est encore fortement accrue, en carburants notamment, dans l'indifférence la plus confortable des pouvoirs publics.

Les enfants des autres

Parmi les activités domestiques, l'élevage des enfants a longtemps tenu une place essentielle. « Lorsque l'enfant paraît… » Cet événement, si heureux, si solennel, a perdu, pour les populations occidentales, une grande partie de son attrait et plus encore de sa fréquence. Ce que ce nouveau venu représentait jadis d'espoirs s'exprime aujourd'hui en coût, en gêne.

Mais, par manque de franchise, notre société entend se disculper ; aucun groupe n'a maintenant tort, en aucune circonstance, pourvu qu'il ait quelque unité. Ceux mêmes qui font valoir la difficulté d'élever un enfant, en exerçant une profession, contestent l'influence défavorable du travail professionnel sur la natalité. Toutes les attitudes sont certes permises, excepté la contradiction interne.

La solidarité économique avec l'enfant, l'aide qu'il apportera plus tard à ses vieux parents, a été nationalisée. Dès lors, le ménage n'a plus de soucis à se faire pour l'avenir, du moins il le croit, car il compte désormais sur les enfants des autres.

Dans le système de répartition (et même dans celui qui est basé sur la capitalisation), les retraites promises ne sont honorées que par le travail de la génération suivante. Les engagements juridiques ne font rien à l'affaire : il faut des hommes pour produire des richesses et honorer ces engagements.

Et, par comble de dérision, la seule personne qui n'ait pas droit à une retraite normale est la mère de plusieurs enfants, celle qui précisément a créé les pourvoyeurs de retraites, pour les autres. Dans cette société éprise de justice, mais si pauvrement comptable, cette iniquité prend des dimensions si monstrueuses qu'il faut la dissimuler sous des artifices et recourir à de complaisantes mythologies, parmi lesquelles le robot bienfaisant, nourrisseur pour l'avenir, tient une place rassurante.

Non seulement la solidarité n'est pas assurée dans le cadre de la nation, mais elle ne l'est pas davantage dans le cadre du ménage lui-même, à travers sa vie. Psychose de maternité à trente-cinq ans, quand les chances de stérilité sont déjà appréciables, cause de tant de suicides, désespoir en retour d'âge, avec la marche vers le lugubre isolement, inspirant sur le tard des reproches rétrospectifs et vains. Nous y reviendrons.

Le bandeau

Aucune société n'a été aussi en mesure que la nôtre de voir en avant et aucune non plus n'a reculé devant l'avenir avec autant de lâcheté. Devenue quelque peu comptable, elle passe au crible d'une analyse serrée l'exercice en cours et, à la rigueur, celui qui vient, mais recule résolument devant le reste, combien plus sûr cependant. L'œil empli, le cœur troublé des graves débats en vue de savoir si le pouvoir d'achat augmentera ou diminuera cette année de 1,4 %, les experts fuient résolument les certitudes qui se profilent.

Dans l'Antiquité, les Augures se devaient d'éclater de rire en se rencontrant : les têtes de la direction de la prévision font-elles, aujourd'hui de même, les yeux fixés sur leur papier à en-tête ?

CHAPITRE IX

Le travail noir en France

NOUS avons vu (chapitre IV) comment le travail clandestin a pris naissance, après la guerre, en réaction contre la montée des impôts et des charges sociales. Si clair et si logique que soit le fait, il est parfois contesté, par peur de voir une telle constatation entraîner un retour en arrière. Attitude fréquente que ce refus du diagnostic par peur de l'ordonnance qu'il pourrait suggérer, attitude qui va à l'encontre du progrès : imaginons son application dans le domaine médical et la dégradation sanitaire qui s'ensuivrait.

Réputé frondeur et peu civique, le Français paraît *a priori* particulièrement enclin à la clandestinité. Le tour du monde que nous faisons, dans cet ouvrage, ne conduit pas à cette conclusion.

Le clandestin et l'illégal

N'ayant pas, comme le législateur, besoin d'un texte précis, chargé de nuances et de subtilités et pénétré du souci de morale sociale et de disculpation vis-à-vis des faibles, nous pouvons ici nous contenter de décrire les pratiques, de juger leurs conséquences économiques tout en laissant à chaque lecteur le soin de distinguer le Bien du Mal.

Dès l'abord, évitons la confusion (loi de 1972) entre le clandestin et l'illégal.

Il était vraiment difficile à l'assemblée de voter une « loi contre le travail illégal », d'où l'appel au terme « clandestin », péjoratif, mais quelque peu ambigu. Les déclarations fiscales et sociales étant couvertes par le secret professionnel, un artisan, inscrit au registre du commerce, pourrait très bien travailler clandestinement dans sa cave, tout en respectant les déclarations fiscales et sociales et en réglant les taxes et cotisations. En revanche, les heures supplémentaires non déclarées sont illégales, sans être nécessairement clandestines.

C'est qu'il s'agissait, pour le législateur, de bien localiser le délit, en spécifiant l'exclusion du travail occasionnel. Le texte adopté est plus animé du souci de protéger les artisans, tout en ménageant les salariés, que d'atteindre quelque optimum économique, toujours contestable et contesté.

Nous plaçant ici sur le plan économique, nous entendons par « travail noir » *toute activité économique ne donnant pas lieu aux déclarations auxquelles elle est soumise*. De telles pratiques concernent surtout :

1° la petite entreprise et l'artisanat ;

2° le ménage et l'activité domestique.

Une entreprise de grande dimension, armée d'un imposant service de comptabilité, n'a guère la possibilité de payer un salarié, sans le déclarer ou en dissimulant une partie de la rémunération versée.

Quant au service public, il est certes loisible à son directeur d'accorder des congés supplémentaires à son personnel, sans en référer à l'autorité, mais il s'agit alors d'une *non-activité clandestine*, à l'opposé du travail noir.

Partout, le vol de temps suscite l'indulgence, alors que le détournement d'une somme, si minime qu'elle soit, soulève la réprobation.

Douces rigidités

Cruelle, despotique, était la fluidité libérale d'antan : ni autorité responsable ni bureau des réclamations. La crise des années trente et, plus encore, la Seconde guerre ont donné, sinon le goût, du moins l'habitude, des tarifs et des contrôles. Et depuis, tout va dans ce sens, dérivation plus que conduite.

Après la guerre, en particulier, l'artisanat a perdu sa fluidité séculaire, chaque profession, chaque professionnel, cherchant, comme les autres catégories sociales, la sécurité. Cette attitude a conduit à réduire, dans une très large mesure, la pratique du marchandage, au coup par coup, traitée avec mépris sous l'expression « marchand de tapis ». Ce sont des « tarifs syndicaux » qui assurent, dans le principe, la sécurité aux deux parties. Dans le même esprit, la réparation d'un objet, d'un outil, tâche non normalisée, a été de plus en plus refusée.

Nombreux sont les analystes de notre temps à déplorer les méfaits de l'aliénation du travailleur, astreint à des tâches machinales, dont il ne voit pas la finalité ; singulière interversion des faits et des attitudes : ce sont, au contraire, les travaux divers, exigeant chaque fois un effort de réflexion, qui sont abandonnés au profit des tâches moutonnières.

Non seulement l'artisanat et les petits travaux sont l'objet d'une désaffection, mais deux phénomènes bien différents ont favorisé, ou du moins permis, de larges déperditions de ressources et de temps :

1° l'augmentation générale du niveau de vie ;

2° l'allocation de chômage (sa légitimité n'est pas mise en question ici). Obligé naguère d'accepter n'importe quelle tâche, sous la pression du besoin, le travailleur dépourvu d'emploi n'est plus soumis à la même obligation, progrès social important, mais moins-values économiques.

A un stade un peu plus avancé est venu, en dépit de la prétendue « crise » et en aggravant, cette fois, la situation économique et sociale, le refus de petits travaux, qui va parfois fort loin.

Du fait de ces rigidités, que ni l'opinion ni les experts n'osent seulement signaler, tout va dans le même sens, un sens assez redoutable.

L'artisan ou le chef d'une petite entreprise recherche, avec d'autant plus d'attention, la stabilité, même à un niveau plus bas, que la loi a multiplié les difficultés de licenciement du personnel.

Le salarié cherche de moins en moins « du travail » et de plus en plus « un emploi », ce qui le conduit à refuser, toujours davantage, le travail occasionnel ou intermittent, sauf, bien entendu, s'il vient en supplément d'un emploi régulier.

Cette double rigidité a pour conséquence la permanence d'un nombre élevé de personnes sans emploi qui eût jadis été insoutenable. Ici encore, il est permis à chacun de condamner le régime, ou d'accuser la politique suivie ou d'approuver ces attitudes populaires, mais refuser de reconnaître le cheminement suivi, c'est le refus aussi de toute solution. Aucune autorité politique ou patronale n'a encouragé ces pratiques, le moteur a été la poussée générale des intérêts, tels qu'ils étaient conçus par chacun, sous le vent du progrès technique, poussée accompagnée tant bien que mal par une législation attardée et bienveillante.

Dans cette société chargée de rigidités, mais en mouvement continu, le travail noir, recrudescence du libéralisme, a trouvé sa place, toujours protégé, si l'on ose dire, par les charges fiscales et sociales et aussi par les inégalités dans le temps, les déséquilibres accidentels.

Qui fait travailler au noir ?

Les personnes qui donnent du travail, dans des conditions illégales, c'est-à-dire, dans notre définition, sans verser les impôts et les cotisations sociales réglementaires, sont de deux sortes :

1. Les chefs d'entreprise ne déclarant pas toutes les heures supplémentaires réalisées ou les travaux occasionnels, ni même le travail permanent (cas des immigrés sans papier) et échappant, de ce fait, aux charges réglementaires.
2. Les ménages, c'est-à-dire les particuliers, employant une personne rétribuée, sans la déclarer ou en ne la déclarant que pour une partie du temps. Il s'agit, le plus souvent, de leur logement, parfois d'un jardin ou d'un local autre que l'habitation.

Le cas de services publics est beaucoup plus rare, mais réel (petites municipalités notamment).

Qui travaille au noir ?

A la base du travail clandestin, il y a, presque toujours, le désir de vivre mieux, ou simplement le besoin de s'assurer un revenu.

Cherchons, à l'inverse, les conditions qui excluent une activité clandestine : un revenu jugé suffisant, en balance avec l'effort qu'il faudrait fournir pour l'élever ; un horaire chargé, l'absence de temps libre ; une réserve, affective ou rationnelle, à l'égard de telles activités ; une connaissance insuffisante des activités possibles.

Parmi les personnes recourant au travail noir, salarié ou rémunéré, par vente du produit élaboré, nous pouvons distinguer deux grandes catégories :

1. Ceux qui, ne disposant que d'un revenu insuffisant, cherchent à l'augmenter.

2. Ceux qui disposent d'un plein revenu, mais cherchent des ressources supplémentaires.

Dans la première catégorie sont, comme en d'autres pays, enclins à travailler de façon illégale :

1° les retraités, pensionnés, invalides ;

2° les chômeurs, au sens large du mot, totaux ou partiels, reconnus légalement ou non comme tels ;

3° les étudiants ;

4° les personnes sans profession (femmes mariées surtout et jeunes) ;

5° les étrangers sans autorisation de travail.

Dans la seconde catégorie figurent :

1° des salariés réguliers, faisant, pour leur employeur, des heures supplémentaires non déclarées ;

2° des salariés ayant travaillé la durée légale ou une durée voisine et exécutant des travaux pour d'autres personnes que leur employeur habituel. Il peut même s'agir d'un second emploi (la nuit, par exemple).

Quant aux artisans, qui sous-déclarent leur activité professionnelle, ils sont à la fois employeur et employé.

Les régions

Divers facteurs influent sur les différences régionales :

La présence de nombreux étrangers, sans carte de travail. L'employeur est parfois enclin à leur donner la préférence et, pour certaines tâches, ne trouve guère qu'eux. C'est en particulier le cas de Paris, Lyon, Marseille et du Midi méditerranéen et beaucoup moins celui de l'Ouest.

Les professions à caractère régional. Si l'activité du bâtiment est à peu près générale, il n'en est pas de même du travail en forêt ou de l'hôtellerie et notamment de l'hôtellerie saisonnière. De ce point de vue, nous trouvons particulièrement les Alpes et le Midi.

Le caractère des habitants. De façon générale, le respect de la loi est réputé moins intense au sud de la Loire qu'en Alsace ou en Franche-Comté. Nous retrouvons, cette fois encore, le littoral méditerranéen.

Les principales professions

Comme pour les régions, c'est l'occasion qui fait le larron, même s'il s'agit du bon larron. C'est partout où se rencontrent des irrégularités, saisonnières ou accidentelles, des variations brutales de prix, que le travail noir trouve surtout sa place.

Mentionnons seulement trois secteurs :

L'agriculture

L'inégalité des saisons, leurs variations d'une année à l'autre et les aléas journaliers ont, de tout temps, provoqué des pulsations saisonnières et des secousses accidentelles à peu près entièrement supportées par les salariés, sous forme de sous-emploi. L'utilisation de machines à certains travaux a encore accru l'amplitude de ces écarts. C'est ainsi que, pour la grande viticulture (Languedoc-Roussillon), la taille en hiver et la vendange en automne, non ou mal résolues par la machine, créent des pointes de demandes d'emploi, souvent au noir.

Du fait même de toutes ces irrégularités, le législateur a été paradoxalement obligé d'excuser ou d'absoudre les activités qui font, le plus souvent, appel au travail clandestin (cultures maraîchères, viticulture, forestage, cueillette, etc.). Nous retrouvons ici l'éternelle contradiction que l'on pourrait appeler « la vertu régulatrice » du travail noir.

Rappelons que, dans cet ouvrage, nous laissons de côté la définition juridique de la clandestinité, pour nous en tenir à la non ou à la sous-déclaration de tout ce qui devrait l'être légalement.

Si l'emploi non déclaré d'un clandestin permanent est fort rare, en revanche, nombreux sont les emplois occasionnels non ou sous-déclarés.

L'intensité du travail agricole non déclaré n'a encore donné lieu, à notre connaissance, à aucune mesure sérieuse. Lorsque l'inspection du travail de la région Rhône-Alpes estime à 20 % le nombre de clandestins dans le secteur agricole, elle lance un chiffre sans base sérieuse et dépourvu de précision sur la durée du travail clandestin de chacun.

Signalons aussi l'existence de ménages « chauve-souris », dont l'un des conjoints est déclaré agriculteur (petite propriété) et l'autre salarié ou commerçant, de façon à pouvoir cumuler, le cas échéant, les avantages des deux régimes de Sécurité sociale. Il ne semble pas, dans ce cas, y avoir de clandestinité.

Le bâtiment

Du fait de sa mobilité, de sa dispersion, de l'inégalité des travaux, c'est, si l'on ose dire, le domaine d'élection du travail noir. Voici deux sources de renseignements citées par le rapport Ragot :

1. Selon la revue *Ciments et chaux,* 20 000 logements auraient été bâtis en 1980 sans recourir à des entreprises légales, ce qui représenterait 9 % des habitations individuelles construites. En admettant que ce chiffre n'ait pas bénéficié de l'enflure traditionnelle et qu'il vise la totalité des travaux, il représenterait 5 % de la construction de logements.

2. Selon la Confédération de l'artisanat et des petites entreprises de bâtiment, le travail clandestin dans l'Ile-de-France représente l'équivalent de 4 500 salariés à temps plein.

Pour les petits travaux, à l'intérieur d'un logement, les ménages n'ont pas toujours la possibilité de trouver, dans leur quartier ou leur village, un travailleur régulier.

La confection

Le travail à domicile a été longtemps utilisé par les employeurs pour trouver une main-d'œuvre moins exigeante. Les consommateurs en ont profité par le jeu de la concurrence, sévère dans ce domaine, mais, selon l'usage, l'impopularité n'a concerné que les responsables directs.

Aujourd'hui, le travail à domicile semble peu important, en dehors de quelques localisations (Asiatiques dans le 13e à Paris). Dans le quartier du Sentier, spécialisé dans la confection (voir p. 141) l'exploitation d'étrangers et notamment de Pakistanais a été suffisamment poussée pour motiver des plaintes et l'intervention du gouvernement (groupe présidé par M. Fau).

Mais, cette fois encore, entre la rigidité légale et le travail noir répréhensible, la voie est bien étroite.

Les chômeurs

Selon des vues assez répandues, notamment dans la presse, une proportion importante de chômeurs travaille au noir. *A priori*, le chômeur semble, en effet, trouver dans le travail noir un complément logique, en même temps qu'une excuse. Apte au travail, mais sans emploi, peu disposé envers la société incapable de le recevoir, il est, en outre, soucieux de recevoir un revenu supplémentaire. Il remplit donc, si l'on ose dire, toutes les conditions requises.

Et les anecdotes ne manquent pas. On cite, parmi tant d'autres, le cas de cette petite commune du Midi dont le maire, chargé du paiement de l'allocation, allait fermer la mairie, l'heure étant dépassée, lorsqu'un chômeur se présenta. Au maire, qui lui reprochait son retard, il invoque ingénument qu'il avait été retenu par son travail professionnel.

Mais la généralisation est facile et ne se heurte à aucun démenti fondé.

Il convient, en première analyse critique, de distinguer entre catégories de chômeurs : sans pousser bien loin, nous savons qu'en face des chômeurs profonds, démoralisés, peu aptes déjà un effort de routine, à plus forte raison peu enclins à une aventure risquée, il existe des chômeurs proprement rejetés, fortement désireux d'exercer une activité et prêts à surmonter tous les obstacles, y compris la légalité.

Il faut déplorer le contraste entre l'intérêt du sujet et la faiblesse des recherches. En particulier, l'enquête de Lille [1] porte sur un nombre trop faible (94 au total) pour avoir une signification. Il semble bien cependant que l'opinion surestime quelque peu la proportion de chômeurs travaillant au noir. On peut même noter un phénomène curieux, en sens inverse :

Pour certains des chômeurs qui se livraient au travail noir pendant leur vie active, la mise au chômage provoque paradoxalement la cessation d'une telle activité. Parmi les explications données, deux sont assez claires :

a) le chômeur n'a plus accès au matériel de son entreprise qu'il pouvait emprunter ou utiliser à l'occasion ; il est exclu d'un réseau de camarades, collègues, qui lui procuraient des commandes,

b) la peur de se voir retirer ses indemnités fait hésiter le chômeur, entièrement tributaire de cette source de revenus, tandis que, salarié, il craignait, tout au plus, une amende.

Retraités et préretraités [2]

Comme les étudiants et les chômeurs, les pensionnés, plus pourvus en loisirs qu'en revenu, sont tentés d'exercer une activité partielle compensatrice et d'autant moins enclins à la faire, dans la légalité, qu'ils sont déjà couverts par la Sécurité sociale.

Assez nombreuses, les femmes retraitées, faisant quelques

1. *Op. cit.*
2. On peut consulter l'étude de Rosine KLATZMANN, *Les Activités des préretraités*, ministère du Travail, 1982.

heures de ménage non déclarées (ou déclarées partiellement, pour éviter le risque d'accident du travail).

La recherche de ce côté se heurte aux difficultés déjà signalées. A la rumeur, volontiers généralisante, de faits isolés, il faudrait préférer une enquête spéciale, verbale et confidentielle.

Les retraités ignorent souvent leurs droits, en matière de travail :

Les uns pensent, à tort, que toute activité rémunérée leur est interdite, ce qui les conduit, soit à s'abstenir, soit à travailler au noir. La peur est, en outre, fréquente de se voir retirer sa retraite ou son allocation d'invalidité, d'autres plus conscients cherchent à bénéficier, au moins en partie, du gain réalisé par l'employeur sur la Sécurité sociale.

Le travail temporaire

C'est après la Deuxième Guerre qu'ont été créées aux Etats-Unis, puis en France et dans d'autres pays occidentaux, des entreprises dites « de travail temporaire » (E.T.T.) parfois « intérimaire ». Elles ont été le résultat, en quelque sorte spontané, des réglementations introduites, dans les divers pays, soit par voie législative, soit par interventions syndicales, soit même par une sorte de droit coutumier. Il s'agit, en particulier, des difficultés que présente le licenciement d'un salarié.

Ces difficultés ne sont pas ici mises en cause ; il est très légitime qu'à l'aléa traditionnel, à la vie au jour le jour, le législateur préfère une certaine stabilité de l'emploi. Mais ce souci se trouve en contradiction, nous l'avons vu, avec le mouvement incessant des affaires. Le système du travail temporaire essaie de concilier les deux objectifs.

En cas de maladie, d'absence temporaire, d'un salarié (c'est le cas le plus fréquent), l'entreprise s'adresse à une E.T.T. qui lui fournit une personne de même capacité, moyennant le versement d'une somme, en général un peu supérieure au double du salaire normal, sécurité sociale comprise. Cette majoration se justifie, chez l'E.T.T., par ses frais de fonctionnement et est acceptée par l'entreprise cliente, en raison de l'urgence du service rendu.

Considérons, en effet, le cas du conducteur d'un camion dans le désert, en panne, par suite de la perte d'un boulon de valeur minime, mais essentielle. Il paiera une somme très élevée pour acquérir cette pièce indispensable à la marche. De même, le chef d'entreprise risque, par le défaut momentané d'une dactylo, d'un dessinateur, etc., de subir une perte importante : un service entier risque d'être désorganisé.

Critiquée sur le plan moral et parfois même comparée à un commerce négrier, terme complaisamment employé, cette pratique est utile non seulement aux entreprises qui y font appel, mais à des salariés. Certains, surtout des femmes mariées, acceptent de

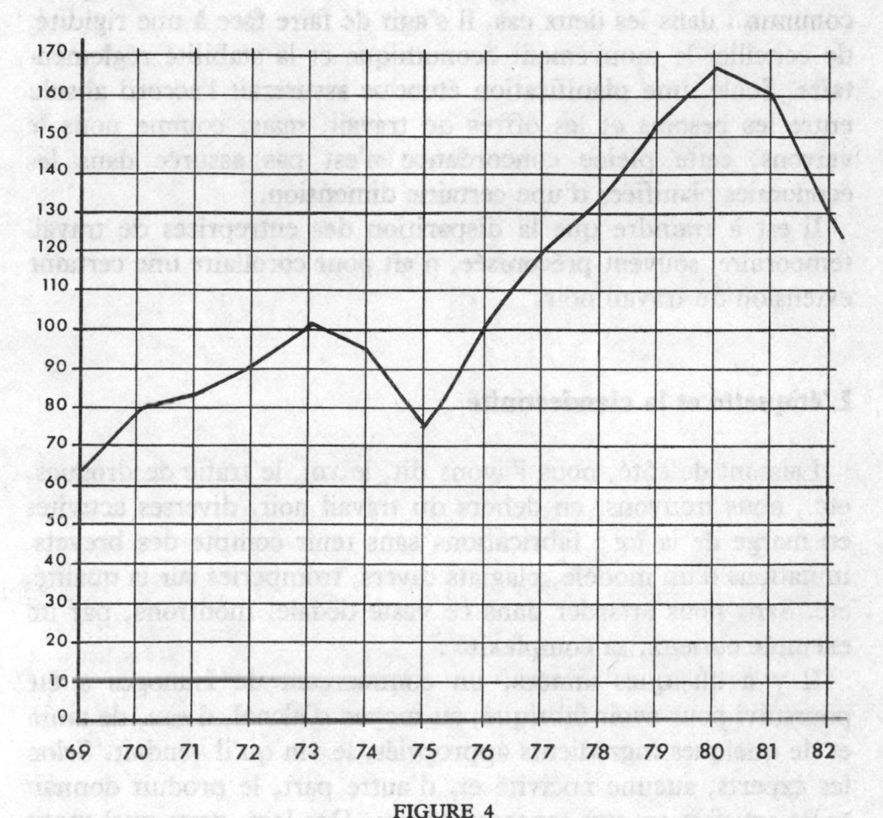

FIGURE 4
Chiffre d'affaires des entreprises de travail temporaire, à prix constants (base 100 en 1973)

ne travailler que de temps à autre, en vue de s'assurer un revenu supplémentaire ; d'autres peuvent trouver ainsi un emploi définitif.

En France, le gouvernement a, dans un but social, introduit quelques règles qui ont accéléré, en 1982 et 1983, la descente amorcée en 1981 (figure 4).

Travail temporaire et travail noir

Ces deux formes, l'une légale, l'autre clandestine, ont un point commun : dans les deux cas, il s'agit de faire face à une rigidité, de concilier le mouvement économique et la stabilité réglementaire. Seule, une planification étendue assurerait l'accord absolu entre les besoins et les offres de travail, mais, comme nous le verrons, cette pleine concordance n'est pas assurée dans les économies planifiées d'une certaine dimension.

Il est à craindre que la disparition des entreprises de travail temporaire, souvent préconisée, n'ait pour corollaire une certaine extension du travail noir.

L'étiquette et la clandestinité

Laissant de côté, nous l'avons dit, le vol, le trafic de drogues, etc., nous trouvons, en dehors du travail noir, diverses activités en marge de la loi : fabrications sans tenir compte des brevets, imitations d'un modèle, plagiats divers, tromperies sur la qualité, etc. Sans nous attarder dans ce vaste dédale, montrons, par un exemple curieux, sa complexité :

Il y a quelques années, un commerçant de Limoges a été poursuivi pour avoir fabriqué, au moyen d'alcool, d'eau, de tanin et de quelques ingrédients appropriés, le vin qu'il vendait. Selon les experts, aucune nocivité et, d'autre part, le produit donnait toute satisfaction aux consommateurs. Dès lors, pour quel motif exercer des poursuites ? Le grief retenu a été la vente de ce produit sous le nom de « vin », condamnation décisive, car, vendu sous un autre nom, il n'eût trouvé aucun preneur.

La question va plus loin, précisément pour ce produit, si apprécié : une réglementation de plus en plus serrée a créé des « appellations contrôlées », dûment portées sur l'étiquette. Le consommateur s'y conforme, pour montrer à ses invités combien il a soigné la table en leur honneur. Ces étiquettes ne prouvent cependant qu'une origine et non une qualité. Toujours sous réserve de la nocivité, n'appartiendrait-il pas au seul consommateur de déterminer ses préférences ? Seulement, contrairement au proverbe, l'habit fait ici le moine.

Une cruelle analogie se présente dans les diplômes et les concours sur titres. Peut-être l'employeur serait-il mieux informé sur le postulant d'emploi par trois mois de pratique, que par le résultat d'un examen ancien de quelques heures, où la chance a pu jouer. Il serait, en outre, renseigné, sur le caractère de l'individu, qualité ignorée des examens. Enfin, une porte, aujourd'hui fermée, serait ouverte à des hommes dont la valeur n'a pas eu la possibilité (financière le plus souvent) de s'exprimer, en vue de diplômes. L'étiquette joue, comme pour le vin, un rôle essentiel, notamment dans la fonction publique, solution de paresse et d'ignorance, qui pèse toute la vie sur l'individu moins touché par la fortune.

Caisses noires

La douane n'a généralement pas à connaître de tels délits, car il y a diverses façons de pratiquer l'érosion intra muros si l'on ose dire encore que des doubles évasions aient été signalées.

Une pratique, que l'on hésite à appeler une coutume, mais qui est jugée avec quelque indulgence lorsqu'elle reste dans des limites étroites et ne donne lieu à aucune malversation, est le détournement de certaines sommes hors de la comptabilité normale, produite au grand jour ; s'il s'agit d'échapper à des impôts, le délit est caractérisé.

Si poussé, dans le détail, est le contrôle des administrations publiques, que les intérêts mêmes du Trésor sont, on le sait, parfois sacrifiés. Tout chef de service cite volontiers des exemples pittoresques, qui provoquent son indignation et les sourires indulgents de ses auditeurs. Le gouvernement lui-même recourt aux fonds secrets, sans accorder à quiconque aucune confiance analogue, dans le budget des dépenses.

Parmi les exemples de caisses noires qui ont le plus défrayé l'actualité, ces dernières années, se placent celles des clubs de football professionnel : la première étincelle a été celle du Paris-Saint-Germain : M. E. Hechter, couturier renommé, pratiquait une double billetterie, de sorte qu'une partie des recettes et des dépenses échappait à tout contrôle, notamment celui de la fiscalité.

L'émotion a été notable, dans le monde du football, mais non l'indignation, car cette pratique n'était pas le monopole de Paris.

En 1982, d'ailleurs, ce fut le tour du non moins grand club de l'Association sportive de Saint-Etienne et, cette fois encore, c'était un notable, M. R. Rocher, qui était directement responsable. Dans les deux cas, il y a eu des inculpations et même des arrestations par la suite, mais la surprise est venue de l'indulgence manifestée par l'administration fiscale, en opposition avec la sévérité qui frappe tant de petites irrégularités, même involontaires. C'est qu'il fallait mettre en action la commission des infractions fiscales. Or, celle-ci ne peut être saisie que sur la demande expresse du ministre du Budget, seul juge, en définitive, de l'opportunité des poursuites.

Or il s'agissait de près de 20 millions de francs. Ce compromis entre le noir et le pur est loin d'être le seul. La vie n'est que bien rarement droite et l'atmosphère pleinement claire, mais l'exemple ci-dessus atteste un déclin affligeant de la moralité publique.

En renonçant à poursuivre les fraudeurs, le fisc a d'ailleurs rendu plus difficile l'enquête judiciaire. Pourquoi une si exceptionnelle modération ? C'est que, contrairement à l'intérêt général, comme au droit public, les municipalités utilisent les recettes des contribuables non au sport des jeunes mais à la subvention de clubs professionnels, et, en pratique, à l'achat et à la haute rémunération de grandes vedettes. Mais il ne faut pas le dire.

CHAPITRE X

Les travailleurs étrangers et la clandestinité

L'IMPORTANCE croissante du rôle des travailleurs étrangers, leurs rapports avec le travail clandestin, et l'ampleur des légendes à leur sujet conduisent à étudier spécialement cette question fondamentale, vitale. Elle est si mal comprise et mal connue, si chargée aussi d'affectivité, en un sens ou l'autre, qu'il faut rappeler le cheminement suivi depuis la guerre.

Ils étaient normalement appelés « travailleurs étrangers », tant dans les textes officiels que dans les conversations ; le changement de terme, en apparence insignifiant, l'adoption incorrecte du terme « *immigré* »[1], traduisent une profonde évolution des esprits, des mœurs et des situations.

La loi du 2 novembre 1945 et l'Office national d'immigration

Selon la loi du 2 novembre 1945, conforme aux désirs de l'opinion et des syndicats (notamment de Racamond, secrétaire de la C.G.T.) et promulguée par le ministre du Travail communiste, P. Croizat, l'entrée d'un travailleur étranger en France est confiée, à titre exclusif, à l'Office national d'immigration (O.N.I.) et aucun étranger ne peut exercer une activité professionnelle sans une autorisation du ministre du Travail.

L'Office ne fait appel à un travailleur étranger que pour des emplois restant vacants, sans titulaire national. L'employeur

1. Un Martiniquais ou un Réunionnais venu en France est un immigré. Un étranger, né en France, de parents étrangers n'est pas un immigré ; néanmoins il est appelé ainsi.

doit d'abord faire constater l'impossibilité de faire exécuter ce travail par un Français. Au moyen de ses services à l'étranger (à l'époque, surtout en Italie et en Espagne), l'O.N.I. recrute un travailleur dans cette profession, veille à son casier judiciaire et à ses antécédents et lui fait passer une visite médicale, avant de l'admettre en France et de le transférer à l'employeur. Ainsi la législation était inspirée, avant tout, par le souci de protéger le travail national.

Dans la pratique, l'employeur trouvait lui-même, par le truchement d'un étranger déjà employé par lui ou par un confrère, le travailleur qu'il lui fallait, le faisait venir clandestinement, le mettait à l'essai et demandait ensuite à l'Office national d'immigration sa régularisation.

En dépit ou en raison d'une clandestinité provisoire, le système fonctionnait sans véritable difficulté : besoin intense de main-d'œuvre pendant cette période d'expansion et abandon par les nationaux des tâches les plus ingrates.

L'étranger admis avait les mêmes droits sociaux que le travailleur national, mais n'en restait pas moins « l'étranger », admis, sinon toléré, affecté à une profession déterminée et toujours susceptible d'expulsion.

Les Algériens ont été soumis à un régime spécial.

Quant aux citoyens d'un pays du Marché commun, ils peuvent entrer librement dans le territoire et y exercer une profession.

L'origine des migrants a peu à peu changé : Italiens et Espagnols, en majorité d'abord, ont joué un rôle de plus en plus faible. En revanche, sont entrés en plus grand nombre des Portugais, puis des Africains, Noirs ou Maghrébins.

Évolution de l'opinion jusqu'en 1974

Assez réservée, au début de la guerre, vis-à-vis des étrangers, l'opinion est peu à peu devenue plus favorable. Trois enquêtes de l'I.N.E.D. en 1951, en 1971 et en 1974[1] montrent l'étendue du

1. *Population*, novembre-décembre 1974 : « Attitude des Français à l'égard de l'immigration étrangère » par Alain GIRARD, Y. CHARBIT et Marie-Laurence LAMY.

chemin suivi. Seulement, au moment de l'enquête de 1974, l'expansion était encore considérée comme la norme, ainsi que l'immigration. Mise au point donc opportune, avant le grand tournant.

A la question : « *Les étrangers résidant en France rendent-ils des services ?* » le nombre de réponses positives est passé de 50 % en 1951 à 80 % en 1974.

Plus éloquente encore, l'attitude à l'égard du logement. A la question : « *Parmi les personnes inscrites pour obtenir un logement faut-il, à votre avis, donner une priorité, à charges de famille égales, aux Français ou, au contraire, ne pas faire de différence ?* », voici les réponses à trois dates :

	1951	*1971*	*1974*
Français	85	55	49
Etranger ou pas de différence	13	42	48
Ne se prononcent pas	2	3	3
	100	100	100

En dépit d'une baisse notable, encore 1 Français sur 2 jugeait utile, en 1971, d'avantager la famille française, en matière de logement.

La rupture

La brusque hausse du pétrole a eu deux conséquences :

1° *fort ralentissement de l'expansion économique*, par suite des erreurs commises en faveur de la route, au détriment de l'industrie ;

2° *arrêt de l'immigration*, par décision politique.

Celle-ci n'en a pas moins continué à un rythme assez notable, du fait des exceptions accordées, notamment aux familles des travailleurs, aux réfugiés et, peu à peu, du fait de la clandestinité, si bien que, malgré les francisations[1], le nombre d'étrangers a augmenté.

Il y a lieu de bien distinguer l'aspect économique du sociopolitique. Du point de vue économique, deux questions essentielles : l'emploi et la balance des paiements courants.

L'emploi

Sur cette question générale, l'ignorance et les préjugés sont tels, même dans des sphères très élevées, que la position affective de chacun dicte son attitude. En fait, l'arrivée d'un travailleur étranger peut, selon les circonstances, augmenter le nombre des emplois ou accroître le chômage, par la présence d'un homme supplémentaire, non utilisé, et par les charges qu'il entraîne.

Ce fut une grande erreur du gouvernement Barre que de limiter étroitement le nombre des Asiatiques (Vietnamiens, Cambodgiens, Laotiens), car, du fait de leurs aptitudes, ils appartiennent tous à la seconde catégorie, celle qui augmente le nombre des emplois.

Si difficile qu'il soit de faire le départ, de façon générale, on peut estimer que, dans les conditions déplorables de notre politique économique, l'immigration est actuellement dommageable en matière d'emploi. Il s'ajoute une difficulté de logement, qui contrairement à l'opinion courante ne « crée pas des emplois ».

La balance des paiements

Le travailleur étranger agit de deux façons : négative, par l'épargne envoyée dans son pays ou emportée pendant son congé. L'ensemble paraît largement supérieur à 15 milliards ; positive, par les produits exportés, à la fabrication desquels il a contribué

1. Le terme « francisation » s'emploie dans le sens le plus général ; il ne s'agit pas seulement de naturalisation, acte juridique. Un enfant dont un des parents est étranger et même, dans certains cas, dont les deux parents sont étrangers peut être français dès sa naissance. Les décès d'étrangers sont eux tous comptés comme « étrangers ».

(voitures, machines diverses) ; aucune estimation n'est possible, mais il est bien évident que des départs massifs, sans discrimination, mettraient l'économie en situation difficile.

Ainsi du point de vue économique, le renvoi d'étrangers dans leur pays, clandestins ou non, exigerait une sérieuse sélection qui se heurterait à d'autres considérations.

Le nombre des étrangers

Si vive est la sensibilité sur le sujet que cette question, simple en apparence, suffit à provoquer des réactions affectives. La réponse n'est, il est vrai, pas facile, si l'on distingue le légal et le « culturel ».

Certains jeunes Maghrébins, par exemple, français de droit par leur naissance, ont conservé leur culture et leur attachement à leur groupe. Des situations inverses se présentent également. Même si l'on s'en tient à la définition légale, des divergences existent. Le nombre d'étrangers, annoncé par le ministre de l'Intérieur, doit, en effet, être corrigé de deux façons :

1° diminué du nombre des étrangers revenus dans leur pays. Jadis important, le retour définitif est, aujourd'hui, de plus en plus faible ;

2° augmenté des clandestins, des irréguliers.

On peut estimer à plus de 4 millions le nombre de personnes de nationalité étrangère.

Les attitudes

Vis-à-vis de l'immigré, diverses attitudes peuvent être prises :

1° le plein accueil, appuyé sur la vieille notion d'hospitalité et sur une idée contemporaine de solidarité sociale ;

2° l'attitude favorable, basée sur l'utilité des travailleurs étrangers, qui acceptent des tâches ingrates ;

3° la résignation vis-à-vis de ces hommes qui se trouvent là et dont l'expulsion est difficile ;

4° la réprobation par sentiment de nocivité et de coût (emploi, logement, Sécurité sociale) ;

5° la xénophobie non raciste, du moins dans le sens véritable du mot, mais culturelle : différence des façons de vivre, ségrégation. Par exemple, la cuisine dans la rue ou le palier du logement déclenchent des attitudes réprobatrices, qui n'ont aucun caractère raciste ;

6° le racisme, basé plus ou moins consciemment sur des croyances génétiques.

Rejet et accueil

Le terme « raciste » et la théorie pseudo-scientifique, élaborée avant la guerre sur ce thème, sont nouveaux dans l'histoire. Cependant, les Européens et les Américains du Nord étaient traditionnellement imbus de préjugés et semblaient, par leur attitude, attribuer à des facteurs génétiques des différences dues au seul milieu. Tel était, par exemple, le jugement classique : « les Noirs sont paresseux » ou encore « les Juifs ne savent pas travailler la terre ». En fait, la distinction entre hérédité et milieu restait, jusqu'à la guerre, assez vague dans les esprits.

Ceux qui font aujourd'hui profession d'antiracisme tombent le plus souvent dans la même confusion et conçoivent mal la part du culturel. Lorsqu'un Maghrébin égorge un mouton dans la rue ou dans une baignoire, il n'obéit à aucune gène, mais à une habitude, une culture. Ainsi l'attitude dite « antiraciste » envenime plutôt la plaie qu'il faudrait au contraire refermer.

Il entre également en ligne le remords confus des Européens vis-à-vis de la période coloniale et un certain souci de rachat[1] ; étrange compromis, donc, entre courants contraires.

« Seuil de tolérance ? »

La notion de « seuil de tolérance » est souvent refusée par les xénophiles, sous l'effet d'une confusion : il ne s'agit pas, en effet,

1. Voir Pascal BRUKNER, *Le Sanglot de l'homme blanc*, Le Seuil, 1983.

d'approuver ou de réprouver l'attitude de la population de telle ou telle ville, voire de tel ou tel quartier, mais seulement d'observer ce qui se passe et de prévoir.

Dans tous les pays et dans tous les temps, la présence d'éléments allogènes a entraîné, au-delà d'une certaine intensité, des réactions spontanées de rejet. Le politique ne peut ignorer cette réaction, surtout si son objectif est de favoriser l'accueil.

Plus la population étrangère est homogène et concentrée, plus se manifestent des attitudes d'intolérance qui provoquent à leur tour un sentiment de défense collective. On peut citer, par exemple, les difficultés qui s'élèvent à Marseille (quartier Bassens), dans la région lyonnaise (les Minguettes), à Paris (notamment le XIXe arrondissement, où 11 % des voix se sont portées sur le candidat d'extrême droite en février 1983), à Dreux en septembre 1983. La peur joue alors un rôle majeur.

Le travail illégal

Aussi chargé de rigidités que l'économie elle-même, le gouvernement n'ose rien faire : « ni entrer ni sortir » est en somme son programme permanent (plus exactement « ni admettre ni expulser »). Si quelque homme, épris de juridique, déposait un recours en Conseil d'Etat contre l'allocation de chômage à des travailleurs étrangers, il aurait peut-être gain de cause... dans une dizaine d'années.

En attendant, les étrangers passent les frontières, tant est grande la différence des niveaux de vie des deux côtés de la Méditerranée et l'amélioration constante des communications.

L'opération comporte trois temps :

1. Le passage même de la frontière : il se fait, soit par le moyen de passeurs entre deux postes de douane ou de police (voir page 222), soit de façon régulière avec de faux papiers, ou encore pour un motif autre que le travail (tourisme, visite à sa famille, etc.).

2. L'installation précaire chez un ami, un parent ou dans un hôtel meublé. C'est la propre période du travail noir (pour le compte d'employeurs intermittents, ou bien vente à la sauvette sur un tapis étalé à même le trottoir, artisanats divers, etc.).

3. La régularisation. La demande est souvent appuyée par des formations d'immigrés et parfois par une menace de grève de la faim. Toute maladie, nécessitant le transport à l'hôpital, pose la question d'une façon plus impérative.

Dans notre système, relativement large sous l'angle de la police générale, mais serré dans le secteur de sécurité sociale, c'est celui-ci qui pousse, paradoxalement, à l'intégration dès la première consultation médicale, le processus est engagé.

L'expulsion reste la solution légale, mais les pouvoirs publics hésitent plus encore à y recourir.

Essai de régularisation

En 1982, dans un but classique d'apaisement, les étrangers en situation illégale ont été invités à présenter une demande de régularisation, à condition de justifier :

1° leur présence en France, antérieure au 1er janvier 1981 ;

2° un emploi stable accompagné ou non d'un contrat de travail.

Cette mesure, qui ne visait pas les Algériens (ils relèvent d'un statut spécial), rappelle celle qui a été prise au printemps 1982 par le président Reagan à l'égard des Mexicains entrés clandestinement aux Etats-Unis (voir page 188). Sur 149 707 demandes déposées, 126 036 ont reçu une réponse favorable, soit 84 %, mais il n'est pas sûr :

a) que tous les clandestins aient déposé une demande. Certains ont pu ne pas être avertis ou bien ont craint de se signaler aux autorités,

b) que les demandes refusées aient été toutes suivies de départs ou d'expulsions en règle. Le plus souvent, au contraire, l'étranger placé devant un refus entre dans une clandestinité plus poussée encore, n'osant plus rentrer dans son logement antérieur.

Il reste enfin le cas des étrangers arrivés après le 1er janvier 1981.

En dépit de cette régularisation partielle, qui a été suivie d'autres, un nombre appréciable d'étrangers sont en situation illégale, n'ayant d'autre ressource que le travail noir.

Les îlots de clandestinité

De divers côtés ont été signalés des groupements d'étrangers travaillant en commun, sans déclarations légales. La police elle-même hésite parfois à pénétrer dans ces îlots, au risque de provoquer une agitation inutile. Le plus souvent, du reste, la rumeur amplifie et déborde le réel.

Nous avons déjà signalé (page 126) le cas des Pakistanais à Paris, dans le quartier du Sentier : le « tchoke » est un marché du travail au sens propre du mot « marché », où des employeurs vont chercher la main-d'œuvre, dont ils ont temporairement besoin. Des immigrés sont entassés dans des locaux qu'on n'ose même pas appeler taudis et travaillent pour des salaires non déclarés, parfois largement inférieurs au S.M.I.C. Le rapport estime que le manque à gagner pour l'U.R.S.S.A.F. est d'environ 150 000 francs par mois. Il s'agit moins de confection de vêtements que de transports, de livraison et aussi de bâtiment. L'administration s'efforce de transformer ces groupes en coopératives ou associations, mais une fois de plus, constatons que la clandestinité est fille des rigidités, dans une économie qui entend cependant rester « marchande ».

Rappelons aussi dans le XIIIe arrondissement de Paris, le groupement de jaunes, appelés fatalement « chinois », complexe dans lequel la police hésite à pénétrer. Certains affirment qu'il y a même des décès clandestins, en vue d'utiliser les papiers du défunt.

Nous allons voir maintenant comment surmonter les difficultés qui résultent tant du travail noir, proprement national, que de l'entrée illégale d'hommes désireux de se nourrir et, pour cela, de travailler.

CHAPITRE XI

Une politique contre le travail noir

Étendue du travail noir

Ce mal qu'il faut combattre et décourager, quelle est son étendue ? La fourchette de 4 à 5 % du P.I.B., souvent citée (sans documents bien sûr à l'appui), nous paraît plausible, avec les précisions suivantes :

Elle ne doit pas être confondue avec la fraude fiscale, avec laquelle elle a simplement une fraction commune.

Elle représente un volume de travaux et non une proportion de personnes ayant une activité clandestine. La proportion de personnes ayant exercé au cours d'une année, par exemple, une activité clandestine est bien plus élevée, ainsi que celle des personnes ayant eu recours à une telle activité.

Il ne s'agit pas d'une moins-value équivalente pour le P.I.B., car certaines activités clandestines sont entrées dans les comptes.

Réprimer ou céder ?

Faut-il blanchir le travail noir, comme le proposent A. Minc et d'autres ? Prise à la lettre, cette solution est dépourvue de sens.

S'agissant, en particulier, de la Sécurité sociale, il faut se garder de céder au chantage du travail noir. Nous devons maintenir cet instrument admirable, qui a élevé à un niveau naguère inespéré une population jusque-là en marge de la société. Quelques suggestions seront cependant formulées plus loin, sur la répartition des charges, à l'intérieur du système.

La question du travail noir est étroitement liée à celle de l'emploi. Or, tout ce qui touche à l'emploi, vues et politiques, est chargé de contresens. Le résultat est éloquent.

Le travail à faire, les tâches qui, dans notre pays, attendent leur ouvrier même dans le domaine vital, existent en quantités à peu près illimitées. Significatif est d'ailleurs le refus du gouvernement d'entreprendre la grande enquête proposée sur :

1° les besoins privés et publics non satisfaits,

2° les heures de travail de diverses professions correspondant à la satisfaction de ces besoins.

M'étant si souvent expliqué sur l'emploi, sans la moindre réussite [1], il ne me paraît guère nécessaire de m'étendre sur la question.

Quelques vues néanmoins

Notre économie est aussi pavée de rigidités que l'enfer de bonnes intentions. Toutes sont, à quelque titre, génératrices de chômage et de travail noir. L'exemple de la Hongrie (voir p. 242) montre qu'une économie contemporaine réfléchie peut combiner l'effort collectif et les initiatives individuelles.

Une nouvelle réduction de la durée du travail serait en France l'antisolution absolue. L'idéal serait, au contraire, que chacun puisse travailler la durée qu'il désire, sa rémunération étant, bien entendu, en proportion avec son apport à la société.

Réduire la durée du travail dans un pays riche est, en outre, un acte de profonde injustice vis-à-vis des pays pauvres. Au lieu d'échanger une heure de travail contre quatre, ce serait proposer l'échange de 1 contre 5. Il est étonnant de voir aujourd'hui des socialistes se prêter à une telle exploitation. C'est, il est vrai, une

1. Voir notamment : *Socialisme et liberté*, Denoël, 1970 ; *L'Economie du diable*, Calmann-Lévy, 1976 ; *La Tragédie du pouvoir*, Calmann-Lévy, 1978 ; *La Machine et le chômage*, Dunod, 1980 ; « Un mal impardonnable », *Le Monde*, 12, 13 et 14 avril 1983.

étrange épreuve que l'apprentissage de la richesse et la conscience de l'ascension sociale.

Sans revenir sur les multiples contresens de la politique de l'emploi, mentionnons que la solution ne se trouve pas exclusivement chez Renault ou Matra. Comme toutes les économies, la nôtre a besoin de multiples travaux de faible dimension, si liés précisément à la souplesse vitale.

Suggérons, par exemple, un fort allègement, sinon la suppression, de la vaine T.V.A. et des charges sociales sur les menus travaux de réparation et de services, combinée avec une attribution moins facile de l'allocation de chômage. Le « trésor social » y gagnerait dans son ensemble et les recettes fiscales aussi, du fait des activités en amont et en aval.

Et de même, le chômeur doit être autorisé à faire, chez les ménages, dans leur logement, quelques menus travaux, ceux-là mêmes que refusent les entreprises dites de « dépannage général » qui ont remplacé les artisans de quartier.

Plus justifiée alors serait la répression du travail noir et plus facile aussi.

A l'intérieur des charges sociales

Si l'ensemble des charges sociales doit être maintenu, des allègements restent souhaitables ; n'étant pas une maladie, l'avortement n'a pas a être remboursé à ce titre. D'autre part, divers abus ont été signalés, notamment sur le petit risque et l'absentéisme. Des transferts sont nécessaires, de la retraite (accordée de façon irréfléchie, de bonne heure, dans la croyance naïve de la résorption du chômage par ce moyen), vers ces pourvoyeuses de retraites que sont les familles. Voici, notamment, une mesure efficace, qui a donné en Allemagne de l'Est des résultats remarquables (35 % de relèvement de la natalité) : octroi d'un congé parental de deux ans assorti d'un demi-salaire avec préservation de l'emploi abandonné.

Cette mesure, si efficace, serait chez nous très peu onéreuse, du fait même du chômage : au lieu de payer une personne à ne rien faire, l'Etat rémunérerait une personne élevant son enfant, résultat du reste qualitativement favorable et préférable avant deux ans à l'élevage collectif.

Au besoin, des sommes supplémentaires seraient fournies par la révision générale des privilèges, en commençant par la suppression immédiate pour ceux qui ne sont pas encore bénéficiaires de « droits acquis ». Car, paradoxalement, ces privilèges se transmettent !

Ni Caton ni Alexandre

Une vaste campagne d'information — et non de propagande — sera nécessaire pour faire les changements nécessaires dans le plein cadre de la démocratie. Pourrons-nous ainsi nous passer de l'austérité de Caton, comme de l'épée d'Alexandre ? Assurément, mais il nous faudrait alors Terence, Aristophane et Ménandre.

Les étrangers

L'improvisation actuelle doit faire place à une politique de longue haleine. Sans enfants, entourée de peuples féconds, dont la population double en une génération, toute l'Europe est assiégée et la France plus encore.

Dans les trente ans qui viennent, le bassin de la Garonne, le Centre et d'autres régions vont subir une désertification intense, accompagnée de vieillissement des survivants. C'est donc une politique intense d'accueil positive qui s'impose, avec une large dispersion dans l'hexagone, accompagnée de multiples précautions.

Cette tâche fort difficile demande études, réflexions, attentions, dispersion, accueil, culture, tâches complémentaires allant jusqu'à la terre, parfois. L'âge moyen de nos paysans dépasse largement la cinquantaine, dans certaines régions.

Aucune recherche n'a été faite dans ce sens, depuis les suggestions si discrètes, il y a une trentaine d'années, du Haut Comité de la population.

A l'antiracisme militant, dangereux parce que générateur de

xénophobie, doit être substituée une attitude positive : à la peur qui hante ces réfugiés bloqués dans notre pays, facilement génératrice de réactions agressives, doit succéder une confiance réciproque. Que, par exemple, dans les fêtes municipales ou autres, alternent les chansons et les danses des Français et des hommes d'autres cultures, jusqu'à la grande farandole finale. Un exemple, un symbole.

Accorder le droit de vote aux élections municipales ? Un jour, sans doute, d'autant plus proche que la dispersion sera plus accusée, mais il est affligeant de voir les partisans de cette mesure, dans l'immédiat, citer en exemple les Suédois, ignorant que dans leur pays, les « étrangers » sont des Finlandais et des Danois !

En tout état de cause, ils viendront, ceux du Sud et peut-être de loin, mais si cette venue est clandestine, mal accueillie, l'aversion, disons plutôt la peur réciproque, montera jusqu'à l'explosion. Dès aujourd'hui, le gouvernement devrait prendre la question en main, avec l'horizon d'une ou deux générations. Un rêve propre à éviter le « cauchemar ».

CHAPITRE XII

Activités clandestines aux frontières

DANS un monde où la monnaie troupeau (pecus) n'est même plus un souvenir, tant elle a fait place, et, depuis si longtemps, à des formes de moins en moins directes, il ne faut pas s'étonner de voir la clandestinité prendre elle-même des aspects de plus en plus subtils.

Du noir aux frontières

Défendre les frontières est une des tâches fondamentales de tout gouvernement, mais cette défense ne consiste plus seulement à empêcher l'entrée d'hommes ou de projectiles ; il faut aussi protéger les frontières contre diverses atteintes. Cette défense multiple est confiée, pour la plus grande part, à la douane, ainsi qu'à la police.

Or, le passage, matériel ou non, et le contrôle des frontières donnent lieu à des opérations, de jour en jour, plus déconcertantes.

Cette extension résulte de la contradiction entre le souffle libéral, qui domine depuis la guerre (particulièrement en Europe sous la forme du Marché commun) et, depuis la chute du despote l'étalon or, la reconquête, dans chaque pays, du pouvoir fondamental : battre monnaie. Même lorsque les marchandises sont admises sans trop de difficultés, il reste les règlements, qui, du fait même de la mobilité des choses, deviennent plus rigoureux, du moins dans les pays comme la France, où la politique économique intérieure donnerait à croire que l'hexagone, gorgé de pétrole, est à 5 000 kilomètres de tout autre territoire.

Le douanier : Frégoli, multivalent

Parmi les multiples tâches de la douane, citons :

Faire payer les droits d'entrée, la T.V.A., etc., lors de l'entrée de marchandises. Dans certains cas, il peut y avoir aussi des droits de sortie. C'est la tâche traditionnelle, la plus connue.

Saisir ce qui est interdit, en particulier les stupéfiants ; s'opposer à l'entrée d'animaux malades et contagieux, de plantes dangereuses (le lierre empoisonné d'Amérique, par exemple, qui pourrait, un jour, empoisonner toute l'Europe), de produits chimiques suspects, etc.

Surveiller (avec l'aide de la police) les entrées et, si possible, les sorties d'objets volés.

Surveiller les entrées et les sorties d'œuvres d'art, dont les transferts sont réglementés.

Empêcher les sorties de capitaux et toute opération financière irrégulière.

Quant au passage clandestin d'une frontière par une personne, c'est surtout l'affaire de la police, mais les douanes prêtent d'autant plus volontiers leur concours qu'une telle fuite est rarement irréprochable sur le plan financier.

Les douanes rapportent au Trésor 22 % des recettes du budget, mais ce n'est pas là leur objectif principal.

Subtilités

Connaître l'arsenal d'une législation mouvante, saisir ses nuances et ses tolérances, officielles ou non, sans toutefois se voir reprocher de brimer les touristes ou de freiner les affaires, est une tâche dont l'aspect délicat échappe le plus souvent à l'opinion la plus éclairée.

Pour la seule question des droits d'entrée à acquitter, les fraudeurs sont légion et ingénieux, depuis le touriste du dimanche qui, une fois en France, présentera avec fatuité à ses amis la montre suisse non déclarée, au professionnel confirmé à l'imagination toujours en éveil. Voici, par exemple, un cas banal qui est loin de faire date dans les annales de la douane :

En janvier 1982, entre à Orly une marchandise, sous la rubrique générale « Sérum de veau », avec l'indication : « Autres produits d'origine animale », lesquels sont à peu près exempts de droits. Mais les gardiens de la loi reconnaissent qu'il s'agit en fait de « Milieux de culture, préparés, pour le microdéveloppement des micro-organismes ». D'où décision en conséquence.

Le carrousel des porcs : il suffit de goûter

Des milliers, des millions de gens sont en attente devant les règlements de la politique européenne agricole, bourbier chargé de hautes intentions, source de multiples profits parallèles. Voici un exemple, parmi cent :

Franchir la frontière de l'Eire vers l'Irlande du Nord, ce n'est rien pour un homme, mais, pour un porc, c'est un acte de haute valorisation (les montants *dits* compensatoires). Pendant quelque temps, ces honnêtes pachydermes ont traversé en toute honnêteté la frontière rémunératrice, pour la refranchir le soir même, en sens inverse, l'oreille basse. Il fallait bien des ruses, bien des guets, pour dénoncer cet aller et retour, plus fructueux que la marée motrice de la Rance.

Mais le « carrousel des porcs » a été vite dépassé : non seulement ce fabricant italien fabriquait une curieuse « mortadelle » en la fortifiant de crottin de cheval, de sciure et de coton, mais il demandait au F.E.O.G.A. une restitution à l'importation. Pourquoi le circuit a-t-il été interrompu ? Parce qu'un agent des douanes de Gênes vraiment indiscret eut, un jour, la curiosité de goûter...

La nuit, tous les chats sont gris

A Orly, arrive un jour, en transit, un chat, d'une espèce extrêmement rare, pour un concours mondial à Londres. Par inadvertance, la cage est ouverte et le chat s'enfuit.

Emotion, consternation dans l'état-major de l'aéroport ; départ retardé... jusqu'au moment où un agent subtil fait observer que, sur les documents, aucune indication n'est donnée sur les caractères de ce chat. Parole donnée, parole tenue, il faut donc livrer *un chat*. D'où la course dans l'aéroport et les environs, jusqu'à la découverte d'un chat de gouttière, peu accommodant, dûment placé dans l'enclos. Jamais n'a été connue la fin de l'histoire.

Les experts

Pour reconnaître une telle fraude, le besoin se fait sentir d'experts en biologie animale ; seulement, des experts, il en faut en tout : en bijoux, en tissus, en animaux, en œuvres d'art, en cristaux, en robots, etc. En face, le monde multiple et multiforme des fraudeurs, habituels ou occasionnels, armés du dernier cri technique, invente constamment du nouveau, ou donne l'impression de le faire et exulte quand il a réussi son passage alors que, de l'autre côté, le souci fondamental est d'empêcher un volume illégal, disons de 10 à 15 % de l'ensemble, c'est-à-dire d'éviter une fluidité dangereuse. Il faut aussi des experts psychologues, tel cet agent de Feignies, qui, au regard un peu trouble de ce Libanais inoffensif, alla droit à ses chaussettes et à sa ceinture, où il fit moisson de diamants.

Dans le but de protéger le patrimoine national, les œuvres d'art de grand mérite ne doivent plus franchir les frontières. Peut-être le père du ministre Fabius pourrait-il dire par quel tour de passe-passe (dont il n'était en rien responsable, personnellement) le célèbre tableau de La Tour découvert, semble-t-il, par Wildenstein, a pu gagner, après tant d'autres, un musée des Etats-Unis.

Un peu mieux éclairée et plus morale, ou, du moins, plus avantageuse pour la nation, la curieuse aventure de ce Français qui, propriétaire d'un Bonnard et estimant qu'il serait évalué à un prix plus élevé à Londres qu'à l'Hôtel Drouot, l'a déclaré à la sortie pour la modeste somme de 20 000 francs. Sans être aussi expert que le regretté Maeght, le douanier de service a eu l'idée de consulter, à tout hasard, le petit Larousse. Trouvant bien le nom de l'auteur du tableau, il a, perplexe, saisi son supérieur, qui, à son tour, a saisi... le tableau, au grand profit, semble-t-il, d'un musée national.

Pouvoirs très étendus

Si importants sont les pouvoirs de la douane, que divers services publics doivent solliciter son intervention, même la police, cette police qui n'a plus le droit de faire ouvrir une voiture (parfois arsenal de truands) stationnant dans la rue. C'est que sous la pression souveraine de l'industrie automobile, le véhicule sur la voie publique a été assimilé à un domicile. Peut-être la douane pourrait-elle...

Ce serait, en effet, faire preuve d'une naïveté désarmante que de croire qu'au-delà d'une bande frontalière, le « gabelou » perd ses droits. Cette puissance peut agir sur tout le territoire et a d'ailleurs une direction à Poitiers (qu'on se rappelle l'aventure des magnétoscopes japonais) et à Clermont-Ferrand.

Si, étant riverain de la Méditerranée, vous entendez agrandir un peu votre domaine, en jetant dans la mer quelques rochers et des pelletées de terre, vous aurez à affronter la douane, soucieuse de ménager « le chemin des douaniers ».

Au-dehors, la douane française a son service de « renseignements », ses détectives, si périmé que paraisse le mot, ses délateurs bien entendu et un esprit de corps bien affirmé, nous le verrons dans un moment.

Création de richesses ?

Laissons de côté les stupéfiants (24,6 tonnes saisies en 1982, en augmentation de 40 % sur l'année 1981, pour une valeur de 370 millions de francs et un dommage évité très supérieur), laissons même de côté le tabac, cas si spécial. La contrebande de produits marchands est-elle, comme il a été dit, créatrice de richesses, favorable au précieux P.I.B. ?

Si nombreux sont les ouvrages, articles ou discours ayant vu le jour sur le sujet, depuis trois siècles, et cela pour répondre en des sens opposés, que porter un jugement d'ensemble est, ici, hors de question.

Voici simplement un cas assez précis :

Si les droits protecteurs, dans tel pays, pour tel produit, ont été votés sous l'influence de fortes pressions d'intérêts privés, l'intérêt général leur étant sacrifié, la contrebande clandestine ne rétablit-elle pas la situation ?

Bien entendu, ce n'est pas pour de tels motifs que se décide le contrebandier, l'œil fixé sur deux guides seulement : le bénéfice réalisé et le risque couru, mais il peut — lui ou son avocat — invoquer cet argument pour sa défense.

Même si la réponse était franchement positive (excès du tarif), donc utilité de sa violation (facteur de modération), il resterait la question bien classique de l'opportunité d'une « justice privée ». Il ne peut, en fait, s'agir que de circonstances atténuantes.

Mais des économistes peuvent, en leur for intérieur, se féliciter parfois de la violation de certaines lois.

Des frontières pour le papier

Dans le régime libéral, qui a duré à peu près jusqu'en 1929, il n'y avait guère, en dehors des violations du droit commun, de délit de trafic financier au passage d'une frontière, les divers pays étant soumis à un despote commun, l'or, dont on a pu dire qu'il ne plaisantait, ni ne transigeait.

Aujourd'hui, le contrôle des changes, fort sévère dans divers pays, dont la France, a, en quelque sorte, ouvert la voie à de nombreuses opérations illicites, dont les plus simples ou les plus courantes consistent à emporter ou envoyer à l'étranger des billets de banque, parfois des valeurs. Une certaine perte est alors acceptée par le fraudeur, surtout dans le cas de fortes sommes. Il arrive aussi qu'au prix de risques moindres, celui qui a gagné une somme, dans un pays étranger, l'y laisse, au lieu de la rapatrier, comme le prévoit la loi. Ce cas sera repris plus loin.

Le guichet de Cornavin

A un bureau de change en France, vous pouvez présenter, sans difficulté, des dollars, des francs suisses, des marks ou même des livres, dans les bons jours du sterling. Mais si vous offrez des dirhams marocains, des kyats birmans ou même des dinars algériens, vous n'avez pour réponse qu'un geste négatif, accompagné d'un sourire indulgent ; c'est que la banque française « ne fait pas le noir ».

Il n'en est pas de même en Suisse, où, par exemple, au guichet de la gare Cornavin, label monétaire, affluent les porteurs des monnaies les plus diverses, au prix de dépréciations plus ou moins sévères. Même les monnaies de l'Est sont acceptées ; le peso cubain, si belle que soit la figurine, ne trouve cependant pas preneur. Antre de fraude ou temple de la vérité ? A chacun d'en juger.

Frontières immatérielles

Pour exporter une certaine somme et surtout des capitaux plus ou moins importants, il n'est pas toujours nécessaire de se préoccuper des frontières marquées sur les atlas, ni de manier des billets de la banque nationale. Des jeux d'écritures, plus ou moins subtils, peuvent conduire au même résultat. Les multinationales, par exemple, survolent constamment, en quelque sorte, les frontières, si bien que les gabelous à casquette doivent céder la place aux comptables, non moins redoutés. C'est ainsi que la nationalisation de Paribas a permis de découvrir d'importantes sorties illégales et de sévir en conséquence. Mais, bien entendu, les financiers des deux camps doivent aller de subtilité en subtilité.

Morale et efficacité

Nous les retrouvons face à face, ces deux attitudes, comparables aux lutteurs éternels, aux frères implacables de Baudelaire.

L'avènement en France du gouvernement socialiste en 1981 a été marqué par un contrôle des changes plus serré, dont la force morale n'est pas en question, mais dont l'efficacité reste incertaine.

Voici, par exemple, un Français qui dispose, légalement ou non, d'une certaine somme dans un pays étranger : s'il la place dans une banque (suisse, par exemple), il commet un délit et est passible de peines sévères ; s'il la dépense, en biens de consommation, en produits de luxe, en menant grande vie, il est ou se remet en pleine légalité.

Or, dans le premier cas, la somme en question est un capital, qui a beaucoup de chances de revenir, un jour, en France et qui peut être considéré comme un investissement à l'étranger.

Supposons un moment que la loi autorise des sorties de capitaux, sous la condition qu'elles soient déclarées, ainsi que le lieu et la forme des placements, la dépense simple étant interdite. Une telle politique entraînerait sans doute des sorties plus importantes que l'actuelle, mais les capitaux seraient identifiés et pourraient éventuellement servir de garantie à des emprunts émis à l'étranger. En outre, le gouvernement serait peut-être moins enclin à décourager l'épargne, notamment par la voie sournoise de l'inflation.

A la veille d'être ministre, dans le gouvernement socialiste, M. M. Jobert avait été plus loin encore : « Les capitaux ne prendraient pas le chemin, toujours risqué, de l'étranger, écrivait-il en mai 1981 [1], s'ils trouvaient, en France, un placement normal. » C'est beaucoup demander.

« Capitulation devant le mur d'argent », diront les uns ; auxquels les autres répondront : « Décourager l'épargne, tout en recourant systématiquement au déficit budgétaire, est une politique de gribouille. »

Cet éternel conflit entre la morale et l'efficacité, aucun des deux ne veut le reconnaître.

Celui qui recherche surtout l'efficacité (en général, il est plutôt à droite) affirme que la morale est respectée par son action.

1. Claude TORRACINTA, *Les Banques suisses en question*, Editions de l'Aire.

Celui qui a surtout pour objectif la justice sociale (en général, incliné à gauche) affirme que ses mesures seront efficaces.

Les fraudes et leur répression

Quoi qu'il en soit, les services des douanes et des finances se trouvent devant une double tâche :

1. Exercer une surveillance efficace aux frontières, ce dernier terme devant être pris dans un sens large et même figuré : c'est-à-dire empêcher tout passage clandestin, toute évasion.

2. Repérer les sommes placées à l'étranger et sévir contre les délinquants. Il existe des passeurs qui, contre une forte commission[1], proposent de faire franchir la frontière, à leurs risques et périls. Or, le capitaliste n'est pas certain, en cas d'échec, donc de perte, de ne pas être dénoncé. Comme la police, la douane passe souvent l'éponge et libère le détenu... s'il fournit des noms utiles.

Il arrive aussi que la personne désire passer elle-même, avec sa fortune : toute lumière n'a pas été faite à propos de l'illustre escroc, Stavisky, en 1933 : sans doute comptait-il trouver à Chamonix, un passeur. Le seul témoin, lien imparfait de l'aventure, est une guérite du chemin de fer de Montenvers, que les gens du pays appellent « la guérite Stavisky ».

Pendant l'occupation allemande, le chemin du col du Géant a été, comme d'autres, suivi par nombre de Juifs cherchant à mettre leur corps et, si possible, quelque peu de leur fortune à l'abri. Ont été retrouvés, au-dessous de l'Aiguille du Dru les ossements blanchis d'un fuyard, abattu par son propre guide. Peut-être la mer de glace rendra-t-elle, un jour, d'autres victimes.

Célèbre aussi le cas de ce financier aux abois qui, après la guerre, fit appel, pour passer ce même col du Géant, au célèbre Mückenbrunn, cet homme d'une force exceptionnelle qui faisait du ski sur les toits de Chamonix, en sautant de l'un à l'autre.

1. Il n'y a pas, bien entendu de tarif, même simplement usuel. Selon Jean BAUMIER, *Ces banquiers qui nous gouvernent* (Plon, 1983), le pourcentage le plus usuel ne dépassait pas 5 % avant 1981 et serait passé à 10 ou 15 % après 1981 (renforcement de la douane) ; certains parlent même de 25 %.

Passeur et « passé » ont disparu, pendant la traversée, sans laisser de traces.

La recherche des sommes évadées

Une fois mis à l'abri, dans une banque suisse sûre, sous la couverture d'un numéro anonyme, le précieux capital n'est pas nécessairement en pleine sécurité, car il reste le risque de dénonciation. La douane emploie à cet effet les moyens bien classiques de la police, en dehors peut-être des chiens : prime aux dénonciateurs (« Nous payons jusqu'à 33 % des sommes que nous récupérons ainsi », a dit un inspecteur des douanes) et indicateurs.

Des agents français et indicateurs suisses s'efforcent de reconnaître et de photographier des Français dépositaires, si possible à l'intérieur de la Banque. A défaut, une photo de la voiture en stationnement a son prix.

C'est ainsi qu'en avril 1980, deux douaniers français, opérant en Suisse, sont tombés dans un piège : au lieu de trouver l'indicateur qui devait leur livrer une liste impressionnante de noms avec toutes indications utiles, ils ont trouvé des policiers suisses qui les ont arrêtés et inculpés d'espionnage ou d'un délit similaire. L'affaire fit grand bruit et eut pour effet d'exaspérer les douaniers de Bellegarde et d'Annemasse, déjà passablement montés contre les Suisses. Leur idée était d'arrêter ou de freiner « légalement » les arrivages d'aliments à Genève, et de compromettre ainsi le ravitaillement de la ville. La négociation directe entre gouvernements a abouti à la relaxation des deux policiers, sans que cependant les Suisses fassent un pas contre le secret bancaire.

Comme pour la police, la dénonciation reste une arme maîtresse et permet les opérations les plus fructueuses : c'est ainsi qu'un ancien boursier lyonnais a eu la surprise, il y a environ deux ans, d'une visite inopinée à son domicile et à son coffre bancaire. Le butin aurait atteint la somme de 30 millions de francs, en livres et dollars.

Vers le mois de janvier 1983, les journaux ont annoncé la

découverte, chez un truand niçois, d'une liste de 2 300 noms, nouvelle qui n'était ni vraie ni vraisemblable, mais que le corps des douanes accrédite volontiers, pour semer l'inquiétude et peut-être le retour des brebis égarées. Ce fut ensuite la liste des 5 000 noms, restée aussi discrète.

En août 1983, malgré les protestations de l'Association française de banques, la douane a demandé des listes informatisées des carnets de changes délivrés par les banques, opération bien légitime, puisqu'elle doit éviter l'octroi, à une même personne, de plusieurs carnets de change ; seulement, bureaucratie supplémentaire, coût appréciable et pertes sociales.

Montant de l'évasion des capitaux en Suisse

La Suisse n'a pas, comme on le dit parfois, le monopole du secret bancaire ; l'Autriche et d'autres pays ont adopté la même attitude, sans offrir toutefois les mêmes garanties pour l'avenir. C'est, en tout cas, en Suisse, la proximité aidant, que s'est réfugiée la grande majorité des capitaux passés ou restés hors des frontières. A combien peut-on estimer leur montant ? Les sociétés suisses en question ne laissent rien, dans leurs bilans, qui permette une estimation globale. Aussi les divergences sont-elles fortes, entre les évaluations tentées par ce qu'on pourrait appeler les deux bords.

Une mission d'information de la Commission des Finances de l'Assemblée, présidée par Ch. Goux, a évalué à 50 000 le nombre des comptes détenus, en Suisse, par des Français, le compte moyen devant être compris entre 50 000 et 70 000 francs français. Selon ces vues, le montant total des capitaux, réfugiés en Suisse, serait compris entre 25 et 35 milliards de francs, soit environ 2 ‰ de la fortune nationale. Cette évaluation nous paraît un peu supérieure à la réalité, mais M. J. Ziegler, socialiste suisse, donne des chiffres encore plus élevés.

Ce qu'il serait intéressant de savoir, c'est la façon dont les sommes sont placées, quel revenu annuel elles rapportent et si celui-ci est rapatrié. Peut-être la majoration des impôts, en 1983, dans le cadre des « mesures de rigueur » a-t-elle entraîné quelques rapatriements forcés...

Les « paradis fiscaux »

L'expression est singulière, l'impôt n'ayant jamais été assimilé à quelque félicité céleste. Il s'agit plutôt de paradis pour les capitaux, grâce à une grande tolérance, génératrice de migrations. Parfois cette exception ne touche guère que les habitants eux-mêmes, comme l'île de Man, parfois elle est générale et même volontaire. On cite souvent les principautés de Monaco et de Lichtenstein, la république de Saint-Marin, mais les règles y sont sévères à l'égard des étrangers. Des Anglais et d'autres vivent en Andorre, non pour y faire du ski, mais en raison de l'exemption d'impôt sur le revenu dont ils bénéficient. Il est question aussi des Bahamas, du Népal, etc., mais la sécurité n'est jamais complète. Peut-être, pour le capitaliste qui prendrait quelques précautions, en signant une convention particulière avec les autorités, les pays les plus sûrs seraient les pays socialistes d'Europe, « enfer » devenu paradis.

CHAPITRE XIII

Clair de lune en Angleterre

Dès l'abord, nous sommes frappés par la multiplicité et la variété des termes employés par Mac Kerrik Macafee, du Service central de statistique[1] : *black, cash, concealed, dual, informal, moonlighting, twilight, underground, hidden, illicit, unofficial, unobserved.*

Cette énumération nous confirme l'importance du phénomène, tout en nous mettant en garde contre des précisions illusoires.

L'expression *moonlighting* (clair de lune), peut-être la plus employée, dérive des premières constatations : il s'agissait, au début, de personnes exerçant un second emploi, le plus souvent la nuit.

Selon le Service central de statistique (Central Statistical Office) la définition de l'économie cachée *(hidden economy)* est la suivante :

> « L'économie cachée, définie en vue d'établir des comptes nationaux, c'est l'activité économique engendrant des revenus *(factor income)*, qui ne peuvent être connus, au moyen des sources statistiques courantes, utilisées à la mesure du produit intérieur brut. »

Large et cependant restrictive, plus comptable que juridique, cette définition appelle diverses précisions :

Exemple classique : l'utilisation du téléphone à des fins personnelles dans une entreprise ou une administration engendre-t-elle

1. *A glimpse of the hidden economy in the National accounts*, Economic Trends, 1980.

un revenu ? La dépense entre bien dans les comptes de l'entreprise (diminution de la valeur ajoutée et du bénéfice), alors que le gain réalisé par le salarié (dans l'hypothèse où il aurait fait ailleurs, à ses frais, cet appel téléphonique) n'est pas comptabilisé par lui, même dans ses comptes personnels.

Il y a plus : un calcul rigoureux pourrait faire intervenir le temps perdu dans le travail professionnel et, en contrepartie, le temps libre gagné par le salarié. Dès que l'on quitte la matière, la substance échappe aux mesures et même aux concepts.

Quelques aspects du travail noir

Comme dans les autres pays, l'activité clandestine est liée à l'évasion fiscale, sans coïncider avec elle, et touche les artisans plus que les chefs d'entreprise et plus encore que les salariés.

Sans permettre une mesure, les anecdotes de Stuart Henry, évoquées plus loin, sont suffisamment nombreuses et variées pour donner à penser que l'intensité du phénomène n'est pas négligeable.

Les travaux du bâtiment sont assez en vue, surtout depuis la réforme de 1960 : comme en France, vers la même époque (Giscard d'Estaing, ministre des Finances), les propriétaires de leur logement n'ont plus été considérés comme se le louant à eux-mêmes. N'ayant plus à déclarer ce revenu fictif, dont ils pouvaient déduire les réparations, ils se sont montrés moins exigeants en termes de factures.

La T.V.A. est considérée comme une des motivations du travail noir, peut-être plus encore que l'impôt sur le revenu, passé dans les mœurs. Lorsque le 1er juillet 1979, le chancelier de l'Echiquier D. Healey en a porté le taux à 15 %, cette mesure a été appelée, dans le public, *moonlighter's charter*.

Selon des bruits et, affirme-t-on, une enquête réalisée sur un millier d'enfants âgés de 11 à 16 ans, dans la région de Londres [1], plus d'un million d'enfants travailleraient au noir ; 35 % des

1. *Children labor in London*, Low paid out, décembre 1982.

interrogés occuperaient un emploi salarié, autre que la garde d'autres enfants, après l'école ou pendant les fins de semaine.

Selon une autre source, ce seraient 56 % des enfants qui travailleraient au noir en 1980, sans être déclarés et, le plus souvent, pour d'autres que pour leurs parents. Professions signalées : vente dans les magasins, restauration, distribution de lait, vente de journaux, coiffure, ramassage de ferraille et même manutention ou réparation de voitures. Salaires très modestes, bien entendu.

L'existence de telles pratiques ne peut être discutée, mais il faut faire toutes réserves sur leur étendue et sur les chiffres cités. Du reste, faute d'indication sur la durée hebdomadaire moyenne de ces travaux, les données restent très imprécises. Observons aussi que, sur un tel sujet, la rumeur ne suit guère les règles statistiques et peut influencer les enquêtes elles-mêmes. Non seulement l'affectivité, la réprobation à l'égard de telles pratiques doivent en pleine sincérité entraîner des déviations, mais la façon de poser les questions, déjà si importante pour les adultes, l'est plus encore pour les enfants. La meilleure réponse serait la conduite d'enquêtes par les autorités techniques et scientifiques, publiques ou privées, spécialisées dans cet exercice difficile.

Selon l'économiste américain Edgar L. Feige (voir chapitre sur les Etats-Unis), divers signes peuvent fournir une méthode de mesure du travail noir ou tout au moins confirmer son existence.

1. Faits anecdotiques relatés par Stuart Henry, dans *The Hidden Economy*[1].
2. La déclaration de sir William Pile, ancien président du Comité supérieur du service des impôts, en 1977.
3. L'augmentation de la proportion des grosses coupures dans la circulation monétaire.
4. L'augmentation du rapport de la circulation monétaire aux comptes nationaux (P.I.B.).
5. Ecarts, à l'échelle nationale, entre dépenses effectuées et revenus déclarés.

1. Martin ROBINSON, 1978.

Méthodes de mesure employées

Selon la déclaration rappelée plus haut, de sir William Pile, en 1977, le travail noir représenterait environ 7,5 % du P.I.B. Il a toutefois ajouté qu'il s'agissait seulement d'une estimation « plausible », sans calcul précis à l'appui. En outre, il s'agissait de dissimulation fiscale, notion certes apparentée au travail noir, mais qui est loin de se confondre avec lui.

Avant d'examiner les méthodes financières utilisées, donnons quelques indications sur le second emploi, exercé par de nombreuses personnes. Sans être toujours clandestin, il échappe largement aux déclarations de revenu, de sorte que la mesure de son importance permet déjà un aperçu. Cette matière fuyante, insaisissable, qu'est le travail noir, il faut l'aborder par les voies les plus diverses, par les recoupements les plus appropriés.

Le second emploi

Le recensement n'ayant donné, sur ce point, que des résultats décevants, il a été décidé de le mesurer directement, par des enquêtes spéciales. Dans le cadre national, deux enquêtes ont été menées, en 1971 :

1. Au cours de la Family Expenditure Survey, enquête annuelle, entreprise par le Service central de statistique, sur les dépenses des familles (enquête que nous appellerons F.E.S.) a été posée à 1 750 000 personnes, la question :

« *Do you have a second job ?* »

Cette question imprécise peut se traduire de deux façons :

« *Exercez-vous un second emploi ?* »

« *Faites-vous un travail supplémentaire ?* »

La différence est, nous allons le voir, importante.

Le fait que 70 % seulement des personnes interrogées (F.E.S.) aient répondu, pourcentage certainement biaisé, montre que les chiffres sont inférieurs à la réalité.

La General Household Survey (enquête générale sur les ménages) conduite par le Département des affaires sociales

(.O.P.C.S.) a porté sur 750 000 personnes (le nombre est plus faible que celui de F.E.S., mais le questionnaire est plus poussé). La question suivante a été posée :

« *Avez-vous effectué, la semaine dernière, un travail rémunéré, en sus de votre activité principale ?* »

Voici, pour 100 personnes actives, le nombre de celles qui ont répondu affirmativement, à la question sur le second emploi :

	Enquête F.E.S.	*Enquête G.H.S.*
Hommes	5,7	3,3
Femmes	8,7	2,8
ENSEMBLE	6,9	3,1

La différence pouvait être attendue dans l'autre sens, puisque les personnes pourvues vraiment d'un « second emploi », comme le laisse entendre la question F.E.S., ont bien dû l'exercer au cours de la semaine précédente. En fait, cette question, mal posée, a dû être comprise dans un sens assez large et peu compromettant, signifiant qu'à l'occasion, la personne exerce un travail supplémentaire. Confusion, comme si souvent, entre travail et emploi, le terme *job* étant peu précis.

Cette explication est confirmée par le taux élevé des réponses affirmatives féminines, car les femmes acceptent souvent un travail occasionnel ou intermittent, tel que la garde d'enfants.

La proportion de réponses positives est sans doute inférieure à la réalité, mais aucune donnée n'est fournie sur l'intensité du travail, en heures par semaine, non plus que sur la clandestinité.

La répartition par âge ne suggère pas de fortes différences, dans l'exercice de cette pratique. Toutefois, la proportion de personnes exerçant un second emploi est, selon G.H.S., un peu plus forte aux âges moyens (25 à 34 ans surtout) et plus faible aux extrémités (jeunes et vieux).

Selon J. Alden de l'Institut de sciences et de technologie du Pays de Galles, 750 000 Britanniques ont exercé deux emplois, de façon régulière (toujours en 1971), et environ un million l'auraient fait occasionnellement. Sans doute, les occasionnels donnent-ils moins facilement une réponse positive que les permanents.

Insatisfait de ces résultats, J. Alden a mené une enquête à Cardiff, sur un champ plus limité, mais plus poussée que la précédente.

L'enquête de Cardiff

Portant sur 4 000 personnes en 1973, elle a donné une proportion de 4,2 % de réponses affirmatives sur le second emploi. Si insuffisamment représentatif de l'ensemble que soit ce nombre de « doublement actifs » (167), les utilisateurs en ont tiré de multiples répartitions (âge, profession, etc.), selon le comportement habituel des enquêteurs, soucieux de tirer tout le suc de leur fruit.

La profession où le pourcentage d'actifs ayant un second emploi est la plus élevée est la *clerical worker*, qui doit s'entendre dans le sens de travail de bureau et non de membre du clergé, comme cela s'est produit.

Les deux tiers des titulaires d'un second emploi ont invoqué le motif économique, mais, du fait même du souci de se justifier, c'est une limite inférieure.

Sur 100 personnes avouant deux activités, la répartition, selon le moment où s'exerce le travail supplémentaire, est la suivante :

Le soir ou la nuit	45
Dans la journée	31
En fin de semaine	24
TOTAL	100

Ce travail supplémentaire s'étend, en moyenne, sur 10 heures par semaine ; le tiers des intéressés allonge la journée chez son employeur habituel.

Double emploi et chômage

L'enquête F.E.S. a permis de suivre la marche dans le temps et de la comparer à celle du chômage. Voici les résultats sur neuf années en pourcentage :

	Double emploi	*Chômage*
1967	4,7	2,2
1969	7,1	2,4
1970	7,4	2,5
1971	6,9	3,3
1972	7,5	3,7
1973	7,5	2,6
1974	8,3	2,6
1975	7,6	4,1

En dehors de la hausse des deux pourcentages, sur l'ensemble de la période, aucune corrélation ne se dégage. Depuis 1955, le pourcentage de chômeurs a d'ailleurs augmenté plus que celui des personnes ayant un double emploi.

Comptes financiers

Reprenons la fameuse déclaration de Sir William Pile : le chiffre de 7,5 % de revenus non déclarés annoncé par lui était, a-t-il ajouté, simplement « plausible », sans être appuyé sur un calcul. Cette dissimulation entraînait, pour le Trésor, une perte de 1 100 millions de livres. Il ne s'agit pas entièrement de travail noir.

Comme il arrive souvent, en l'absence d'information précise, cette estimation a été souvent reprise dans la suite et a servi, en outre, de point de départ à diverses évaluations.

Comme aux Etats-Unis, plusieurs cstimations ont été assises sur la masse monétaire en circulation et sur les grosses coupures.

D'autres auteurs ont analysé les dépenses des ménages, d'autres enfin ont comparé, dans le cadre national, la production aux revenus. Un défaut commun : l'absence de définition précise de la masse que l'on se propose de mesurer.

Méthodes monétaires

La proportion des grosses coupures, dans la masse monétaire, fournit-elle une indication sur les transactions clandestines, grosses consommatrices de tels billets ? C'est ce qu'ont pensé divers auteurs, à l'imitation de M. Ross aux Etats-Unis (voir p. 185).

Cette méthode a été utilisée par divers chercheurs, notamment par M. Freud ; de 1972 à 1978, la valeur des billets de 10 à 20 £ a augmenté de 470 %, alors que les dépenses de consommation n'ont augmenté que de 140 % et la masse monétaire totale de 110 %. Il est possible, dit-il, d'en tirer le volume des transactions clandestines : il aurait été, en 1978, un peu inférieur à 3 % du P.N.B.

Plusieurs fortes objections ont été formulées contre cette méthode (ne serait-ce que la part due à la hausse des prix) ; une erreur pourrait être même commise sur le sens des variations des transactions clandestines.

Un peu plus plausible, au point d'être presque classique, si scabreuse qu'elle soit, la méthode qui consiste à comparer, comme l'ont fait aux Etats-Unis MM. Gutman et Tanzi (voir p. 182 et suivantes), les variations de la masse monétaire à celle du P.I.B. Les transactions noires consomment, en effet, moins de chèques, donc plus de billets.

Selon l'étude de M. O'Higgins [1], la meilleure sans doute, l'économie clandestine porterait, en 1978, sur 7,6 milliards de £, soit 5,2 % du R.N. et 4,6 % du P.I.B., évaluation proche de celle de sir W. Pile.

Si fragile est cependant cette méthode différentielle que, selon M. A. Dilnot et C. N. Morris, critiques sévères, son application

1. *Measuring the hidden economy. A review of evidence and methologies, The outer Circle Policy Unit,* juillet 1980.

aboutirait à un résultat stupéfiant[1] : de 1952 à 1979, la proportion de l'économie noire au P.I.B. aurait diminué de 34,5 % en 1952 à 7,2 % en 1979 ! Bien évidemment, depuis cette époque, les transactions par voie scripturale ont fortement augmenté. Quant au chiffre 7,2 %, en 1979, il avait été directement inspiré par l'évaluation, elle-même hasardeuse, de W. Pile.

Quant à l'application de la méthode Gutman (masse monétaire), elle a fourni pour l'année 1978 un taux de 5,5 % du P.I.B. pour l'économie cachée.

Ces chiffres sont supérieurs aux évaluations de Macafee, 3,5 % du P.I.B., mais peut-être la définition de celui-ci est-elle plus restrictive.

Revenus, dépenses et production

Le Service central de statistique distingue bien les trois moyens, sinon de parvenir au revenu national (ou au P.I.B. selon le concept retenu), du moins de le définir :

1. Revenus gagnés (y compris en nature).
2. Production réalisée dans l'année (produits et services).
3. Dépenses effectuées.

La différence entre le premier nombre et les deux autres peut fournir le montant de la dissimulation.

Cette optique excellente rencontre, malheureusement, de grosses difficultés : d'une part sur le plan même des concepts, quelques précisions doivent être données : par exemple, le troc (*barter*) devrait être considéré comme une double opération d'achat et de vente ; mais comment estimer la production ? D'autre part, s'agissant de mesures différentielles l'erreur relative peut être importante.

Il ne faut donc pas s'étonner de larges divergences entre les résultats.

1. « What do we know about the Black Economy ? » *Fiscal Studies,* juillet 1981.

Enquête sur les ménages

Il s'agit de comparer les dépenses et les revenus. Des enquêtes ont été menées auprès de milliers de ménages, tenant leur budget, où sont inscrites toutes les dépenses. Si tel est bien le cas, la comparaison avec les revenus déclarés fournit le montant de la dissimulation. Mais diverses observations sont nécessaires :

1° il ne s'agit pas nécessairement d'activité clandestine, en particulier pour un artisan ou un chef d'entreprise ;

2° lorsque les précautions concernant le secret sont bien prises et les assurances données bien comprises, il est possible d'obtenir des chiffres voisins de la réalité, mais, en tout état de cause, les gros fraudeurs ne se prêtent pas à de telles communications ; et comme bien souvent ils ne tiennent pas leur compte précis de dépenses, le biais est double ;

3° les résultats ont été obscurcis par la prise en compte des services rendus à l'intérieur de la famille, question certes importante, mais qu'il faut traiter tout à fait en dehors.

Les résultats sont d'ailleurs largement contradictoires, tout au moins dans la forme où ils ont été présentés. Voici, par exemple, deux extraits de la très sérieuse étude de Michael O'Higgins [1] :

A la page 27, nous trouvons le rapport des dépenses aux revenus (100) dans des budgets de ménages, de salariés et d'artisans :

	1971	*1977*
Artisans	113,6	116,3
Ouvriers	106,5	104,2
Employés	109,3	107,5
Services publics et cadres	110,6	
Professions libérales	107,2	105,9

1. *Measuring the hidden economy. A Review of Evidence and Methodologies, The Outer Cercle Policy Unit,* juillet 1980.

Nous pouvons être étonnés du faible chiffre des professions libérales.

A la page 35, sont donnés des chiffres plus élevés. Il faut, semble-t-il, compter au moins 15 % de différence.

Du reste, l'auteur conclut lui-même, en disant que les ordres de grandeur de l'économie cachée relèvent plus de la foi (*faith*) que des faits (*hard facts*). Il ajoute néanmoins qu'il accorde personnellement à l'économie cachée une proportion inférieure à 5 % du P.I.B., en face des 7,5 % de W. Pile, qu'il considère néanmoins comme « non invraisemblable » (*not implausible*).

Non moins sceptique, la réponse écrite du ministre du Trésor à une question parlementaire[1] :

« Ni l'importance de l'erreur résiduelle (il s'agit, il est vrai, des calculs hasardeux de Freud), ni la variation d'une année à l'autre, ne peuvent être considérées comme représentant l'importance ou l'accroissement de l'économie cachée. »

Il s'agit certes d'une réponse publique, mais le ministre a certainement une idée dans sa tête ; gageons qu'elle ne doit pas être très éloignée des 5 à 7 % cités plus haut.

Les vols et la sécurité

Comme en d'autres pays, la petite délinquance s'est étendue, depuis une vingtaine d'années, et cette extension se double d'une diminution de l'honnêteté traditionnelle. Dans son ouvrage, si documenté et varié, *The hidden economy*, Henry Stuart émet des vues troublantes.

« Selon des nouvelles rapportées par les médias, tout un chacun est prêt à se débrouiller (*fiddle*). Vraiment bien peu de personnes, a-t-on dit, pourraient affirmer n'avoir jamais obtenu, par des moyens non orthodoxes, quelque produit, somme d'argent ou service. » (P. 3.)

Selon J. Pettigrew, poursuit H. Stuart, l'argent étant de plus en plus difficile à gagner en Angleterre, un nombre de plus en plus

1. Peter REES dans *Hansard*, 11 juin 1979. Réponses écrites.

élevé de personnes cherche de nouvelles voies pour parvenir à ses fins. Particulièrement visés sont les contrôleurs, débitants, barmen, garçons de service, nettoyeurs de carreaux, personnel des magasins, garagistes, constructeurs, chauffeurs et même voyageurs ou clients. Le montant des vols atteindrait 1,8 % du revenu national.

C'est là un danger pour toute la civilisation occidentale, menacée aujourd'hui de diminution de niveau de vie. N'ayant pas connu l'époque où les conditions de vie étaient plus difficiles, les moins de quarante-cinq ans ne « savent » pas vivre dans des limites déterminées.

L'importance croissante des vols a obligé de nombreux particuliers, et surtout de nombreuses entreprises, à recourir à des services de sécurité. Mais ces dépenses supplémentaires réduisent les profits et sont donc cause de conflits lors de la fixation des salaires. D'autre part, des mesures ont été prises contre les auteurs de pertes et de dommages. Mais les syndicats craignent de les voir utiliser contre les grèves.

CHAPITRE XIV

Le travail noir aux États-Unis [1]

L'HISTOIRE des Etats-Unis n'a guère quitté le domaine de l'aventure entre deux ordres ou légalités : dès la déclaration de l'indépendance et même dès la destruction, à Boston, des sacs de thé apportés par la métropole a commencé la marche vers un ordre proprement américain et aussi vers un espace fini et ordonné. Ce double mouvement explique certains aspects de l'activité clandestine aujourd'hui.

« Frontier »

Le XIXe siècle est entièrement consacré à ce vaste passage vers la possession totale du territoire, dans un ordre nouveau. Tout en faisant la part de la fable et de la convention, dans les classiques westerns, à base de chevaux, de bandits et de shérifs, nous pouvons y concevoir une idée bien différente de notre monde fini, limité. Eloquent aussi le dicton : « Il n'y a pas d'église à l'ouest de Newton, il n'y a pas de Dieu à l'ouest de Topeka. » Aucun frein, en ce temps, à l'immigration, l'espace est sans limites et le libéralisme économique y est, si l'on peut dire, la loi.

Dans cette mobilité, la légalité éprouve quelques difficultés à s'imposer, mais deux événements, parmi d'autres, concourent à la stabilité :

1. Les documents abondent sur l'économie souterraine aux Etats-Unis, mais sont de valeur très inégale. Nous avons pu bénéficier du rapport rédigé en 1983 par M. J. F. PONS, conseiller français à l'ambassade des Etats-Unis.

1° la découverte des fils de fer barbelés met un obstacle à l'errance des troupeaux;

2° la constitution en Etat du dernier « territoire », l'Arizona. Cette fermeture évoque le clic-clac d'un collier dont les deux extrémités se rejoignent.

Cette évolution et l'état d'esprit qui en résulte paraissent créer un terrain favorable aux activités en marge de la légalité, encore que rien ne fût alors, à proprement parler, clandestin, en dehors des notes de délinquance.

La Première Guerre mondiale, qui survient à ce moment, aura deux conséquences, la prohibition et la réglementation de l'immigration, donc deux possibilités ouvertes à la clandestinité.

Le régime sec

Le vent de pureté qui a soufflé après la guerre s'est traduit en 1920 par une loi interdisant le commerce de toute boisson alcoolique (« régime sec »). La culture de la vigne était encore très peu répandue aux Etats-Unis à cette époque. La prohibition a entraîné la naissance et même l'organisation d'une vaste contrebande : à la classique traversée des frontières, se sont ajoutées de nombreuses fraudes, notamment sur les produits pharmaceutiques. C'était le temps où des bateaux, chargés d'alcool étranger, se maintenaient à la limite des eaux territoriales, servaient d'entrepôt et vendaient bonbonnes ou tonneaux à des consommateurs ou des revendeurs venus sur des embarcations légères. Tels étaient le besoin ou le bénéfice, et aussi les amendes, qu'en cas de danger, la cargaison était jetée par-dessus bord. Ces pratiques ont dépassé le stade de la simple contrebande, s'appuyant parfois sur des corruptions politiques et s'associant à des actions criminelles. Les « humides » ayant fini par l'emporter sur les « secs », la loi a été abrogée, en 1933; mais des séquelles ont subsisté, par passage de contrebandiers dans le monde criminel.

Quelques comtés ou municipalités ont maintenu une prohibition plus ou moins sévère.

La fermeture du territoire

Après la Première Guerre, la nation est faite et le territoire bien délimité. Dès la fin des hostilités, commencent les débats sur l'immigration, qui aboutissent à la loi de 1923, inspirée non seulement par le souci d'être maître chez soi, mais par deux préoccupations :

1° maintenir l'équilibre ethnique, donc favoriser les éléments britanniques et plus généralement germaniques ;

2° limiter le chômage ; c'est le concept simpliste du nombre d'emplois limité et de la défense de la main-d'œuvre, contre des immigrants peu exigeants.

Démentant ces raisonnements arithmétiques, si infantiles, sur l'emploi, qui ont encore tant de faveur dans l'opinion française aujourd'hui, l'arrêt de l'immigration a été suivi d'une poussée du chômage, inédite. L'économie étant fermée, plus de « frontier » mouvante. Avant même la crise économique de 1929, les chômeurs se multiplient du moins dans les statistiques (9,2 % de chômeurs recensés, en 1928). Vient ensuite l'effondrement de l'économie en 1929-30. En mars 1933, l'embargo sur l'or déclenche une forte reprise (involontaire), maladroitement brisée par le *New Deal* de Roosevelt en juillet.

Peut-on parler de travail noir ? Fort peu, d'abord, mais trois évolutions distinctes :

— déjà à cette époque, les petites entreprises apprennent à sous-estimer leurs bénéfices devant l'impôt,

— plus célèbre, plus en vue, le banditisme s'accompagne d'activités clandestines,

— dans la résistance aux codes malthusiens de Roosevelt, se développe un esprit de dissimulation.

« L'an dernier disait un fermier américain, je suis parvenu à gagner 1 200 dollars, en *n'élevant pas* 100 cochons ; cette année, j'espère bien parvenir à *ne pas élever* 1 000 cochons et à gagner ainsi 12 000 dollars. »

En considérant la production de richesses comme un mal, en la pénalisant, Roosevelt favorisait la production clandestine et la dissimulation.

La Deuxième Guerre mondiale a mis en évidence l'importance de la sous-activité, en temps de paix : en dépit de la mobilisation de plusieurs millions d'hommes et de la fabrication d'armements économiquement stériles, la production a augmenté, tant pour la consommation civile que pour l'investissement, tout cela à l'abri d'une légère inflation comprimée et de règlements ou contrôles, qui n'auraient pas pu être acceptés en temps de paix.

« Croyez-vous au déclenchement de la Troisième Guerre mondiale ? » (*World War III*, ou *W.W.III*, expression couramment employée en 1946), était-il demandé à un notable américain, au temps où les Etats-Unis avaient le monopole de la bombe atomique.

« Non, parce qu'il faudrait rétablir le contrôle des prix. »

Boutade, certes, mais qui va loin.

La législation sociale

Elle est créée, peu à peu, prenant sa source à la fois dans la richesse (ressources disponibles) et dans la pauvreté, certes ancienne, mais de plus en plus apparente et de moins en moins supportée.

Voici l'évolution des dépenses fédérales de *medicare* (créé en 1966) et de *medicaid* en millions de dollars :

	1970	*1979*
Medicare	4 550	29 411
Medicaid	4 606	20 474
Total	9 156	49 885

Ces chiffres ne couvrent qu'une fraction de l'assistance médicale, mais ils sont comparables ; leur progression est frappante : en dollars constants, la dépense a triplé.

L'économie souterraine [1]

L'expression la plus employée est *underground economy* (elle date, semble-t-il, de 1976); on dit aussi *subterranean economy;* cette expression comprend l'ensemble des activités ou des revenus qui se dérobent aux obligations fiscales (en dehors des activités charitables). Elles se classent en trois catégories :

1. Les activités criminelles (y compris le trafic de drogues).
2. La fraude fiscale.
3. Les emplois non déclarés ou « travail noir » proprement dit.

Nous laissons de côté la première forme d'activité, tout en faisant observer que les activités économiques qui les accompagnent sont nécessairement incluses dans les calculs nationaux.

Voici comment s'exprime l'économiste Edgar L. Feige [2] (université de Wisconsin) :

> « Le secteur invisible se compose de deux parties :
> 1. Un secteur marchand où la monnaie sert de moyen d'échange dans la production et la distribution des biens et services.
> 2. Un secteur non monétaire où les biens et services sont produits, mais sont, soit consommés par l'agent producteur (par exemple l'exploitation agricole, le ménage), soit échangés officieusement par un mécanisme de troc. »

Le troc semble jouer, nous le verrons plus loin, un rôle appréciable.

E. Feige ajoute :

> « L'absence ou l'insuffisance de déclaration sont attribuées à l'évasion fiscale, au désir de tourner les règlements, d'échapper au coût de la

1. Nous devons une grande partie des informations qui suivent à l'obligeance et la compétence des services du conseiller financier français à Washington (M. Gérard DE MARGERIE) ainsi qu'à la publication de Mme Marie-Thérèse LETELLIER, *Le Partage des emplois aux Etats-Unis. Partage du travail ou innovation sociale?*

2. « Le Malaise de la macro-économie et l'économie invisible », *Consommation,* n° 4, 1982.

fourniture des renseignements ou, tout simplement, à la méfiance envers les pouvoirs publics. »

Retenons cette dernière motivation.

Facteurs favorables

L'étendue du territoire, la diversité des législations d'Etat, l'accroissement des charges fiscales, l'opinion assez largement répandue sur la dilapidation publique de sommes élevées et sur les excès de l'aide à des familles peu méritantes, l'étendue progressive du laxisme, dans de nombreux secteurs (« société permissive »), peut-être aussi la désaffection nationale, causée par la défaite politique du Viêt-Nam, briseuse d'idéal, tous ces facteurs ont préparé un terrain favorable à la dissimulation et des disculpations intérieures aussi.

Formes diverses du travail noir

Voici comment s'exprime George Gilder[1] :

« En dépit de tous les efforts pour la dissimuler, l'économie souterraine est aujourd'hui un effet remarquable de l'inflation fiscale. Ses aspects sont multiples ; elle va des taxis non patentés, et des domestiques payés comptant, aux trafiquants de drogues ou aux prostituées ; des doubles comptabilités et des inventaires truqués, aux bouilleurs de cru ou aux employeurs d'adolescents, des trafiquants de main-d'œuvre immigrée aux travailleurs au noir... La commission des taxis de New York affirmait, en 1980, que les taxis exerçant légalement leur activité perdaient de l'argent, pour tout kilomètre parcouru. Pourtant la valeur réelle des médaillons représentatifs d'une franchise ne cessait d'augmenter. »

Il ajoute que les faux retraités de la Sécurité sociale réaliseraient 10 % des heures de travail, chiffre manifestement hors de la

1. *Richesse et pauvreté*, Albin Michel, 1981. Cet ouvrage (*Wealth and Poverty*), paru aux Etats-Unis en 1981, réagit fortement contre les excès de la politique sociale et a été largement diffusé par les soins du président Reagan.

réalité. L'économie souterraine est, ajoute-t-il, une cause de l'inflation et un obstacle à sa disparition, ce qui ne paraît guère contestable.

Selon diverses sources, le processus, en trois temps, est le suivant :

1° les entreprises commencent par sous-estimer leurs bénéfices pour réduire le montant de leurs impôts ; comportement sinon classique, du moins logique ;

2° lorsque ces bénéfices semblent trop faibles, eu égard à l'importance du personnel, la liste des salariés est réduite par disparition de certains noms ;

3° une fois épuisées ces « ressources », c'est souvent le recours, plus grave, aux fausses factures.

Le troc

Un double paiement de taxes peut être évité, lorsque deux personnes échangent sans textes leurs produits et leurs services. Un des premiers cas cités, mais qui est certainement loin d'être le premier, est celui du juriste (*lawyer*) qui, ayant été consulté par un antiquaire, a obtenu le règlement en allant choisir chez lui un objet d'un montant équivalent à ses honoraires.

C'est aussi, de façon presque classique, le médecin qui, ayant un avocat dans sa clientèle, trouve opportun de lui confier une affaire litigieuse. L'un et l'autre n'ayant donné que des conseils, aucune trace ne reste, aucun moyen pour l'administration d'infliger taxe ou amende.

Cependant la monnaie fluide est bien commode : le troc doit donc résulter d'une double concordance ; deux probabilités se multiplient, ce qui rend très faible la chance de réussite et entraîne des pertes de temps, sans assurer, pour autant, une parfaite concordance. C'est pourquoi, conformément au calcul des probabilités, il a fallu recourir à des moyens collectifs.

Deux méthodes ont été utilisées :

1. Une large publicité. Les journaux publient des annonces concernant les échanges désirés. Le *Barter*, feuille hebdomadaire spécialisée, à Los Angeles, a plus de 100 000 abonnés.

2. Une forme coopérative : dès 1978, un millier de coopératives d'échanges groupaient chacune de 500 à 10 000 adhérents.

Voici une autre forme : en 1978, à New York, une centaine d'entreprises se trouvaient avec des excès ou des insuffisances de divers stocks de marchandises. Une compensation générale a été assurée par une société spécialisée, sans doute avec l'aide d'ordinateurs. Les échanges ont porté sur 9 millions de $.

Quartiers sauvages

Il existe, à New York et dans d'autres villes, des quartiers ou des « blocs », où se déroule une existence assez fermée. Cet isolement va parfois fort loin : l'électricité et l'eau font un jour défaut, faute de paiement, et la police et les pompiers n'entrent qu'en cas de vive urgence. Bien différents, le cas de Harlem, souvent signalé dans le passé, et celui de Chinatown, bien moins poussés aussi, dans la ségrégation. En revanche, c'est le cas de certains quartiers du sud du Bronx (Banana Street), au nord de la ville de New York, où vivent surtout des Noirs et des Portoricains qui ont peu à peu chassé les Polonais, les Irlandais et même les Italiens qui y habitaient.

Le processus le plus courant est le non-paiement des loyers ou de l'électricité, carence qui a pour résultat le non-entretien des locaux. Des aides financières, publiques ou privées, sont cependant accordées. A l'intérieur de cette cité fermée, s'exercent diverses activités économiques qui vont de l'artisanat classique à la culture de légumes dans les espaces vides. Il est même difficile, en ce cas, de parler de fraude fiscale, l'expression étant ignorée. Un jour ou l'autre, quelque grande société acquerra l'ensemble des immeubles pour un prix très modeste, accordera aux habitants des indemnités pour décider leur départ et entreprendra la rénovation.

Doubles emplois

Depuis longtemps, avant même la réduction à 40 heures de la semaine de travail, a été signalée l'existence de doubles activités ou, plus exactement, le recours, pour certains travailleurs, à une activité supplémentaire, déclarée ou non.

En 1983, on estime à 4 millions 1/2, soit 5 % de la population active, le nombre de personnes disposant d'un ou de plusieurs emplois (contre 4 millions en 1976). Ils ont, en majorité, de 25 à 45 ans.

L'illusion selon laquelle le chômage relève de la simple arithmétique, le nombre des emplois étant une donnée nationale, est un peu moins répandue qu'en Europe, de sorte que cette pratique du double emploi a été jugée moins sévèrement ; elle n'en soulève pas moins des critiques croissantes, notamment du fait de la forte pression, qui s'exerce en faveur de la réduction, légale ou effective, du temps de travail. Cette pression est d'autant plus élevée que la population active, ou désireuse de l'être, a beaucoup augmenté. La poussée des naissances après la guerre (baby boom) et l'accroissement du travail professionnel féminin (le taux d'activité féminine est passé de 43,3 % en 1971 à 52,3 % en 1981) l'ont, en effet, largement emporté sur l'allongement de la scolarité et l'amélioration des systèmes de retraite. De 1974 à 1980, la population active est passée de 93 à 107 millions. Bien que la productivité dans l'industrie soit maintenant en baisse (1/2 % par an), sous l'influence de divers facteurs (voir p. 186), cette population supplémentaire s'est portée, pour une très large part, dans le secteur tertiaire et notamment les emplois publics. Comme en Europe, le chômage résulte de multiples rigidités que ne compense que très partiellement la souplesse qui résulte du travail partiel, sous diverses formes.

Temps partiel

L'opinion est de plus en plus favorable à la réduction de la durée du travail, légale ou de fait. Au cours d'une enquête réalisée en Californie, le choix était donné entre une plus-value de 2 % sur le salaire et diverses formes de réduction d'activité : 14 % seulement des personnes interrogées ont choisi l'augmentation de salaire, 86 % préférant le temps libre. Toutefois, il n'est nullement certain que ces proportions se seraient maintenues si le choix avait porté, en sens inverse, sur une réduction du gain au profit du temps libre.

Depuis quinze ans, le nombre de personnes travaillant à temps partiel, pour des raisons économiques involontaires, a été multiplié par 3,5. De 2 709 000 en 1974, il est passé à 3 528 000 en 1980. Encore ne s'agit-il ici que d'involontaires (ralentissement de l'activité de l'entreprise, chômage technique, impossibilité de trouver un emploi à temps complet). Plus nombreux encore sont ceux qui désirent ne pas s'employer de façon complète. Voici, par âge et par sexe, sur 100 personnes de chaque catégorie, le nombre de celles qui ne travaillent que partiellement :

	Hommes	*Femmes*	*Ensemble*
16 à 19 ans	52,9	56,9	54,8
20 à 24 ans	12,5	19,9	15,9
25 à 54 ans	2,2	20,4	9,8
55 ans et plus	14,0	29,2	19,2
ENSEMBLE	9,3	24,7	15,9

Importante, est, on le voit, l'influence de l'âge et du sexe. De 20 à 54 ans, très faible est le nombre des hommes renonçant à une partie de leur travail. L'enquête n'a pas porté sur la clandestinité de ces activités ; et il est probable qu'une faible partie seulement a été comptée dans les réponses.

Le partage d'un emploi

Une pratique curieuse s'est répandue ces dernières années : le partage d'un emploi entre deux personnes, parfois mari et femme. Mais on peut se demander pourquoi les employeurs acceptent cette solution, qui augmente leurs charges. Voici un exemple de coûts comparatifs.

	Travailleur à temps complet	*Travail partagé*
Salaire et congés payés	14 564	14 564
Assurances maladie et chômage	962	1 913
Accidents du travail, jours fériés, etc.	1 265	1 265
Divers	26	21
TOTAL	16 817	17 763
Absentéisme et élimination de sureffectifs	+ 264	− 854
TOTAL GÉNÉRAL	17 081	16 909

Ainsi, le supplément de charges sociales dû au partage de l'emploi serait compensé par la suppression de l'absentéisme et l'élimination du sureffectif. Ce calcul est cependant très optimiste, puisque le travail partiel n'est pas totalement exempt d'absentéisme et que l'élimination du sureffectif ne joue que d'une façon transitoire. Il est toutefois probable qu'une absence exceptionnelle peut être compensée par le partenaire, surtout s'il s'agit de mari et femme.

Le poste « assurances maladie et chômage » nous montre l'importance de la double charge sociale, en cas de partage ; mais, pour avoir l'ensemble de la charge sociale, il faut ajouter les postes pour lesquels aucune charge supplémentaire ne résulte du partage du travail. Le coût du travailleur se présenterait alors ainsi, de façon simplifiée :

Salaire brut	14 564
Charges sociales	2 253
Absentéisme	264
TOTAL	17 081

Comme l'absentéisme ne peut pas frapper le travail noir, le gain réalisé par l'employeur s'élève à environ 15 %, proportion très inférieure à celle que l'on constate en Europe et qui devrait donc entraîner une moindre clandestinité. Tel n'est cependant pas le cas, semble-t-il. S'il s'agit, en particulier, de mari et femme, il y a incitation à ne déclarer qu'un seul des deux emplois. Employeur et employé y trouvent leur compte, un compte certes complexe, mais pour lequel on ne ménage pas ses efforts.

Étendue

Diverses estimations de l'économie souterraine ont été tentées, les unes par voie fiscale, d'autres fondées sur le besoin supplémentaire de billets, qui caractérise le règlement des activités illégales. L'augmentation de la circulation au-delà de celle du P.I.B. doit, dans cette optique, permettre de mesurer l'importance de ces activités. La méthode est ingénieuse, mais, comme toute mesure différentielle, se prête à de fortes erreurs relatives.

La fraude fiscale

Selon la fameuse théorie de Laffer, qui a joué un rôle lors des élections présidentielles de 1980, il y a, pour la fiscalité et dans l'intérêt même du Trésor, un tarif optimal. Si en effet le tarif est nul, le rendement est nul, mais avec un tarif 100 %, ce serait encore la nullité, faute de transactions. On peut en conclure (le fameux théorème de Rolle) qu'il y a, entre les deux extrêmes, une position intermédiaire, qui assure le rendement maximal, grâce à une extension des affaires, à la rentabilité retrouvée de nombreuses entreprises, etc. Ces considérations laissent de côté le travail clandestin, mais l'évasion en ce sens peut encore renforcer la proposition. Seulement, aucune donnée précise n'a été fournie sur le fameux tarif optimal.

Une méthode plus concrète consiste, pour le I.R.S. [1], à éplucher un certain nombre de dossiers et, sans préoccupation d'excès ou d'insuffisance des tarifs, à déceler les revenus non déclarés, qui avaient échappé au contrôle de routine.

Une étude sur un échantillon de 50 000 dossiers, en 1979, a conduit les services fiscaux (I.R.S.) à estimer les revenus de 1976. Les sous-déclarations représentaient 100 ou 135 milliards

1. *Internal Revenue Service*. Service de recouvrement des impôts.

de dollars, soit de 9,3 à 12,6 % de tous les revenus déclarés. Voici la répartition en % :

	Hypothèse faible	*Hypothèse haute*
Revenus des travailleurs indépendants	33	40
Salaires	22	27
Intérêts	5	9
Dividendes	2	5
Rentes et redevances	3	6
Autres ressources	10	13
TOTAL DES ACTIVITÉS LÉGALES	75	100
Commerce de la drogue	16	23
Jeux	8	10
Autres	1	2
TOTAL DES ACTIVITÉS ILLÉGALES	25	35
TOTAL GÉNÉRAL	100	100

Sur 100 contribuables, 26 % admettent avoir sciemment sous-estimé leurs revenus imposables. Ce chiffre ne présente guère de signification, en l'absence de renseignements sur l'intensité de la sous-déclaration. Un examen profond parviendrait à une proportion plus élevée encore. Est-il de nombreux pénitents à n'accuser, au confessionnal, aucun péché véniel ?

Ne portant que sur les dossiers de revenus déclarés, cette méthode laissc dc côté l'activité purement clandestine, ne serait-ce que les bénéfices tirés du commerce de la drogue.

Toujours selon les services fiscaux, les activités illégales entraîneraient les pertes suivantes (en milliards de dollars) :

	Estimation inférieure	*Estimation supérieure*
Commerce de la drogue	16	24
Jeux	8	10
Autres	8	2
TOTAL	32	36

Pour 1981, les pertes dues à l'économie souterraine ont été estimées à 110 ou 115 milliards de dollars, soit 15 % du budget et 35 % de l'impôt sur le revenu. Mais, cette fois encore, la définition précise des chiffres n'est pas donnée.

Du reste, si élevée que soit ici la part des activités illégales, M. Peter Gutman, de l'université de New York, l'a jugée inférieure à la réalité, en faisant observer que certaines activités clandestines sont sous-estimées, notamment la prostitution, et qu'il faudrait ajouter aux fraudes sur les revenus celles qui portent sur les taxes à la consommation *(sales tax)*. Pour le seul Etat de New York, ces fraudes auraient été estimées à 3 milliards de dollars. Toujours selon M. Gutman, l'estimation des fiscaux devrait être encore relevée de 25 %, pour être exprimée en termes de P.N.B., au lieu de revenu national. Dans ces conditions, l'économie souterraine représenterait de 7 à 8 % du P.N.B. Mais visiblement, perce le désir de l'auteur de voir confirmer sa propre estimation, ainsi que son assertion célèbre : « Plus on cherche, plus on trouve. »

Rappelons que la fraude fiscale se produit souvent par simple dissimulation, sans activité souterraine.

En 1983, la loi a rendu les contrôles plus sévères, notamment en retenant les dividendes à la source, en accroissant les pénalités, en instituant des forfaits sur les pourboires, etc.

Études basées sur la circulation monétaire

Deux auteurs ont utilisé la méthode, dont le principe a été estimé plus haut, M. Gutman déjà cité et M. Vito Tanzi, chef de division de la politique fiscale au département des finances publiques.

La donnée de base est l'augmentation du rapport des billets en circulation aux billets à vue depuis 1930.

Cette figure est devenue classique aux Etats-Unis.

En admettant que cette augmentation, depuis les années trente, s'explique par l'économie souterraine, M. Gutman a estimé que celle-ci représentait au moins 10 % du P.N.B. En outre, admettant qu'une partie des règlements des activités illégales se

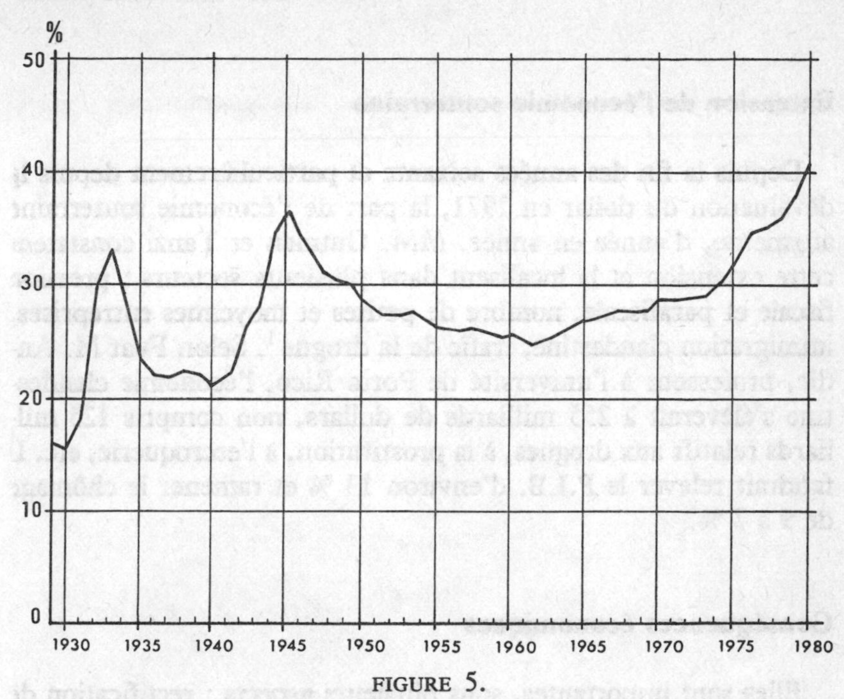

FIGURE 5.
Rapport des billets en circulation aux billets à vue.

fait par chèque, il parvient, pour 1981, au chiffre de 420 milliards de dollars, soit 14 % du P.I.B., proportion qui semble notoirement supérieur à la réalité.

Utilisant la même méthode, M. Tanzi estime, au contraire, qu'une fraction seulement de l'augmentation des billets en circulation est due au progrès de l'activité souterraine, fruit elle-même de la fiscalité excessive. Il fait valoir, en outre, l'importance des billets verts, en circulation dans le monde, ou même thésaurisés, ici et là. Ces considérations le conduisent à un chiffre allant de 4,5 à 6,1 % en laissant de côté les activités criminelles et de 6,7 à 9,2 %, en les incluant.

M. Ross s'est attaché, lui, à l'importance des grosses coupures : le montant des billets de 100 $ en circulation a augmenté, dit-il, de 250 % de la fin de 1967 au 30 juin 1978, alors que la circulation monétaire totale ne s'est, durant la même période, accrue que de 125 %. C'est selon lui, l'effet des activités clandestines. Nous faisons, comme pour l'Angleterre, toute réserve sur cette méthode.

Extension de l'économie souterraine

Depuis la fin des années soixante et particulièrement depuis la dévaluation du dollar en 1971, la part de l'économie souterraine augmente, d'année en année. MM. Gutman et Tanzi constatent cette extension et la localisent dans plusieurs secteurs : pression fiscale et parafiscale, nombre de petites et moyennes entreprises, immigration clandestine, trafic de la drogue [1]. Selon Fuat M. Andic, professeur à l'université de Porto Rico, l'économie clandestine s'élèverait à 255 milliards de dollars, non compris 125 milliards relatifs aux drogues, à la prostitution, à l'escroquerie, etc. Il faudrait relever le P.I.B. d'environ 13 % et ramener le chômage de 9 à 7 %.

Conséquences économiques

Elles sont importantes, sous plusieurs aspects : rectification de certaines statistiques nationales.

Selon M. Gutman :

1° 20 millions de personnes, soit le 1/4 de la main-d'œuvre, travailleraient pour l'économie souterraine : 16 millions en travail supplémentaire et 4 millions (soit 4 % de la population active et 40 % du nombre de chômeurs) sans avoir d'autre emploi. Mais, pour les premiers, il ne s'agit que d'un travail partiel et parfois de très faible importance ;

2° le chômage serait d'ailleurs surestimé et ne doit pas dépasser 8 % de la population active, au lieu des 10,5 % officiels ;

3° la pauvreté (définie par un revenu inférieur à 10 000 dollars pour 4 personnes en 1982) serait également surestimée de 25 % ;

4° le taux d'épargne des ménages serait sensiblement supérieur au chiffre annoncé par le Département du commerce (8 % au lieu de 6,5 %).

1. Selon la Bank of America, la culture de la marijuana en Californie peut être estimée à 7 milliards de dollars par an et constituerait la principale activité agricole de cet Etat.

Sur les trois premiers points, on peut admettre le sens de l'erreur, tout en faisant des réserves sur son ampleur, mais le quatrième est quelque peu inattendu. Peut-il donc y avoir une épargne clandestine ?

Si surprenante que soit l'affirmation à ce sujet, elle est confirmée par le F.E.D. Selon lui, le taux d'épargne des ménages a été de 10,6 % pour les trois premiers trimestres de 1982 ; il parvient à cette estimation, non par différence (comme le fait le Département du commerce) entre les dépenses de consommation des ménages et leur revenu disponible « officiel », mais en se basant sur les flux monétaires et financiers recensés par les banques et autres intermédiaires financiers. Dans les deux cas, il s'agit d'une mesure différentielle, critiquable.

Dans la seconde méthode, la différence est attribuée, pour la majeure partie, à l'économie souterraine et irait en augmentant avec elle.

Sur le fond, le F.E.D. confirme donc les vues de MM. Gutman et Tanzi.

La baisse de la productivité

Depuis plusieurs années, la productivité, orgueil et puissance des Etats-Unis, a connu, après des progrès continus, une phase de stagnation, puis de recul. Celui-ci a été attribué, au début, à une sorte de saturation technique et au laxisme, si souvent dénoncé. Avec le temps, le phénomène a donné lieu à des études plus poussées.

C'est ainsi que M. E. Denison a étudié dix-sept explications de ce retournement et rejeté la plupart d'entre elles. En outre, celles qu'il a jugé fondées ne peuvent expliquer qu'une faible partie du phénomène. Il attribue celui-ci surtout aux sous-déclarations de production.

Partant des données de M. Denison, E. Feige (cité plus haut) estime que la perte de « production potentielle » s'est élevée à 80 % pendant les années soixante-dix. Ce serait donc la principale cause de la baisse apparente de la productivité.

Interprétation politique

L'existence de l'économie souterraine et surtout les révélations à ce sujet ont contribué à la victoire des républicains en 1980 ; en particulier, a été largement exploitée l'idée selon laquelle pauvreté et chômage sont surestimés. Caractéristique a été le succès de l'ouvrage de G. Gilder, *Richesse et pauvreté*, signalé plus haut. Le remords permanent des classes dirigeantes en a été atténué ; ainsi, l'économie clandestine est utilisée politiquement à des fins conservatrices.

Certains rappellent toutefois, notamment chez les démocrates, que le travail souterrain est loin d'être l'apanage des plus pauvres ; et personne ne conteste l'effet de la pression fiscale.

La question n'est pas encore parvenue à une sorte de stabilité ; réaction libérale contre l'économie sociale, l'économie souterraine est encore loin, dit-on, de la maturité.

L'immigration clandestine

Depuis la loi limitant l'immigration en 1924, entrent de façon clandestine des étrangers, surtout des Mexicains. Deux causes :

1. A la suite de la guerre de 1848, les Etats-Unis ont enlevé au Mexique de vastes régions où subsistent des populations hispanisantes, terrain d'accueil possible.
2. Le P.I.B. par habitant est six fois moins élevé au Mexique qu'aux Etats-Unis et même en faisant la correction des prix, le multiplicateur est très voisin de cinq. Cette prime l'emporte souvent sur les risques du passage de la frontière et la répression de la clandestinité.

Pendant la crise des années trente, un certain reflux avait été observé, mais l'appel de la main-d'œuvre, pendant la Seconde guerre, s'est ensuite poursuivi clandestinement. Une des formes classiques est la traversée du Rio Grande à la nage, d'où le nom de *Wet-backs* (dos mouillés) ou simplement de *Wets*.

Au Mexique, existent des organisations de passeurs, appelés « coyotes ». Le prix peut aller jusqu'à 500 dollars par personne.

Aux Etats-Unis, des employeurs recherchent cette main-d'œuvre peu exigeante et en abusent ; il y a, en outre, de nombreuses complaisances dans la police ou l'administration.

Telle est la pression, sur cette frontière de 2 000 km, qu'en dépit des radars détecteurs et de la multiplication des policiers, les entrées se poursuivent avec tendance à l'accélération. Plus encore peut-être, des personnes autorisées à entrer aux Etats-Unis (saisonniers, touristes, étudiants, etc.) restent au-delà de la durée autorisée.

Les formes les plus curieuses sont employées : par exemple, des femmes mexicaines viennent accoucher aux Etats-Unis, parce que leur qualité de mère d'un enfant né aux Etats-Unis peut leur assurer divers avantages.

Le nombre des arrestations de « sans papiers » s'élèverait à environ 700 000 par an ; à ce nombre s'ajoutent les titulaires d'autorisations contestables ou périmées.

Saisi de la question par le président Carter, le président Portillo avait répondu, en suggérant des investissements industriels américains au Mexique ; réponse habile au dilemme classique « Faut-il transporter les hommes vers les richesses ou l'inverse ? », dilemme qui va s'avérer plus dramatique encore en Europe, vis-à-vis de l'Afrique et même de l'Asie. De tels investissements au Mexique seraient aléatoires et risqueraient de compromettre non seulement la balance des paiements courants, mais les finances publiques, par la garantie que demanderont les industriels à l'Etat. Un calcul, bien délicat, pourrait être conduit, pour choisir entre les deux dommages. A notre connaissance, il n'a jamais été tenté.

Le 30 juillet 1981, le président R. Reagan a accordé une amnistie solennelle aux illégaux entrés avant le 1er janvier 1980, tout en imposant des contrôles plus sévères. C'est l'attitude classique du « pion » impuissant qui lève les punitions, en ajoutant qu'il se montrera très sévère pour les nouvelles infractions.

Depuis ce moment, l'afflux s'est d'ailleurs poursuivi et s'est quelque peu étendu à d'autres pays d'origine. La marine donne la chasse en mer aux Haïtiens qui, sur des embarcations de fortune, se hasardent à naviguer vers la terre promise. On compte aujourd'hui 500 000 Haïtiens aux Etats-Unis (New York et Miami surtout). Parfois ils se dirigent ensuite vers le Canada. Des illégaux viennent de multiples pays, notamment Bangladesh, Pologne et... Angleterre[1].

Le nombre de personnes aux Etats-Unis sans statut légal va, selon les estimations, de trois à six millions.

L'opinion publique

Elle varie largement selon les milieux : en Californie et au Texas, les employeurs y voient volontiers, sans l'exprimer hautement, un frein sur les salaires (à El Paso, les salaires sont plus faibles que dans le reste du territoire). Selon un universitaire de Berkeley, le départ des irréguliers affecterait même gravement l'économie de la Californie.

C'est des syndicats que devrait logiquement venir l'opposition ; elle est cependant assez modeste : non seulement les grandes centrales n'ont plus leur puissance d'autrefois, mais les syndicats les plus agissants (automobile à Detroit, par exemple) ne sont pas directement touchés.

Conséquences économiques

Tout est clandestin, en l'aventure, l'entrée des braceros, leur activité, les sommes qui leur sont versées. Cependant les répercussions sur l'économie nationale et même sur les entrées fiscales ne sont pas purement négatives.

Nous retrouvons le problème d'adaptation, la fameuse question, curieusement ignorée ou sous-estimée par les meilleurs économistes, de la souplesse et de l'ajustement. Prenons deux cas extrêmes :

Lorsqu'un clandestin exerce une activité qui, sans sa présence,

1. Voir notamment HOUSTON (M. F.), « Aliens, in Irregular Statas in the United States », *Revue trimestrielle du comité inter-gouvernemental pour les migrations européennes*, n° 3, 1983, Genève.

n'aurait pas trouvé de titulaire, il n'y a pas perte pour la collectivité nationale, mais seulement un manque à gagner. Et comme toute activité clandestine entraîne à sa suite des activités légales (les dépenses du salarié par exemple), il y a plus-value pour le P.I.B. par « ouverture du circuit de travail ».

Si, par contre, le clandestin prend simplement la place d'un travailleur national, qui se trouve évincé, court-circuité, l'activité totale n'est pas augmentée et la production déclarée est moins forte, ainsi que les rentrées fiscales.

Entre ces deux éventualités extrêmes, multiples sont les situations intermédiaires. On est ramené finalement à la question plus générale de l'avantage que présente, ou non, une augmentation de la population. L'existence de millions de chômeurs semble à première vue dicter une réponse négative ; toujours l'arithmétique simpliste. Se pose, en fait, la question de la population optimale dans le territoire national ou, plutôt, celle du rythme optimal de croissance de cette population. A première vue, la loi de 1965 sur l'immigration semble avoir été conçue en fonction, précisément, de cet optimum, mais le vote du Congrès a été inspiré par divers arguments, dont certains ne sont pas économiques, parmi lesquels la capacité d'assimilation culturelle des étrangers.

Or l'entrée de Mexicains et d'autres hispanisants présente des risques pour l'unité de la nation. La rigueur, qui a prévalu aux Etats-Unis au XIXe siècle, pour l'enseignement de la seule langue anglaise, dans les écoles, a fait place, comme dans le reste du monde, à une large tolérance, favorable à une extension de la langue espagnole. Déjà un peu plus de neuf millions de citoyens américains ont l'espagnol comme langue maternelle et ne s'expriment que difficilement en anglais. L'afflux de Mexicains, Salvadoriens, Guatemaltèques, peut accentuer un phénomène qui risque de conduire un jour à des désirs d'émancipation et de compromettre l'unité nationale.

Par contre, l'entrée de jeunes immigrants a l'avantage de rajeunir la population.

En conclusion

En quelques années, le travail noir, sous ses diverses formes, est devenu aux Etats-Unis une préoccupation nationale, puisque environ 10 % de la production (peut-être davantage) échapperaient à l'autorité et au Trésor. La réduction des ressources disponibles pour la défense nationale peut conduire un jour les pouvoirs publics à une plus grande rigueur et à des parades législatives. Cependant, les opposants de diverses sortes à ces mesures auront la partie facile, tant que l'étendue du dommage et ses conséquences profondes ne seront pas mieux connues. La nécessité d'études sérieuses et d'enquêtes en profondeur est de plus en plus pressante, mais il est peu probable que les résultats soient disponibles lors des élections de 1984.

CHAPITRE XV

Du chemin depuis Bismarck

Lorsque, il y a cent ans, Bismarck a créé la sécurité sociale, si faibles étaient les taux (2 à 4 % des salaires), si poussé était le respect de la loi et si longue la durée de la journée, que le travail au noir aurait difficilement trouvé sa place.

Des racines anciennes

Cependant, les activités clandestines ont trouvé, en Allemagne, un fond plus solide qu'en d'autres pays.

Laissons de côté l'inflation folle 1923-1924, pendant laquelle personne ne savait plus ce qui était légal ou non et passons à la grande crise : pendant la période 1931-1932, combien plus dure qu'en France, l'existence de six millions de chômeurs complets paraît difficilement compatible avec la baisse de la mortalité, pendant cette période ; c'est que les subventions des grands industriels au parti nazi descendaient ensuite dans les profondeurs et se traduisaient par de nombreuses activités illégales, dont le caractère n'était pas seulement politique.

Une fois arrivé au pouvoir, Hitler n'a, grâce au système de Schacht, pas éprouvé beaucoup de peine à transformer en travail légal, souvent à des fins civiles, ces millions d'heures à moitié perdues.

Sautons quelques années et le grand drame.

« Ils n'auront pas d'autres ressources que l'agriculture », disait mélancoliquement le secrétaire d'Etat américain Morgenthau devant l'afflux de 12 millions de réfugiés, en s'appuyant sur les jugements des meilleurs économistes de Harvard et Columbia, en plein délire keynésien.

Non seulement le résultat fut à l'opposé, mais il fallut recourir à une immigration intense de main-d'œuvre. Seulement, plutôt que changer les théories, les experts ont préféré parler de « miracle ». Ce « miracle allemand », un peu oublié, n'a pas pu se produire en pleine légalité, dans un ordre absolu. C'est seulement, en 1952, que l'horizon est devenu suffisamment clair pour que soient prises des mesures contre le travail noir. C'est le temps où, devant l'extension des travaux clandestins du bâtiment, le samedi, le socio-démocrate Hoecker a demandé de répartir la durée hebdomadaire du travail sur cinq jours et demi au lieu de cinq !

Pendant les « 30 glorieuses », ou plutôt pendant les vingt années qui suivent, la légalité reprend peu à peu le dessus ; victoire temporaire et jamais totale. Avant même l'arrêt de l'expansion, en 1974, les pratiques reprennent dans ce que l'on appelle volontiers « le quatrième secteur ». Malgré la faiblesse initiale du chômage, l'évasion hors du cadre officiel se poursuit, appelant l'action des législateurs et du gendarme.

L'aspect juridique

Selon la loi répressive du 31 mai 1974, l'infraction est ainsi définie : « des travaux d'un volume important, accomplis au profit d'autrui, sans que cette activité, dépendante ou indépendante, ait été signalée ».

Pour l'employeur illégal, « l'intention de lucre » a été remplacée par le concept plus général « d'avantage économique ». Ne sont pas visés les travaux effectués :

1° au titre de « bon voisinage » ;

2° pour rendre service à autrui, à titre d'échange ;

3° au titre d'apport personnel de travail dans la construction, ou la finition de logements individuels.

Selon des dispositions plus récentes :

1. Le comité d'entreprise (il peut exister à partir de cinq

salariés) doit participer aux décisions d'embauche des travailleurs temporaires.

2. Les amendes encourues par les employeurs non autorisés sont portées jusqu'à 50 000 marks et 100 000 marks par les employeurs utilisant des étrangers dépourvus d'autorisations de travail. Ces taux sont constamment relevés.

3. Les sanctions contre les importateurs et les transporteurs de main-d'œuvre étrangère clandestine fortement aggravées.

4. Interdiction du travail ouvrier temporaire dans le bâtiment.

Les diverses formes du travail clandestin

Le bâtiment est, comme partout, le premier en jeu. Les formes les plus variées se manifestent, allant du simple supplément non déclaré (œuvre d'un travailleur déjà assuré, ou qui croit l'être) à l'entreprise importante, mobile et diverse. Les Yougoslaves ont, dit-on, un quasi-monopole du nettoyage, si bien que les journaux se plaisent à parler de la « maffia yougoslave ». Parfois aussi, des entrepreneurs, basés en France, font travailler clandestinement dans le Palatinat ou dans le Bade-Wurtenberg. Inversement, des ouvriers qualifiés, indemnisés au chômage en Angleterre ou en Hollande, viennent, sous la semi-protection du marché commun (liberté d'émigrer), travailler au rabais dans des entreprises allemandes, puis disparaissent et reviennent ailleurs.

Chômage et travail noir se nourrissent, en somme, réciproquement : le premier pousse des travailleurs à gagner leur vie, coûte que coûte. Inversement, le travail noir compromet le marché des entreprises légales, surtout des petites, et les oblige à réduire leur personnel, ou même à disparaître.

Etudiants, chercheurs d'un emploi supplémentaire, ménagères et même rentiers (il y en a encore, du fait de la solidité du mark), fournissent une main-d'œuvre déjà assurée ou peu soucieuse d'assurance.

Comme dans les autres pays, le salaire au noir est, selon les circonstances, supérieur ou inférieur au salaire légal, et les chiffres, cités ici ou là, sont très divers. Selon les uns, l'heure de travail se paie 15 marks (exempts d'impôts), contre 12 marks au travail normal. Mais d'autres considèrent comme fréquents des gains de 6 000 marks par mois, chiffre deux fois plus élevé.

Et les bruits de courir : la maison Mercedes, dit-on, compte sur le travail noir pour lui procurer une solide clientèle. Un véritable « milieu » se serait créé pour s'assurer la pleine propriété de certains marchés ou de certains quartiers.

Le journal *Die Zeit,* hebdomadaire de Hambourg, relate, par le menu, l'aventure du célèbre N. Ditler : débuts très modestes dans la réparation des sièges, progrès continus par la suite, si bien qu'il produit et livre aujourd'hui, non seulement le samedi, mais les sept jours de la semaine, transportant, réparant, vendant. Sa vie luxueuse au grand jour est attribuée à un héritage.

De façon générale, le travail noir serait, généralement, mieux soigné que s'il est exécuté sous les ordres d'un patron régulier. Nombreuses sont cependant les déceptions, fréquents les travaux abandonnés du jour au lendemain, les accidents aussi. Plus sûrs, les divers travaux exécutés par des fonctionnaires : leçons particulières données par des enseignants, et même par d'autres, plans de logement et même de constructions industrielles, conseils rémunérés, pour les déclarations de revenus et les différends avec l'administration fiscale.

Parfois même, se trouvent des offres ou des demandes, dans les journaux locaux.

Que devient, dans cette aventure, l'assurance sociale des travailleurs ?

S'il s'agit d'un emploi supplémentaire, cas fréquent, ou de la femme d'un travailleur assuré, l'assurance est totale, sauf, peut-être, pour l'accident de travail. S'il s'agit d'un « plein emploi » au noir, plusieurs ressources se présentent :

1° déclaration à la Caisse du minimum nécessaire ;

2° assurance par le conjoint ;

3° recours aux faux certificats d'assurance ; il y a un marché à Munich et, sans doute, dans d'autres villes ;

4° en cas d'accident ou de maladie, nécessitant l'hospitalisation, il y aura toujours quelque caisse officielle pour payer les journées.

Et la retraite ? Elle ne préoccupe guère les jeunes ; le travailleur tout au noir n'y pensera qu'un peu plus tard ; d'ailleurs, comme la hausse des prix est faible, il est possible de recourir à une assurance privée, pour une dette viagère.

Attitudes et opinions

Multiforme certes, l'opinion est de façon générale très indulgente, du moins pour les déviations occasionnelles. Qui peut d'ailleurs affirmer n'avoir jamais besoin de recourir à l'aide de quelque bricoleur d'appartement ?

Les plus hostiles sont les victimes, c'est-à-dire les employeurs légaux (et notamment les artisans) et plus encore leurs organisations professionnelles. Plus perplexes, bien qu'ils aient affirmé que « le travail noir est une plaie », les syndicats sont incertains lorsqu'il s'agit de prendre position : l'action qu'ils ont exercée et exercent encore, en faveur des hauts salaires et de la Sécurité sociale, les incite à se ranger du côté des défenseurs de la loi. En revanche, il est délicat de leur part d'empêcher des travailleurs en détresse d'améliorer un peu leur sort.

Quant aux partis politiques, ils suivent les tendances respectives de leurs électeurs. C'est la droite qui se plaint le plus, mais elle entend combattre le mal, par une réduction des charges sociales ; le parti social-démocrate est peu actif : au congrès de 1982, aucune des 385 motions déposées ne s'est risquée sur ce sujet.

Sans procéder à une étude de détail, le D.I.W., l'un des cinq grands instituts de conjoncture, a étudié les répercussions du travail noir sur l'économie générale : en des termes mesurés et se gardant d'utiliser la formule en vogue « libération de l'hydre étatique », il a mis l'accent sur les excès des règlements et des charges, montrant les avantages de la souplesse : un volant de main-d'œuvre existe ainsi, dit-il, pour les petites entreprises.

Étendue du travail noir

Il y a peu d'études approfondies sur le sujet. L'expression « un travailleur sur cinq est un clandestin », employée par le *Pariser*

Kurier, ne repose sur aucune base et, faute d'indications sur le temps passé, n'a guère de signification.

Même lacune sur ce facteur essentiel qu'est la durée, dans la statistique imposante présentée par *Die Zeit*, avec un graphique suggestif : il y aurait, dit-il, 4 millions de travailleurs dans le *Schwarzarbeit*, principalement dans le bâtiment, dont :

1 020 000 dans la maçonnerie,
497 000 dans la peinture et les laques,
482 000 couvreurs,
192 000 mécaniciens, etc.

La plupart ne sont sans doute que partiels ou occasionnels. d'ailleurs, ces quatre millions de clandestins sont ramenés à deux par le sondage de l'Institut de Bielefeld.

En l'absence de données positives, nous nous trouvons devant les facilités habituelles de l'imagination ou du désir de faire de l'effet.

En espèces monétaires, souvent cité est le chiffre de 20 milliards en 1974 et, plus récemment, de 35 milliards de marks de travaux correspondant à une perte fiscale de 10 milliards de marks, plus 2 pour la Sécurité sociale. La Chambre allemande des artisans a, en 1977, attribué le chiffre de 30 milliards au seul secteur de l'artisanat. Rappelons que le revenu national s'est élevé à 1 316 milliards de marks en 1980, ce qui nous donne un chiffre allant de 2,5 % à 3 % du P.N.B., loin des bruits légendaires. Si un travailleur clandestin sur cinq il y a, il ne doit travailler en moyenne qu'environ cinq heures par semaine.

Les travailleurs étrangers

Les Turcs arrivent ! Ce n'est plus le siège de Vienne par Soliman le Magnifique, c'est la venue massive, d'abord recherchée, puis tolérée, aujourd'hui combattue.

Comme en France et en Angleterre, le colonisateur devient colonisé : sans avoir jamais été une colonie politique, la Turquie a longtemps eu des liens étroits de dépendance envers l'Allemagne. Sans être inversés, les rapports ont profondément changé et, comme dans le reste de l'Europe occidentale, s'entend maintenant sur les bords du Rhin non plus la « Lorelei », mais le sanglot, ou du moins le remords, de « l'homme blanc ». La peur d'être accusé, sinon de racisme, du moins de xénophobie, conduit parfois à une indulgence de fait, qui va loin. Et plus encore qu'en France, l'effondrement de la natalité, le refus de la vie donnent à penser que les Germains de souche vont être, peu à peu, non certes supplantés, mais largement remplacés par des Turcs. Bien que pressé par son parti, Helmut Schmidt a refusé d'accorder aux étrangers le droit de vote dans les communes. L'exemple de la Suède (souvent invoqué à cette occasion, comme en France) n'est pas déterminant, puisque, chez eux, les étrangers sont surtout des Finlandais ou des Danois, très proches de culture et dépourvus de tout complexe.

Selon le groupe de travail des Nations unies sur l'esclavage, nombreux seraient les enfants turcs (deuxième génération) employés « dans des conditions inacceptables et dangereuses ». Il existerait à leur endroit un véritable marché.

Depuis septembre 1978, le nombre d'étrangers a augmenté d'un million et approche aujourd'hui les cinq millions. 1 600 000 Turcs, 650 000 Yougoslaves, 600 000 Italiens, etc., travaillent sur le territoire fédéral. L'exaltation nazie de la race pure semble nous ramener de quelques siècles en arrière, alors qu'il y a quarante ans seulement...

Le ministre social-démocrate du travail Ehrenberg a exprimé la crainte que six à sept millions d'étrangers ne se trouvent, dans un avenir proche, sur le territoire fédéral.

Le gouvernement freine vigoureusement l'entrée, mais la frontière d'un pays occidental n'est pas une ligne fortifiée. Les réfugiés politiques étant admis, nombreux sont ceux qui invoquent ce titre, comme aussi le droit de faire venir leur famille, voire leur deuxième femme.

En Turquie, ils sont deux millions d'inscrits dans l'attente de l'accès au paradis *Almanya* et déjà se pose, en Allemagne, le redoutable problème de l'intégration.

Comme en France, les étrangers sont les uns un poids, les autres une aide précieuse. Sans eux, les Charbonnages de la Ruhr et de la Saxe seraient incapables de produire les précieuses 90 millions de tonnes de charbon, mais, par ailleurs...

Refuser le travail à une personne est plus facile que refuser l'accès ; il en résulte un travail clandestin, qui se nourrit lui-même par appel.

Intégrer les Turcs, tel est l'étrange problème qui se pose, quarante ans après la décision de la grande marche vers la pureté raciale.

CHAPITRE XVI

Le noir dans la transparence : la Suède

Il y a, dit-on en Suède, deux bons métiers : expert fiscal et travailleur au noir. Aux deux extrémités de la société, le premier, armé de ficelles, enseigne à passer aux moindres dommages à travers le réseau des prélèvements, tandis que le second, non moins connaisseur des lois, reste au contraire en dehors du système.

Souvent opposée à l'Italie, la Suède a, du moins en France, une réputation d'ordre et de franchise, qui, sur bien des points, se trouve vérifiée. Les comptes de la nation et ceux des entreprises sont largement publiés, les syndicats puissants et bien organisés (90 % des salariés sont syndiqués), conscience et lumière partout sont précisément les deux conditions d'une démocratie et particulièrement d'une démocratie capitaliste. Du fait même de cette « transparence », les grandes sociétés (Volvo, etc.) et les grandes fortunes (Wallenberg) sont admises par les socialistes et font même partie du système. Du reste, les grandes fortunes, c'est avantageux pour le fisc, puisqu'elles paient plus que le bien modeste. Et la Suède est, en outre, le paradis des multinationales. En revanche, peu de nationalisations : à quoi bon ? La cogestion permet dans une large mesure de les éviter. En outre, les conflits, nombreux, assurément, et presque permanents, se résolvent souvent par recours à l'arbitrage d'un médiateur (l'ombudsman).

Comment, dès lors, dans cet immense consensus, le travail noir trouve-t-il sa place ?

C'est que l'emboîtage de toutes les lois, de toutes les attitudes, de toutes les aspirations n'a pas pu se faire à 100 %. Sous cet appareil semi-officiel, au grand jour, ou plutôt à l'intérieur des rouages, l'adaptation n'est souvent obtenue que par des moyens en marge de la légalité.

L'évasion la plus tentante et la plus claire aussi, c'est, bien entendu, la fraude fiscale. Dans un pays où les deux tiers (67 %, précise-t-on) du P.I.B. passent par la collectivité, plus peut-être qu'en Hongrie ou en Pologne, échapper aux mailles des contrôleurs est une source de revenu, en quelque sorte offerte à l'individu.

Bon enfant, l'ordinateur rassure le monde fiscal : « Nous employons, comme la police, les moyens les plus modernes », dit-il. Il serait d'ailleurs dangereux de croire qu'une bonne, sincère, déclaration de revenu assure au citoyen consciencieux une année de repos. Le fisc lui-même n'y peut rien, c'est sa nature propre qui l'oblige à venir vérifier dans vos doublures.

Mais, comme dans les autres pays, le fisc, plus ancien, plus classé, plus admis en somme, est mieux respecté que la Sécurité sociale. Nombreux sont les petites entreprises personnelles qui se dérobent, à tout le moins, aux charges sociales.

Dès lors, la complication devient telle qu'il faut aussi lutter contre elle. « Pour simplifier la tâche, a dit un jour de bonne humeur un grand industriel suédois, nous avons, heureusement, un réseau complexe de lois. » Tel est cependant l'enchevêtrement des droits, des compensations, des habitudes aussi, qu'on pourrait, en cas de rupture, d'accident, prévoir le pire pour l'ensemble.

Les syndicats ne sont pas au pouvoir, mais rien ne peut se faire sans eux, ni contre eux. Et tout au-dessous de débats de haute tenue, l'individu, quelque peu désemparé, cherche sa voie.

L'absentéisme (15 à 20 %, dit-on, un peu moins sans doute) est-il la cause ou l'effet de cette machine ? Adaptation mutuelle, peut-on estimer, ce n'est pas une porte béante ouverte au travail noir, mais une multitude d'interstices, par où l'individu prend sa revanche. La fraude en nature est moins exposée à la pince collective que la fraude liquide. Selon une enquête par sondage, sur 5 500 000 Suédois de 18 à 70 ans (pourquoi cette seconde limite ?), 1 million ont eu recours, au moins une fois, aux services d'un travailleur au noir et 750 000 ont exercé une telle activité. Le premier chiffre est, sans doute, inférieur à la réalité. Quant au second, il ne permet pas malheureusement de mesurer l'intensité du phénomène, encore que 80 % de ces prestations soient, est-il déclaré, inférieures à 1 000 couronnes. Ne croyons pas plus que dans les autres pays aux 10 à 20 % du P.I.B., qui se feraient au noir.

Le terrain principal est, bien entendu, la vie du ménage : garde des enfants du voisin, travaux du logement et, plus généralement, du bâtiment. L'allocation de logement, si humaine, si séduisante, ouvre la voie à des évasions plus pittoresques encore que celles de S. Latude, telles que le mariage blanc d'une femme avec un homme de faible revenu ; d'où les questions curieuses, posées par le grand délateur Rex (ordinateur, combien plus puissant que le descendant de Bernadotte), telles que : « Combien de nuits passez-vous par semaine chez votre mari, ou chez votre partenaire habituel ? »

Et finalement, le pays de la statistique se perd dans les comptes ; dans le pays du contrôle social, le citoyen échappe parfois aux contrôles les plus pénétrants. Equilibre stable, au sens mécanique du mot et assorti d'ondulations, mais souvent, sans doute, dans la longue durée.

CHAPITRE XVII

Et pourtant, elle tourne...
« L'économie immergée » en Italie[1]

Pour le Français ou même l'Européen, l'Italie est le pays type du travail noir ; peut-être celui-ci est-il effectivement plus étendu qu'ailleurs, mais sa caractéristique principale est sa semi-clandestinité et la tolérance officielle à son sujet, notamment au fait des exportations qui peuvent en résulter. Plus visible, en somme, et plus toléré.

Les causes

La cause principale la plus directe est, comme ailleurs, l'accroissement considérable des charges fiscales et sociales. Comme elle s'est faite sous la pression des syndicats, il est permis de juger que ces pratiques illégales s'exercent directement à l'encontre de l'action syndicale, laquelle est ainsi passée, sur ce point, du côté du pouvoir.

A cette cause générale que l'on trouve en tous pays occidentaux, s'ajoutent, pour l'Italie, des facteurs particuliers :

1. Une partie importante de ce chapitre est due aux remarquables travaux de M. Patrick REY, stagiaire français à Rome. Ont été également utilisés l'étude anonyme *Schatten Virtschaft, am Beispiel Italiens : Hindernis oder Herausforderung für die Wirtschafts und Finanz Politik ?* ainsi que les travaux des professeurs Luigi FREY (université catholique de Milan) et Giogio FUA (université d'Ancône), les enquêtes et calculs de l'Institut de statistique (I.S.T.A.T.) et de Isfol-Doxa (Instituts de sondages), l'étude de M. Gabriel TAHAR, *Le Mérite du travail clandestin en France, au Royaume-Uni et en Italie* (février 1980) pour la Commission des Communautés européennes.

1° la rapidité du progrès industriel après la guerre (le « miracle italien »), dans un pays aux fortes traditions agricoles ;

2° l'influence persistante du noyau familial ;

3° la constitution et la législation ont, elles aussi, favorisé le travail clandestin.

Il a même été dit que, parmi les effets défavorables du travail noir, le plus pervers était la détérioration des statistiques.

Il faut, tout d'abord, faire la part des légendes : dire par exemple « un Italien sur trois travaille au noir » (affirmation souvent reproduite sans contrôle) n'a qu'une très faible portée, dès l'instant que l'intensité de ce travail n'est pas précisée. L'expression ne signifie pas qu'un tiers des travailleurs aient vraiment un second emploi au noir. S'il s'agit d'une activité occasionnelle, au cours d'une année, la proportion devient légitime et peut même paraître faible.

Plus précises sont les déclarations concernant le rapport du volume des activités clandestines au P.I.B., tel qu'il résulte des statistiques officielles. Souvent est cité le chiffre de 20 %, ou même des proportions supérieures. L'examen de la vie économique et sociale suggère des chiffres moins imporants : les hôpitaux continuent à fonctionner, la mortalité n'a pas augmenté (il n'y a pas de mortalité clandestine, en dehors de quelques actions criminelles), des retraites nouvelles sont versées tous les ans, des allocations familiales sont accordées, ce qui atteste une forte activité, dûment recensée.

La dépense sociale totale est passée de 8,2 % du P.I.B. en 1949 à 14,8 % en 1965 et 22,8 % en 1980. Si le travail noir avait pris l'extension que l'on dit, une telle progression n'aurait pu trouver son aliment.

Mais, inversement, l'accroissement important de ce pourcentage explique les progrès des activités clandestines, très faibles en 1949.

Premières évaluations

Les auteurs n'ont pas, comme aux Etats-Unis ou en Angleterre, recouru à la méthode monétaire, si aléatoire, mais ont travaillé surtout par enquêtes, notamment sur les personnes, sur la population active.

Du reste, ce qui frappe dès le premier abord, c'est la faiblesse de cette population active, dans les statistiques officielles.

Un chiffre dérisoire de 11 270 000 personnes actives a même été utilisé par l'I.S.T.A.T. et par le C.E.R.E.S. (Centre de recherche économique et sociale).

En modifiant ses critères de calcul, l'I.S.T.A.T. a pu identifier, en 1977, 936 000 actifs supplémentaires, mais nous sommes encore loin de compte.

Un chifffe plus élevé, bien que lui-même trop bas, a été fourni par une étude du C.E.R.E.S. : 3 270 000 personnes (dont 2 300 000 femmes) appartenaient, selon lui, à la population active, sans avoir été enregistrée comme telles, dans les statistiques officielles.

Ce désordre dans les comptes accroît les difficultés de toute mesure. Nous verrons plus loin d'autres essais.

Facteurs favorables

Plusieurs facteurs ont agi, dans le pays, en faveur du travail noir :

1° l'autonomie des provinces a causé des obstacles aux contrôles ;

2° la rigidité du système (toujours l'action des syndicats dans une intention protectrice, par exemple, interdiction de divers cumuls, pas de travail intérimaire, cette soupape si précieuse) ;

3° les faveurs accordées aux petites entreprises, plus fortes encore qu'en France (le jeu des seuils) ;

4° le système de sécurité sociale est très favorable aux artisans ;

5° la proportion importante des petites entreprises (19 % des entreprises ont moins de 10 salariés, alors que la proportion est 10 % en Allemagne et 5 % aux Etats-Unis).

En Italie, la part des charges de personnel augmente d'ailleurs selon le nombre de salariés.

Les formes du travail clandestin

Comme ailleurs et plus encore qu'ailleurs, il faut distinguer les productions licites non déclarées et les productions illicites.

Sous ces deux formes, l'évasion concerne spécialement les petites entreprises, mais le travail non déclaré ne se fait pas toujours dans leur local, car il s'exécute souvent à domicile. Les industries les plus en vue sont : le textile et la confection (Prato, notamment en Toscane), la chaussure, la céramique (Sassuolo), la lunetterie (Cadore) et tous objets ne nécessitant pas un matériel important. On signale même la construction de petites machines à Varèse.

Aux fabrications s'ajoutent de nombreux services : infirmières, gardes d'enfants, taxis sans licence, colporteurs, vendeurs dans la rue, intermédiaires divers, etc.

Il arrive souvent qu'un ouvrier quitte officiellement son entreprise, tout en continuant à lui offrir ses services, sous le statut ou la condition d'artisan. Cet éparpillement rend plus difficile le travail de contrôle.

Du reste, une autre difficulté se présente parfois aux contrôleurs : l'économie immergée travaille en partie pour l'exportation : un exportateur organisé, légal, fait, par exemple, travailler de petites entreprises ou des femmes (et des enfants) à domicile, à la fabrication de chaussures, dont il fournit les matières premières et qu'il exportera. Souvent, le contrôleur du travail reçoit un avis téléphonique d'un agent de la direction du commerce extérieur, lui demandant de ménager telle ou telle entreprise, qui améliore la balance des paiements courants.

Dans cette masse de pratiques et de trafics, il y a, bien entendu, des gagnants et des exploités ; comme dans la vieille industrie du XIXe, le salaire à domicile est très faible, mais accepté en raison de sa commodité (ménage, enfants en bas âge, pas de transport, etc.). Dans cette économie de marché mouvante, aléatoire, les situations les plus diverses peuvent se rencontrer, ce qui permet de soutenir des thèses opposées, avec exemples à l'appui.

Rentabilité

De façon générale, les salaires payés au noir sont inférieurs aux salaires officiels, mais il y a de larges exceptions, permises par le gain réalisé par l'employeur, sur les charges sociales.

Cependant la productivité horaire du travail est, en général, inférieure à celle d'une industrie bien outillée ; il y a donc une certaine compensation.

Un calcul simple

Comparons les conditions d'un employeur légal et d'un employeur clandestin produisant les mêmes produits. Le premier est le plus souvent avantagé par la productivité, et le second par l'absence de charges, et, sans doute, par le salaire plus bas. Nous avons ainsi le tableau suivant :

	Travail légal	*Travail noir*
Salaire horaire	S	s
Charges fiscales et sociales	C	—
Autres dépenses	D	D
Temps nécessaire à faire une unité de production	h	H
COÛT DE REVIENT DE L'UNITÉ	hS + C + D	Hs + D

Pour que le travail noir soit avantageux, il faut que :

$$Hs + D < hS + C + D$$

ou encore

$$Hs < hS + C$$

$$\frac{s}{S} < \frac{h}{H} + \frac{C}{SH}$$

Le rapport des salaires noirs aux salaires officiels peut être supérieur à celui des productivités, du fait même des charges sociales.

Il faudrait cependant introduire une prime de risque, laquelle dépend de la probabilité d'être pris et de la sentence encourue. Elle n'est, en fait, pas suffisante pour limiter fortement ces activités clandestines. Dans bien des cas, d'ailleurs, le bénéfice de la petite entreprise est fait uniquement de la fraude fiscale, de sorte que le respect strict de la loi obligerait l'employeur à arrêter son activité. L'habitude aidée par la concurrence crée ses liens et ses servitudes.

Qui travaille au noir ?

La réponse est ici assez facile : ce sont, de façon générale, des personnes qui, par une autre voie, bénéficient de la Sécurité sociale, du moins pour la maladie. Ce sont notamment :

1° *les inactifs secourus :* des chômeurs (surtout parmi les jeunes), des invalides, des convalescents, des retraités, des étudiants, des femmes mariées ;

2° *des actifs pourvus d'emploi,* faisant dans leur entreprise des heures supplémentaires non déclarées ;

3° *des actifs pourvus d'emploi, exerçant un emploi partiel supplémentaire.*

S'y ajoutent aussi des chefs d'entreprises proprement clandestines, le plus souvent artisanales ; l'interdiction de divers cumuls (par exemple retraite et emploi, décidée sous la pression syndicale pousse également à la clandestinité).

Importance du secteur clandestin

Voici le point le plus délicat ; les diverses enquêtes ou évaluations aboutissent à de larges divergences, non seulement du fait de la résistance des interrogés et de l'inexactitude des déclarations, mais aussi d'équivoques ou d'imprécisions sur les définitions, écueil si fréquent en statistique.

L'O.C.D.E. a ingénuement publié une brochure [1], fortement

1. Italie 1982.

documentée et garnie de chiffres, sans faire allusion au travail noir, même dans le texte consacré à l'emploi. C'est là un exemple de la paresse bureaucratique, en vertu de laquelle il convient d'ignorer ce qui est gênant. Les auteurs ont jugé plus facile de se borner à reproduire les chiffres officiels.

L'économie immergée est liée à l'autre par ses achats, par ses ventes, par les revenus qu'elle distribue et contribue donc en partie à l'accroissement du P.I.B. officiel, mais en bonne règle, il faudrait compter toute la production brute et nette, en distinguant la fraction légale et illégale. Si le travail noir avait pris l'extension que l'on dit, la croissance, mesurée sur les seuls chiffres officiels, n'aurait pas été plus rapide que dans les autres pays. La figure ci-dessous donne la marche de l'indice de la production industrielle :

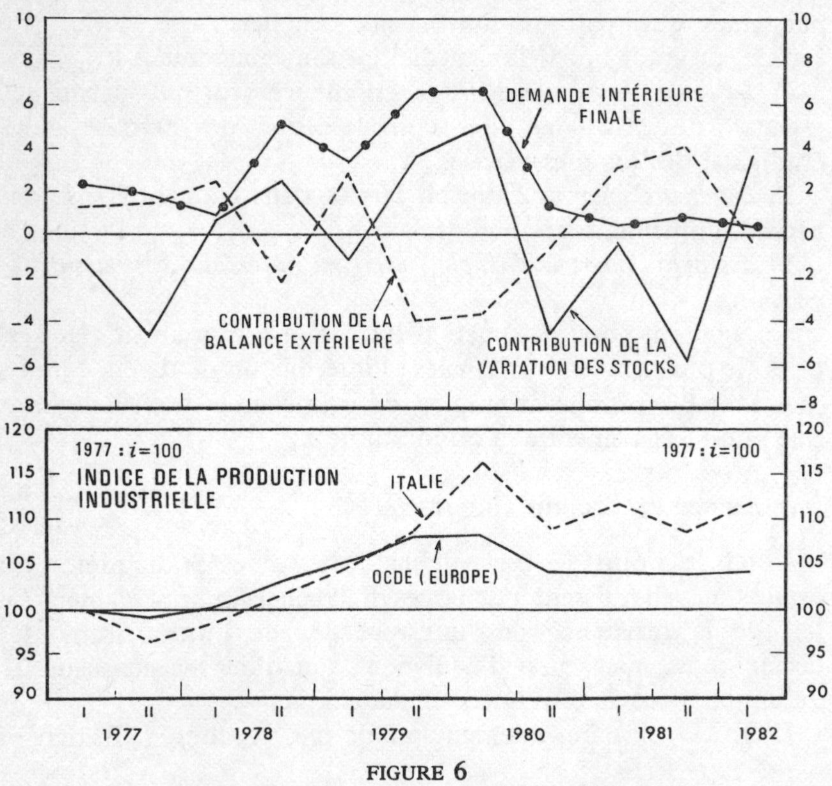

FIGURE 6
Production industrielle en Italie et en Europe

Les articles et études qui foisonnent sur le sujet sont pleins de confusion, dès le départ, sur la définition ; il s'agit tantôt de population industrielle, tantôt de population active totale, à une date ou à l'autre.

En 1980, la population active occupée s'élevait, selon l'O.C.D.E., à 21 106 000. En y ajoutant 1 690 000 chômeurs, on parvient à 22 796 000 actifs, soit moins qu'en France (22 900 000), alors que la population âgée de vingt à soixante ans est sensiblement plus élevée. Mais de telles comparaisons ne peuvent guère parvenir à une évaluation valable, tant est important le nombre d'emplois partiels, d'où les divergences considérables d'un auteur à l'autre. Selon l'I.S.T.A.T. (Institut de Statistique), il y aurait 935 000 travailleurs clandestins (peut-être dans la seule industrie) et selon le C.E.R.E.S. (Centre d'études et de recherches économiques et sociales), dans la même population, 3 277 000 ! Selon les syndicats, 500 000 enfants de douze à quinze ans travaillent à domicile ou dans l'agriculture.

L'enquête ISFOL DOXA

L'enquête par sondage a porté sur les différentes catégories d'inactifs, en état de pouvoir travailler ; il leur était demandé s'ils avaient travaillé clandestinement. Voici les résultats :

	Nombre de personnes (milliers)	*dont travailleurs clandestins*	
		(milliers)	*(%)*
Chômeurs adultes	431	111	25,8
Jeunes à la recherche d'un premier emploi	819	120	14,6
Pensionnés	6 551	754	11,5
Ménagères	11 029	1 089	9,9
Invalides	429	51	9,6
Etudiants et écoliers	11 873	236	2,0
Autres	823	39	4,7
TOTAL	31 955	2 400	7,5

Voici d'autre part, la durée annuelle du travail déclarée par diverses catégories :

	Moins de 3 mois par an	*De 3 à 11 mois*	*Toute l'année*	*Ensemble*
En attente du premier emploi	22,2	51,0	26,8	100,0
Chômeurs	10,0	75,0	15,0	100,0
Retraités	8,4	51,1	40,5	100,0
Ménagères	7,3	47,4	45,3	100,0
Étudiants	34,1	50,5	15,4	100,0
Invalides	9,0	41,5	49,5	100,0
Autres	10,8	50,8	38,4	100,0

Ces chiffres donnent d'intéressants ordres de grandeur sur la répartition selon les diverses catégories. Ils ne doivent toutefois être accueillis qu'avec de grandes réserves. La réponse d'une personne à des questions de ce genre dépend de l'insistance mise, du temps de réflexion donné, des garanties de secret données et considérées comme sûres, etc.

Travail partiel et doubles emplois

Travail partiel et doubles emplois ont des sources anciennes et remontent largement à l'époque fasciste pour les fonctionnaires. On raconte volontiers que, sur un ordre impératif qui leur a été donné un jour, à Rome, de venir à l'heure, les chaises ont manqué.

Selon la Chambre de travail de Rome, 76 % des cadres et 80 % des employés de l'administration romaine exercent un second emploi, en particulier dans le commerce, le tourisme et les professions libérales.

Selon l'enquête Censis (1976), qui a porté sur 1 088 000 personnes dont 869 000 hommes, 5,3 % seulement auraient plus d'une activité, chiffre certainement très inférieur à la réalité, à moins qu'il ne concerne les personnes ayant deux emplois véritables, réguliers. Sur 1 000 personnes ayant déclaré une seconde activité, on trouve 24,2 salariés et 75,8 indépendants. Cette dernière proportion atteint 81,3 % dans l'agriculture, 76,5 % dans l'industrie, 72,7 % dans le commerce et les transports, 64,8 % dans les autres secteurs professionnels.

En conclusion

Le progrès simultané de l'industrie et de la législation sociale, sous la pression notamment des syndicats, a eu pour résultat la prise d'habitudes « en marge » qu'il serait difficile maintenant de faire cesser. L'intensité relative de l'activité clandestine a cependant, peut-être plus encore qu'en un autre pays, été surestimée. S'il fallait citer un chiffre, nous pencherions plutôt pour 10 ou 12 % soustraits au P.I.B., tout en rappelant qu'une partie du travail noir concourt à l'augmentation du P.I.B. officiel. Compte tenu des rigidités nombreuses dues à la législation, la suppression de tout travail illégal n'entraînerait donc pour le P.I.B. qu'une plus-value inférieure aux 11 ou 13 % que donnerait le calcul arithmétique.

Plus peut-être qu'en tout autre pays, l'activité clandestine est une réponse à la pression syndicale, de sorte que les syndicats, même révolutionnaires, sont devenus pour le moment, sur certains points du moins, les plus sûrs défenseurs de l'ordre établi ; ils ont poussé notamment à l'adoption des nouvelles machines comptables enregistreuses dans les magasins.

Les moins-values fiscales incitent le parlement à relever les tarifs, ce qui donne une prime supplémentaire à la fraude. Un équilibre finit par s'établir, qu'il faut se garder de considérer comme définitif, les syndicats veillent au grain.

CHAPITRE XVIII

Au secours, Charles Quint !
L'Espagne

« Nous sommes de huit ans en retard sur vous, me disait, il y a une quinzaine d'années, un universitaire espagnol, aussi bien pour le P.I.B. que pour la drogue. »

Sous le gouvernement de Franco, la clandestinité était surtout politique ; l'action des révolutionnaires, notamment dans les provinces basques, avait certes ses compléments économiques, mais la rigueur du régime inspirait de telles craintes, qu'en 1973, le travail noir n'occupait dans les préoccupations, même économiques, qu'un rang bien modeste.

Des conditions très « favorables »

Sous le régime démocratique, se sont produits divers changements, favorables au travail clandestin :

1° un certain relâchement de l'autorité ;

2° un renforcement de la fiscalité et de la législation sociale ;

3° une accentuation de la pression syndicale sur les salaires ;

4° une forte augmentation du chômage.

Le rapport des charges sociales aux salaires payés est passé de 16,6 % en 1970 à 27,6 % en 1980. Voici la progression des impôts et des charges sociales de 1970 à 1980, en % du P.I.B. :

	1970	*1980*	*1982*
Impôts d'Etat	10,1	11,1	14,3
Impôts locaux	4,9	3,6	4,6
Charges sociales	8,0	14,9	—
TOTAL	23,0	29,6	—

Voici, d'autre part, la progression des salaires en valeur réelle et celle du nombre de chômeurs :

	Salaires réels	*Nombre de chômeurs*
1970	100	178
1980	147	1 277
1982	149	1 866

Comme dans tous les pays, la corrélation entre hausse des salaires et chômage est contestée par les syndicats ; elle est si accentuée qu'elle semble difficilement contestable.

L'extension du travail noir a été également favorisée par l'évolution suivante : de 1976 à 1980, le nombre de travailleurs indépendants et d'employeurs sans salarié aurait diminué de 22,7 % dans l'industrie, alors qu'il aurait progressé de 19,5 % dans la construction et de 8,4 % dans les services. Cette évasion hors de l'industrie peut être rattachée à la stagnation de l'économie, mais aussi à un phénomène de rejet, dû à la progression des salaires.

La fraude fiscale

Voici les estimations de la Banque d'Espagne, en milliards de pesetas courants et en % du P.I.B. :

	Fraude	*P.I.B.*	*% du P.I.B.*
1970	302	2576	11,7
1974	555	5100	10,9 (minimum)
1976	835	7234	11,5
1980	1994	15137	13,2

Bien que la fraude fiscale soit, comme dans les autres pays, loin de s'identifier avec le travail clandestin, son augmentation est un test significatif. Comme la fraude fiscale consiste largement en sous-estimations de leur revenu par les ménages, nous pouvons penser que le travail clandestin représente beaucoup moins de 13 % du P.I.B., même compte tenu des travaux ne donnant pas lieu à charges fiscales.

Intérêt soulevé par la question

La progression des activités clandestines a vivement frappé l'opinion, le monde politique et les universitaires. Les études et les essais de mesure semblent même plus nombreux qu'en France. Parmi les principaux chercheurs, en dehors des pouvoirs publics, nous pouvons noter Josep Pico, Enric Sanchis, le professeur Benito Santos Ruesga, A. Molto, Lafuentes Vasquez, J. P. Housel...

Employeurs et syndicats se sont rejoints dans la réprobation de ces pratiques, les uns mettant l'accent sur l'excès des charges, les autres sur l'insuffisante protection contre le chômage (trop faiblement secouru).

Ceux qui travaillent au noir

Nous retrouvons ici les catégories sociales bien « classiques ». Les recherches du professeur Benito Santos Ruesga et l'enquête pilote, dans la région d'Alicante, ne font que confirmer l'attente et la logique. Sont particulièrement enclins :

1° ceux qui ne parviennent pas à trouver un travail légal,

2° les inactifs qui désirent quelque revenu ou supplément de revenu : étudiants, retraités, femmes mariées sans profession. Volume assez étendu.

La suppression de l'indemnité accordée à certains chômeurs a été une cause d'aggravation. On estime que 45 % des demandeurs d'emploi sont ainsi particulièrement pressés par la nécessité.

Le nombre des chômeurs et des clandestins est particulièrement élevé en Andalousie ; le sous-emploi rural y a toujours été la règle, en dehors des pointes saisonnières, il n'en est que plus durement ressenti, du fait même qu'il a été mesuré, combattu et (faiblement) indemnisé. Quelles que soient les difficultés de définition du sous-emploi, il semble plus élevé encore en Algérie ou en Tunisie.

Le travail à domicile

Depuis 1975 on assiste, dans le *Pais Valenciano* (5 % de la superficie de l'Espagne et 10 % de sa population totale), à une sorte de démantèlement du secteur industriel classique, au profit de l'activité parallèle, sous diverses formes, et notamment le travail à domicile.

Une enquête réalisée dans cette région, en 1979, auprès de 269 femmes travaillant à domicile, précise les caractéristiques et les causes de cette évolution [1].

Comme partout ailleurs, à la souplesse qu'il permet dans l'organisation du temps s'ajoute le non-paiement des charges sociales.

33 % des femmes interrogées estiment que cette forme de travail devrait être interdite et que les femmes, comme les hommes, devraient pouvoir obtenir un emploi à l'usine, mais c'est là un vœu platonique.

Les auteurs se sont efforcés de distinguer les femmes qui travaillent volontairement à domicile, pour des questions de

1. Pico Lopez, *Impresario e industrializacion. — Il caso valenciano*, Madrid, 1976 (note stéréotypée).

convenance personnelle, et celles qui y sont contraintes, faute de travail normal.

Voici, selon P. Lopez, la répartition des activités de 269 femmes à domicile.

	Nombre de femmes	%
Travaux ménagers	181	67,3
Aucune activité	44	16,4
Aide à la famille	27	10,0
Etudes	4	1,5
Travail en usine	2	0,7
Autres	11	4,1
TOTAL	269	100,0

Essais de mesure

Nous retrouvons les deux méthodes classiques : la méthode monétaire ; la proportion de personnes actives.

Méthodes monétaires. En appliquant la méthode de Gutmann, M. Molto a montré que le volume des transactions illégales a progressé de 0,9 % à 2,5 % du P.I.B. Nous avons déjà souligné les gros défauts de cette méthode.

Comme pour mieux les accuser encore, M. Alberto Lafuente a utilisé la méthode de Tanzi et a montré que 22,9 % du P.I.B. échappent à l'impôt.

Nous ne citons ces chiffres que pour mémoire et condamnation nouvelle de la méthode différentielle monétaire.

La méthode des « potentiels ». Puisque ces insaisissables se cachent et nous échappent, à tout le moins pouvons-nous, dit le professeur Santos Ruesga, dénombrer les possibles, les « potentiels », c'est-à-dire ceux qui ont quelque raison d'être tentés par l'activité clandestine. Sur les actifs, il donne la répartition suivante :

	Milliers de « potentiels »	*En % de la population active*
Découragés	513,5	4
Actifs sous-employés	104,1	0,8
Pluriactifs	279,6	2,2
Chômeurs — indemnisés [1]	27,8	0,2
Chômeurs — indemnisés [2]	245,0	1,9
Chômeurs — non indemnisés	241,1	1,9
Jeunes de moins de 16 ans qui travaillent	75,0	0,6
TOTAUX	1 241,1 [1]	9,6 [1]
	1 458,3 [2]	11,3 [2]

1. En admettant que 3,41 % des chômeurs indemnisés travaillent.
2. En admettant que 30 % des chômeurs indemnisés travaillent.

En faisant entrer en lice, officiellement les inactifs, il parvient à un chiffre bien plus élevé :

	En milliers	*En % de la population active*
Retraités	237,3	1,8
Femmes	281,4	2,1
Etudiants	865,1	6,6
Pluriactifs	657,8	5
Chômeurs	1 334,2	10,1
Disposés à travailler mais ne cherchant pas officiellement d'emploi	92,5	0,7
TOTAL	3468,3	26,3

Comme en d'autres pays, ces évaluations encourent le reproche important de ne formuler aucune hypothèse sur la durée moyenne de l'activité clandestine des diverses catégories ; une évaluation en % du P.I.B., tirée de ces données, risque alors de varier de 1 à 5 ou même davantage.

L'attitude des autorités

Du côté des pouvoirs publics, aucune décision ne semble devoir être prise sur le travail clandestin sans une connaissance plus approfondie de ces pratiques.

Le patronat et les confédérations ouvrières ont également accepté de retarder la phase de proposition des mesures jusqu'à une connaissance plus approfondie de l'économie parallèle dans ses incidences économiques. Période d'attente que peut interrompre un incident soudain.

Les fonctionnaires

Assez nombreux sont ceux qui, comme en Italie, exercent un second emploi (partiel) souvent le matin. Symptomatique, l'épisode suivant :

En mars 1983, le gouvernement socialiste a entendu réagir contre les relâchements et notamment ceux des fonctionnaires et a rappelé fermement l'obligation d'arriver à l'heure. L'envoi a été si vif que, conséquence imprévue, la pointe observée vers 9 heures est devenue si aiguë qu'un embouteillage important a obstrué la circulation dans les rues de Madrid.

Cet épisode donne une note, quelque peu symbolique, sur les difficultés de l'ordre excessif et la nécessité d'une certaine souplesse. Cette nécessité, nous la retrouvons partout au cours de cet ouvrage et cela dans les deux régimes, capitaliste et socialiste.

La lutte contre les pointes avait été très en vogue en France dans les années soixante ; un service spécial avait été créé à cet effet ; des mesures ont été prises dans le cadre annuel, mais dans le cadre journalier, les pointes auraient conservé leur acuité extrême et leur coût élevé si le laxisme... C'est toute la « fonction » travail noir qui se manifeste sous cette forme inattendue.

Immigrants, émigrants

Depuis Christophe Colomb, l'Espagne est terre d'émigration ; depuis plus d'un siècle, des départs se font vers la France, depuis trente ans vers l'Allemagne, la Suisse, la Belgique. Puis, à la faveur des « 30 glorieuses », le niveau de vie est devenu supportable ; si vif que soit encore le dénuement en certains points, il a cessé de pousser hommes et femmes au-dehors.

L'allocation de chômage a joué dans le même sens. On compte maintenant deux millions de chômeurs (12 à 15 % des actifs), le record d'Europe ou à peu près.

Au moment où un certain équilibre semblait ainsi établi, après cinq siècles d'aventures, survient un phénomène inédit, paradoxal : l'immigration de travailleurs, dans ce pays sans travail.

Présent enfer ou futur paradis

Ils viennent du sud, bien sûr, non en conquérants, comme les Maures victorieux à Cadix, mais humbles, clandestins. Aux Marocains et autres du Maghreb s'ajoutent maintenant des Noirs, surtout Maliens, et même des Pakistanais, après une étape au golfe.

Comme dans d'autres pays occidentaux, certains travaux ne trouvent pas de titulaires, même en Andalousie : travaux pénibles, surtout à la campagne, loin de l'inspection du travail (même en Catalogne, salaires sensiblement inférieurs au minimum dont ses infortunés ne connaissent pas même l'existence), pas de Sécurité sociale (du moins pour le moment, car ils finiront bien par l'avoir un jour, ... à l'ancienneté si l'on peut dire, à condition de durer).

En butte à l'hostilité des habitants, mais terrorisés à l'idée de rentrer dans leur pays, ils connaissent les affres d'un animal pourchassé.

Leur reste toutefois un espoir : quitter cet enfer pour le paradis du dessus, la France. Pour cela, il leur faut amasser quelques économies, se rendre à Barcelone, au Barriochino, où se tient « le marché ». Pour l'équivalent de 1 000 francs, parfois davantage, le clandestin pourra faire partie d'un groupe de 15 ou 20, qui franchiront les Albères ou la ligne arbitraire de Cerdagne, suffisamment loin du Perthus et de Bourg-Madame, pour être menés ensuite, en camion, à Perpignan ou Narbonne, changeant ainsi de clandestinité.

Retard ou avance périlleuse ?

Huit ans de retard, disions-nous en tête de cet article. Il se comble singulièrement vite ce retard, moins en niveau de vie qu'en mœurs et particulièrement en laxisme. Il est loin le temps où, pour voir un film porno, il fallait faire le voyage à Perpignan ; tout est aujourd'hui à portée, y compris la drogue, en partie autorisée.

S'agit-il vraiment du comblement d'un retard ou d'une avance sur un terrain dangereux ? Longtemps maintenue tant bien que mal, par les interdits de Franco et de l'Eglise, la natalité rejoint peu à peu le désastre occidental : non renouvellement des générations et marche insouciante à la vieillesse. Mais, pour le moment, peu de jeunes, peu de vieux, d'où illusion d'une Sécurité sociale légère et prise d'habitudes dont il sera bien malaisé de venir à bout. N'y a-t-il pas, comme ailleurs et tout près de nous, des Africains pour payer la retraite des vieux Européens ?

Au secours, Charles Quint ! Il ne s'agit pas, cette fois, de ministres non intègres, ni de la cuisson de l'aigle impérial. Ce n'est pas tant non plus le travail noir qui motive un tel appel, que le refus délibéré de la vie, comme dans le reste de l'Europe occidentale.

CHAPITRE XIX

Le travail noir dans les pays socialistes

Nous visons ici particulièrement les pays d'Europe, excluant notamment la Mongolie et Cuba, aux caractères si particuliers. Quelques mots seront dits, cependant, sur la Chine.

Dès l'abord, l'abondance des termes : « économie parallèle, parasite, de fiction, économie de l'ombre », voire « seconde société » etc., nous donne l'impression d'une sorte de reconnaissance, de fait, de situations non exceptionnelles.

L'ampleur et la variété de l'ensemble d'actions extérieures au modèle officiel nous confirme que leur domaine est non seulement économique, mais social et culturel.

Entre les diverses définitions données par des économistes occidentaux, les différences sont notables. Voici celles de l'un des spécialistes G. Grossmann :

> « Tout ce qui relève de la recherche d'un gain privé et tout ce qui est en contradiction avec la loi. »

Cette trop large définition englobe beaucoup plus d'activités que celles qui se limitent au critère de « légalité » et au critère « contrôle de l'Etat ».

Ces deux derniers critères s'avèrent, en effet, insuffisants pour définir la seconde économie. En Roumanie, par exemple, le travail clandestin semble plutôt encouragé par le gouvernement. C'est l'attitude assez classique de toute autorité, qui permet, le cas échéant, de frapper le coupable d'illégalité, sans conteste possible.

En Union soviétique, la loi, toujours attardée, définit mal les activités privées autorisées. De ce fait, certaines activités peuvent, tout en étant tolérées, faire brutalement l'objet d'une interdiction, par l'application rigoureuse d'un texte tombé en désuétude.

De plus, les activités privées, mêmes légales, sont plutôt mal vues par les autorités : selon leurs concepts, la recherche de gain privé reste, *a priori*, hors de la norme, frappée d'une sorte d'impureté. Or, il semble d'autant plus indiqué d'inclure ces activités dans la seconde économie qu'elles utilisent souvent des produits obtenus de façon illicite.

Les activités de la seconde économie

Ainsi, dans son sens le plus large, la « seconde économie » des pays de l'Est englobe souvent des activités aussi variées que :

1° le secteur privé autorisé ;

2° le marché noir illégal ;

3° le travail autonome de production pour soi-même, exécuté pendant des heures de travail officiel ou en dehors d'elles ;

4° les activités clandestines, permettant d'accéder à la culture occidentale interdite (reproduction et circulation, sous le manteau, d'ouvrages interdits, sortes d'universités clandestines, séminaires scientifiques ou culturels, représentations théâtrales, musicales, etc.) ;

5° les activités illégales pratiquées au sein du secteur étatisé (vol en entreprise, travail pour soi pendant les heures de travail officiel, spéculation, corruption, pratiques illégales de gestion, troc entre entreprises, pour pallier les erreurs et les anomalies de la distribution, etc.) ;

6° la location privée des locaux d'habitation.

Cette situation, du reste en mouvement, comment a-t-elle été atteinte ? Par quel cheminement ?

La planification

L'ensemble d'une économie planifiée évoque un réseau de canalisation, conçu de façon rationnelle, en vue de satisfaire les objectifs économiques, lesquels peuvent se ramener à deux :

1. Produire le plus de richesses possible, de façon à assurer la couverture des besoins exprimés ou reconnus, privés et publics.

2. Répartir ces productions de façon qu'elles s'adaptent à ces besoins, le tout conçu selon des principes collectivistes, en vue de l'intérêt commun.

Du fait même des contraintes imposées au système, il règne, à l'intérieur, une pression plus forte qu'en régime capitaliste et inégale, selon les points du réseau. Les fortes pressions sont génératrices de ruptures.

Les trois stades de la déviation

En prenant l'entreprise ou le groupe pour centre d'observation, on peut distinguer trois stades :

1. *La phase défensive*. Celui qui se trouve à une certaine place du circuit avec une responsabilité, par exemple le chef d'entreprise, est, dès le départ, sur la défensive. En haut, les efforts (ou du moins les désirs) s'exercent en faveur du meilleur résultat possible. Celui qui exécute, de façon parfaite, les ordres reçus se voit fatalement proposer des tâches de plus en plus difficiles, des contraintes de plus en plus sévères confinant au tour de force, ce qui le conduit au stade de l'action positive.

2. *Offensive et confort*. Chacun cherche à mieux assurer le fonctionnement de son secteur, sans souffrances trop vives, à améliorer le sort de son personnel, etc. Il en résulte des comportements qui, pour ne pas être à proprement parler délictueux, sont vite contraires à l'intérêt général : demande de matières premières supérieure aux besoins réels, fourniture de produits de qualité inférieure à la norme, etc.

3. *Utilisation du pouvoir à des fins personnelles*. Celui qui se trouve, par exemple, devant un surplus de matières premières, eu égard à ses besoins, est doublement tenté de s'en débarrasser par voie indirecte :

a) s'il les conserve et les inscrit dans son bilan, il risque de voir réduire ses attributions. Tout fonctionnaire, en régime capitaliste, sait qu'il a intérêt à utiliser ses crédits jusqu'au dernier centime, pour ne pas risquer une réduction à l'exercice suivant. Dans un célèbre exemple donné par André Maurois, l'officier a été obligé de faire disparaître, pièce par pièce, la mitrailleuse qu'il avait en excédent ;

b) en les cédant au prix fort ou même à bas prix, à quelque autre en difficulté, le directeur de l'entreprise crée nécessairement une caisse noire, qu'il sera ensuite tentant d'utiliser à des fins plus personnelles.

D'autre part, sans nécessairement se monnayer, au sens propre du mot, l'attribution d'un emploi intéressant peut servir de moyen d'échange.

Aux divers niveaux, aux divers rouages de l'entreprise, ou des organes de planification se présentent également des tentations d'utiliser son pouvoir, ses moyens à des fins personnelles. Partout donc une certaine pression résulte de la non-fluidité.

Cette déviation du pouvoir conduit aux multiples opérations qui vont de l'infraction légère « pour le bon motif » à la concussion ou la corruption, en passant par le troc, le court-circuit, etc.

L'individu

Salarié, il est donc exécuteur du plan selon les indications reçues ; il se trouve cependant, en dehors du vol pur de droit commun, devant diverses façons de contrevenir à la loi.

A l'intérieur de l'entreprise : absentéisme, préférences dans un magasin accordées par le vendeur à des personnes favorisées, etc.

Au-dehors : activité clandestine, vente ou achat de produits à des prix supérieurs au prix officiel, troc, trafic de devises, etc. Ce dernier point mérite une attention particulière.

Les transactions avec l'extérieur

Pourquoi s'est-on demandé, le premier pays devenu socialiste a-t-il été un pays de grande dimension ? Etait-ce le résultat d'une loi inéluctable ou le hasard des guerres en a-t-il décidé ainsi ? Un petit pays, tout entouré des maux et des charmes capitalistes, n'aurait sans doute pu durer. Court a été, du reste, le temps de Bela Kun, en Hongrie.

Au début de l'Union soviétique, les rapports avec l'extérieur se sont longtemps limités à la lutte contre les interventions militaires, appuyées par l'étranger. Les pays capitalistes n'ont pas compris, à ce moment, qu'ils avaient une meilleure carte à jouer. Elle était d'ailleurs plus difficile qu'aujourd'hui, du fait des difficultés de communication.

Pendant la Deuxième Guerre, Staline avait fortement ressenti la nécessité de se fortifier, de se mettre à l'abri (en dehors même de l'armement) et cela sous deux formes :

1. Constitution de marches extérieures ; ce sont les républiques populaires ; seule, en Europe, la Finlande n'a pu être soumise.

2. Fermeture aussi hermétique que possible des frontières. Lorsque Staline a baissé ce que W. Churchill a appelé le rideau de fer, il était logique avec lui-même. Il fallait éviter de laisser pénétrer en Union soviétique (et les autres pays socialistes) la perversité des besoins occidentaux ; tentante est ici encore la comparaison entre la vertu chrétienne et le péché. Celui qui met un doigt dans l'engrenage, dit l'Eglise, y voit passer tout le corps.

Deux phénomènes ont vite apparu aux autorités socialistes :

1° confirmation du trouble qui résulte de tout contact avec les pays occidentaux ;

2° impossibilité d'éviter tous échanges et transactions. Un rideau de fer hermétique n'est concevable qu'en temps de guerre, entre deux belligérants (même en ce cas les fuites existent).

Dans aucune économie socialiste, l'équilibre n'est assuré entre achats et ventes de devises. La tension est permanente. De ce fait, la couleur verte du billet dollar a été vite connue et se reconnaît aujourd'hui, parfois à quinze mètres, dans un hôtel, dans une gare ; elle a valeur de signal, mais peut jouer aussi sans se montrer.

Extension du travail noir

Comme dans les pays capitalistes, grande est la tentation de généraliser, sur le vu des nombreux et pittoresques exemples particuliers. L'étranger qui séjourne en pays socialiste est d'ailleurs particulièrement exposé à rencontrer des cas de fraude.

Si délicate que soit la mesure des activités clandestines, il est permis d'estimer que leur volume a notablement augmenté depuis la guerre et surtout dans les dix dernières années. En dehors de l'évolution même du sytème, de sa détérioration intérieure, deux facteurs peuvent être cités :

1. La facilité croissante des communications. Nous avons déjà cité les congrès scientifiques, les missions à l'étranger, les sports, etc. Plus importante encore est, sans doute, l'influence des ondes et notamment de la télévision. En Allemagne de l'Est, le mur de Berlin est impuissant contre elles; nombreux sont les citoyens à recevoir les émissions de la R.F.A. ou des Américains, à leur intention. L'austérité incite à regarder au-dehors, quitte à se réfugier ensuite dans quelque retour à la vertu. La musique, les danses retiennent notamment l'attention, même et surtout si elles sont qualifiées de décadentes.

On cite en exemple le cas du musée des Beatles à Leningrad où, contre le versement de quelques kopecks, Nikolai Vassine a pendant longtemps présenté des milliers de photos et 80 disques des Beatles, patiemment rassemblés. Mais il faut constamment renouveler, se mettre à la page.

2. Le laxisme occidental. Il a fourni, à la thèse officielle, un certain appui et permis, non sans raison, de parler de décadence.

Tout contact avec l'étranger fournit une possibilité de fraude, de la simple exportation, ou importation, à la mission officielle en pays occidental, en passant par la location ou la vente à des touristes. Un dirigeant albanais — le pays le plus isolé et le moins sujet au travail noir — nous disait qu'il avait été impossible de résister à la pression des joueurs (et dirigeants) de football, désireux de s'affronter à ceux d'autres pays. Les jeux Olympiques de Moscou en 1980 ont offert la vision d'un immense marché pendant plusieurs mois.

En août 1982, M. Stana Delantz, ministre de l'Intérieur en Yougoslavie, a déclaré qu'en 1971, 19000 entreprises ont commis des « infractions criminelles portant sur des dizaines de milliards de dinars ».

L'agriculture

Longtemps ignorée des marxistes, épris de lois universelles et envoûtés par l'anathème contre les exactions capitalistes dans le monde industriel, mal vue de Lénine, saisi par le problème imprévu des bouches à nourrir, l'agriculture reste, malgré le progrès des techniques mécaniques, la grande importune et le domaine d'élection de l'initiative privée. Dans tous les pays, il a fallu faire des entorses aux règles d'or inscrites dans les constitutions et les encyclopédies, depuis le classique lopin accordé, dès Staline, au kolkhoziens à la propriété pure, comme en Pologne et en Hongrie. Cette propriété peut certes être, comme en Pologne, compromise par l'inégalité de l'approvisionnement en engrais et en machines, mais cette nouvelle pression dans le système est alors la source de nouvelles irrégularités.

Artisanat et réparation

Jadis florissante dans les pays occidentaux, du moins en plein régime libéral, cette activité est, nous l'avons vu, largement compromise dans les pays occidentaux. Depuis longtemps déjà, la loi du marché a perdu sa fluidité, ce qui condamne les ménages à exécuter eux-mêmes des travaux que le moraliste affirme sains et méritants, mais qui seraient mieux assurés par la division du travail.

Dans les pays socialistes, l'artisanat s'est dès le début avéré rebelle à la planification, tant le travail l'emporte dans ce domaine sur la matière, tout en se diversifiant. Dans les pays socialistes, la tendance générale est, de ce fait, à l'abandonner plus ou moins explicitement à l'initiative individuelle.

Le logement

Même dans la partie constructive, plus industrielle, de ce domaine, la planification a rencontré de grandes difficultés auxquelles s'est ajoutée une certaine désaffection du plan par le jeu des priorités et par l'absence ou du moins la faiblesse des revendications individuelles. Longtemps dénoncé comme fruit déshonorant du régime capitaliste, le taudis a reparu sous des formes diverses, aggravé par la cohabitation. Mais celui qui, par un moyen ou l'autre, est parvenu à être pourvu d'un logement dispose d'un bien ou du moins d'un pouvoir, qui peut se monnayer ou servir de matière à échange [1]. Nombreuses sont les formes, non seulement de marché noir du logement, dans les pays socialistes, mais du travail noir, engendré par la défaillance de l'administration [2].

Différences avec les pays occidentaux

Entre le travail clandestin de l'Est et celui de l'Ouest, des ressemblances notables coexistent avec de fortes divergences. Voici ce qu'écrit M. Gérard Duchene, soviétologue français à ce sujet [3] :

« Le contexte juridique est radicalement différent : on ne peut assimiler le poids des cotisations sociales, des réglementations techniques et du droit du travail au système répressif de l'initiative privée, mis en place dans les pays de l'Est.

« L'extension des activités illégales reste marginale dans les pays occidentaux, même en Italie, alors qu'elle imprègne l'ensemble des relations économiques dans les pays de l'Est ; il y a un seuil qualitatif, de l'un à l'autre.

« Alors que les activités productives illégales à l'Ouest sont essentiellement privées ; elles peuvent, dans les pays socialistes toucher les entreprises publiques.

1. Voir notamment les aventures décrites dans l'ouvrage *Faites-le vous-même*, de J. Kennedi (Ed. Maspero) (voir p. 250).

2. L'autorité est alors étonnamment faible : au lendemain de la guerre en Pologne, lorsqu'une maison devait être détruite pour permettre la construction d'un ensemble, des équipes officielles de destructeurs (électricité, eau, voire toiture) pénétraient avant même l'évacuation pour éviter l'occupation de la maison par de nouveaux habitants (squatters).

3. *Le Courrier des pays de l'Est*, octobre 1980 : « Une nouvelle approche des économies de type soviétique : la seconde économie. »

« Parmi les facteurs de l'activité souterraine en Occident, est souvent citée la contrainte du chômage. Les activités noires sont, souvent, sous-payées par rapport aux activités officielles. Situation inverse dans les pays socialistes :

« Alors que les économies souterraines des pays occidentaux prennent quelque appui dans la conjoncture du moment et notamment lors d'une dépression, la seconde économie des pays socialistes est un phénomène structurel, qui fait corps avec l'économie planifiée et constitue une réplique à la contrainte permanente et aux rigidités qui s'exercent sous de multiples formes (répression de l'initiative privée, on signale même, l'existence d'églises clandestines, en Tchécoslovaquie).

« La « seconde économie » est là pour pallier les insuffisances chroniques ou passagères du secteur officiel (pénurie, lenteur, qualité défectueuse) et pour répondre aux rigidités imposées par le Plan, qui fixe souvent des objectifs irréalisables. Ainsi se précise son rôle productif. Quelles que soient la clairvoyance et la rapidité d'exécution des bureaux, ils ne peuvent répondre instantanément aux multiples variations, accidentelles, conjoncturelles qui frappent l'économie. A la réflexion centrale du cerveau, il faut ajouter les réflexes.

« Ainsi la seconde économie des pays de l'Est diffère largement de l'économie souterraine des pays occidentaux et s'avère, si l'on peut dire, plus « nécessaire » encore.

« Les prix pratiqués dans le secteur parallèle des pays de l'Est sont plus élevés que ceux du secteur officiel [1], qu'il s'agisse des biens que l'on peut se procurer au marché noir, ou des services offerts par le travailleur au noir.

« Bien que présente partout, « l'économie de l'ombre » semble souvent ignorée des services officiels. Cependant en Hongrie, elle est en quelque sorte constitutionnelle ou, du moins, reconnue [2]. »

1. Il peut sembler assez vain de comparer le prix élevé d'un produit disponible au bas prix d'un produit introuvable, accessible au prix de trois heures de file d'attente (voire de plusieurs années, pour un logement ou une voiture).

2. Communication au Congrès européen de Strasbourg en 1982.

La santé et la vie

En matière de santé, il y a un critère redoutable, et, sinon décisif, du moins fortement évocateur, c'est la mortalité. Pour éviter l'influence de la répartition par âge, il convient de regarder l'évolution à chaque âge, et d'en tirer un indice représentatif : l'espérance de vie.

Plus exactement, c'est l'espérance de vie que trouverait dans son berceau un bébé (ou plutôt un ensemble de 1 000 bébés) en supposant que, dans toutes les étapes de sa vie, il suive les conditions de mortalité observées, actuellement, pour les divers âges.

M. J. Bourgeois-Pichat a mis en évidence le fait suivant, de caractère bouleversant [1].

De 1970 à 1980 (en prenant des moyennes de trois ans pour éliminer l'influence des « accidents », grippe, rigueurs de température, etc.) l'espérance de vie à un an a augmenté dans tous les pays occidentaux et diminué dans tous les pays socialistes d'Europe. Voici la différence qui résulte des statistiques officielles :

Allemagne fédérale	+ 23 mois	Allemagne démocratique	– 1 mois
Angleterre	+ 22 mois	Roumanie	– 2 mois
Espagne	+ 19 mois	Tchécoslovaquie	– 7 mois
Belgique	+ 18 mois	Bulgarie	– 7 mois
France	+ 17 mois	U.R.S.S.	– 8 mois
Italie	+ 15 mois	Hongrie	– 12 mois
Yougoslavie	+ 12 mois	Pologne	– 14 mois

La cause de cette aggravation résulte-t-elle des activités médicales clandestines ? Réponse négative. L'une et les autres ont même cause : une détérioration de la bureaucratie hospitalière, phénomène reconnu, du moins en Union soviétique, par des autorités compétentes.

1. Communication au congrès européen de Strasbourg en 1982.

CHAPITRE XX

Rouge et noir : l'Union soviétique

La prévision économique est là-bas un jeu plus décevant encore que dans le régime aléatoire capitaliste, car les fausses voies sont perfidement les plus claires. Voici deux exemples.

C'est l'industrie qui a reçu toute l'attention de Marx et Engels, puis de Lénine, alors que la question la plus délicate, celle de l'artisanat et de l'agriculture, n'intéressait personne.

Au lieu de la férocité hiérarchique prédite il y a trente ans par Orwell, approuvé par toute l'opinion occidentale, non sans quelque frisson, l'évolution a conduit au contraire à l'indiscipline et au « débrouillage », dans les sens les plus divers du mot.

Il est assez difficile de retracer les diverses étapes de l'évasion hors de l'appareil planifié, chaque période de rigueur politique ayant été suivie d'une détente, mais il semble bien que les divers dérèglements se sont accentués depuis 1970. A défaut d'une mesure de l'intensité du phénomène, il suffit de suivre la montée de la bibliographie sur le sujet.

Les sources[1]

La mesure du travail clandestin, dans un pays ou même le légal est souvent bien dissimulé, semble une gageure et pourtant, la

1. Parmi les nombreuses sources utilisées citons : F. Seurot, *Inflation et emploi dans les pays socialistes* (...) ; Marie Lavigne, ouvrages et articles divers ; H. Smith, *Les Russes, la vie de tous les jours en Union soviétique* (Pierre Belfond, 1976) ; P. Meney, *La kleptocratie* (Table ronde 1982) ; publications soviétiques et notamment la revuc *Krokodil*.

biopsie ne s'avère pas plus difficile qu'ailleurs : la presse fournit de nombreux exemples ; des Israélites réfugiés ont donné les résultats d'enquêtes et, pour tout dire, le travail noir en Union soviétique est plutôt moins caché que dans les pays capitalistes.

Les divers marchés

Dans son remarquable ouvrage cité dans la bibliographie, F. Seurot rappelle les distinctions citées par l'économiste soviétique Katservelinboïgen (actuellement enseignant en Pennsylvanie). Distinguant les marchés légaux des illégaux, il établit une classification pittoresque, peut-être teintée d'humour anglo-saxon. Voici d'abord les trois marchés légaux :

1. *Marché rouge :* les prix sont établis par l'administration centrale ; c'est celui des magasins d'Etat. Pureté totale.
2. *Marché rose :* les participants à la transaction ont le droit de modifier les prix administratifs. Tolérance.
3. *Marché blanc :* les participants à la transaction déterminent librement leurs prix.

Traversant la zone du marché gris, mal défini, semi-légal ou toléré, nous arrivons aux marchés illégaux :

1. *Marché brun :* la transaction est illégale, mais n'est pas réprouvée aussi sévèrement qu'un crime.
2. *Marché noir :* la transaction est assimilée à un crime économique (donc passible, semble-t-il, de la peine de mort).

Pénurie, rationnement et bien social

La situation rappelle fatalement celle des pays belligérants pendant la Seconde Guerre : les prix noirs sont plus élevés que les prix officiels ; pour le ménage, le particulier, le problème est, certes, de gagner de l'argent, mais aussi d'en trouver l'emploi. Où acheter ? Le système peut mettre à son actif qu'il ne laisse personne dehors. Pendant l'Occupation en France, en dépit du marché noir, dont l'importance a été exagérée (sauf pour la viande, voir page 69) le plus démuni avait droit à 300 grammes de pain et 1 200 calories, alors que le marché libre l'aurait écrasé.

Le prix noir, sorte de soupape, est non seulement le fruit de la rareté, mais il comprend une prime de risque.

Le tout est de savoir quelles quantités sont détournées et quel niveau de vie a celui qui ne peut pas y accéder. Nous ne pouvons ici risquer aucun chiffre.

L'inflation elle-même est, en quelque sorte, clandestine, si bien que tout calcul d'un indice des prix est illusoire.

L'absentéisme

Malgré un important accroissement de la main-d'œuvre, notamment d'origine rurale, les progrès de la production industrielle ont fortement ralenti ; la raison de cette déficience se traduit évidemment par le mot « productivité » mais il faut distinguer :

1° la productivité horaire, pour une large part technique ;

2° la productivité journalière, compromise par l'absentéisme total (la journée entière) ou partiel.

L'ouvrier qui quitte l'usine, l'employé qui quitte le bureau pendant la journée n'est pas inquiété à la sortie, le portier vérifie seulement qu'il n'emporte pas de matériel (célèbre dessin du *Krokodil* à ce sujet). Nous retrouvons la distinction fondamentale entre perte matérielle et perte sociale (ou peut-être entre perte visible, dûment comptée, et perte non mesurée), plus accentuée encore peut-être qu'en régime capitaliste, car les Soviétiques ne considèrent pas l'activité de services comme une production.

Au désir classique d'échapper à un travail contraignant s'ajoute l'annonce de l'arrivée de marchandises dans un magasin. C'est une source de commentaires satiriques et, cette fois encore, de sujets de caricature pour *Krokodil*.

Parmi les nombreuses anecdotes qui circulent dans le pays, citons celle-ci : Trois hommes quittent leur travail pour se rendre chez le coiffeur, mais les trois garçons coiffeurs sont partis, l'un pour acheter des oranges, le deuxième pour faire réparer sa montre, le troisième pour aller chez le dentiste. Mais tous trois reviennent bredouilles ; ils s'aperçoivent alors que l'épicier, l'horloger et le dentiste qu'ils ont cherchés en vain sont tous trois assis dans leurs fauteuils, en les attendant.

Selon les *Izvestia,* les heures de travail perdues représenteraient la moitié de celles de la population active, mais ce chiffre n'a pas de vraisemblance. Plus significative, l'évolution de la loi pénale : la peine de mort pour crimes économiques, supprimée en 1947, a été rétablie en 1961 ; la loi du 1er janvier 1983 sanctionne plus sévèrement l'absentéisme, ainsi que la petite spéculation.

La nomination d'Andropov, en réaction contre le tolérant Brejnev, a été en partie motivée par le souci de combattre les illégalités économiques. Cependant, ses premières mesures ne vont pas dans le sens répressif : quelque peu séduit par le modèle hongrois, il a, en juillet 1983, accordé aux entreprises un peu plus de liberté de gestion et prévu un certain « intéressement » des salariés.

« Le travail à gauche »

Le temps dérobé au travail normal n'est pas entièrement passé dans les magasins ou devant leur façade, il est également utilisé à des travaux supplémentaires au-dehors. Appelée au début « travail à gauche », cette pratique est devenue si courante que l'expression est tombée en désuétude. Les travailleurs au noir (pendant leur travail légal, ou en dehors de ce temps) sont appelés les *chabachniki.* Pour lancer une malédiction contre quelqu'un, l'expression populaire dit parfois : « Qu'il vive de son salaire ! » Les travailleurs consciencieux, auxquels on peut confier un travail qui serait mal exécuté dans le secteur public, sont les *levaki.*

Quelques tâches sont cependant autorisées en liberté : traductions partielles, menus travaux de dactylographie, quelques leçons particulières aussi, la location d'une chambre à un étudiant, etc. Mais les normes autorisées sont vite dépassées, en particulier pour les leçons particulières, et cela même à un niveau élevé. Plus encore qu'en France, le diplôme, source d'emploi intéressant et de revenu, est très recherché, d'où un métier florissant et de véritables entreprises de « bachotage ».

Le « marché noir de la culture » s'exerce aussi sur le livre, mais, bien entendu, sur une partie d'entre eux seulement. Personne n'a entendu parler d'un marché noir sur *le Capital*, ni sur les ouvrages de Lénine. Il ne s'agit cependant pas nécessairement des ouvrages condamnés. La rareté peut avoir un caractère accidentel, telle la vente des *Trois mousquetaires*, signalée à un prix supérieur à quinze fois le prix légal.

Le pouvoir soviétique a beaucoup fait pour la culture, mais son fonctionnement matériel est si défectueux qu'il ne peut suffire à la demande qu'il a créée.

Mirman, Lazichvili et... caviar

Les noms ci-dessus illustrent les cas les plus célèbres, grossis sans doute par la légende :

A Tiflis (Tbilissi) qui est un peu le Marseille de la Russie d'Europe, l'usine (sinon les usines) clandestine de Otari Lazichvili, longtemps tolérée, sinon protégée par Staline, produisait de nombreux articles de luxe (objets en plastique, nappes, écharpes, chaussures de femme, etc.). L'approvisionnement en matières premières était assuré par des usines légales demandant pour elles des quantités supérieures à leurs besoins. Pourvu, non seulement d'une couverture technique (un petit laboratoire) mais d'une couverture politique (il était d'ailleurs fournisseur de la haute société), le maître de ce domaine n'a été condamné qu'en 1973 et seulement à quinze ans de prison.

Plus étonnant peut-être encore le cas de Mirman [1] dont la *Pravda* a dit qu'il passait sa vie à trafiquer, pendant ses heures de bureau, en jouant sur la pénurie. Cet emploi du temps n'a rien d'exceptionnel, nous l'avons vu, mais tout est ici question de dimension. Parti de très bas, comme Lazichvili, petit fonctionnaire, Mirman a commencé à vendre des calendriers et des étiquettes de boîtes d'allumettes ; nous sommes loin des missiles. Arrêté, il est vite acquitté et retrouve son génie de l'escroquerie et du faux en écritures. Il fournit ce dont les gens ou les entreprises

1. P. MENEY, *La Kleptocratie* (Table Ronde 1982). Nous laissons à l'auteur la responsabilité de ses déclarations.

ont besoin : chaussures, parfums, tissus, des meubles aussi, marchandise rare et appréciée car on a commencé à construire des logements. La clientèle est dans tous les milieux, mais surtout au sommet. En dépit de ses protections, il est pris et condamné à seulement neuf ans de prison ; sans doute le prix du silence.

Pour le caviar, c'est la C.E.E. qui a cette fois donné l'alarme, lorsque les douaniers ont découvert en 1978 que le hareng fumé importé était du précieux caviar, soumis à des taxes bien plus élevées. Cette fois, la fraude était le fait de hauts fonctionnaires et son produit devait aboutir à des comptes ouverts en Suisse...

Logement

Ce secteur est particulièrement digne d'intérêt, parce qu'il conduit les deux régimes opposés, capitalisme et socialisme, à des outrances, à l'amplification de leurs défauts respectifs.

L'intervention de l'Etat semble particulièrement opportune pour introduire une équité aussi large que possible et cela particulièrement dans les villes. Mais, selon un phénomène largement constaté dans les pays capitalistes, les maux résultant de la propriété privée s'accentuent encore après la disparition des propriétaires. La rareté et la rente sont en effet toujours là, et plus difficiles à poursuivre.

Il faudrait, pour assurer la juste répartition, une autorité exceptionnelle commandant l'évacuation immédiate de tout logement devenu illégalement occupé ou sous-occupé. Aucun pays n'est en ce cas.

Dès le début du régime soviétique, en 1918, était apparue une pénurie aiguë : faiblesse de la construction, extension des bureaux, desserrement de familles à l'étroit ont, comme en France et bien plus encore, additionné leurs effets. Ce desserrement, souvent nécessaire, voire vital, mais mortel pour d'autres, a été favorisé par la gratuité ou quasi-gratuité des loyers.

Sur ce point, le socialisme, même modéré, s'avère incapable de maîtriser l'ensemble du marché. C'est toute la politique qui se trouve en défaut, l'orthodoxie passant avant les faits. En aucun domaine plus qu'en celui-ci, ne s'affirme la force du dicton :

« Mieux vaut mourir selon les règles que d'en réchapper contre elles. »

Bien de consommation (réserve faite pour les cas où la vie humaine est en danger) le logement n'a pas cu la priorité dans les premiers plans quinquennaux, tournés vers l'investissement. La Deuxième Guerre a ensuite entraîné de nombreuses destructions. La construction restant très inférieure aux nécessités, le marché noir s'est étendu sur les deux tableaux, construction-réparation et utilisation.

Construction-réparation

Bien que dans les villes, la plus grande partie des logements appartiennent à la collectivité, la proportion des logements privés ou coopératifs augmente constamment, par nécessité. L'attribution d'un logement à l'avance est un moyen de faire payer, pendant plusieurs années, une annuité qui réduit la pression de l'excès de ressources financières, cause ou effet de la rareté.

La construction privée directe, le plus souvent par voie coopérative, est maintenant intense, mais l'acquisition des matériaux rend le recours au marché noir d'autant plus impérieux que l'attente oblige à payer une main-d'œuvre inactive.

Situation plus difficile encore pour la réparation ; il existe, certes, des services chargés d'assurer ces travaux, mais le coulage, en temps notamment, est important, et le contrôle, à tous les stades, illusoire.

La rareté du logement et l'extrême modicité des loyers facilitent, en outre, l'escroquerie pure. Bien connue dans les pays capitalistes, depuis la législation des loyers, elle n'est pas exceptionnelle dans les grandes villes soviétiques.

Utilisation

Celui qui dispose d'un logement, à quelque titre que ce soit, dispose en même temps d'un pouvoir équivalant à une propriété. Selon M. F. Seurot, le prix d'un appartement d'Etat au marché noir varie de 1 000 à 4 000 roubles, soit environ six mois à deux ans de salaire annuel, chiffre qui peut nous sembler plutôt faible, car il y a parfois des gratifications à assurer. Fréquente est la méthode que nous avons décrite pour la Suède : le ménage occupe deux logements tout en affirmant qu'il mène une vie séparée.

La location d'une chambre à un étudiant est autorisée, mais comme dans les pays capitalistes, ouvre la porte à de nombreux abus.

Agriculture, alcool

Le système du lopin, laissé à la disposition du kolkhozien, relève d'un processus analogue, assurer une soupape ; mais il a largement dépassé les prévisions des initiateurs. En surface, le lopin représente moins de la moitié des cultures, mais en production, la disproportion est considérable, témoin cruel de la meilleure gestion privée. En dépit de son désir de généraliser les fermes d'Etat et de revenir à la réduction des lopins, décidée par Khrouchtchev, Brejnev a dû céder mais le progrès technique vient en aide à l'orthodoxie.

En tout état de cause, l'exode rural se poursuit (la condition urbaine restant préférable à la rurale) et joue, lui aussi, en faveur de l'autorité, sous réserve de ne pas dépasser une certaine limite.

La défense des paysans ne porte pas seulement sur le lopin, mais aussi sur le droit de distiller. L'alcool a toujours été largement consommé en Russie et l'ivrognerie est d'autant moins infamante qu'elle n'est pas exceptionnelle, à très haut niveau. Si élevé est le cours de l'alcool au marché libre, noir ou non, que la lutte est permanente entre la puissance publique et le paysan « bouilleur de cru ».

Qu'il s'agisse d'agriculture ou des autres règlements, l'attitude du contrôleur est si redoutée dans les régions rurales qu'elle a peut-être suscité ou qu'elle suscitera une autre activité clandestine, quelque peu spéciale, celle du faux inspecteur [1]. Un beau rôle, enrichissant et mobilisateur.

1. Allusion à la comédie *Le Revizor* de GOGOL.

Les devises

Si le régime occidental est maudit, ses devises sont fort appréciées, même celles qui, comme notre franc, sont loin de la pleine santé. Toute opération en devises peut donner lieu à un conflit entre la puissance publique, soucieuse d'en conserver le bénéfice, et (à un ou quelques degrés au-dessous) celui qui cherche à la détourner à son profit.

Certains magasins très bien pourvus, les *Berioska*, sont réservés aux étrangers, qui doivent bien entendu payer en dollars ou en devises fortes. Et l'on voit dès lors les Soviétiques sevrés de tel ou tel produit offrir leurs services, des biens ou même des dollars clandestins à des étrangers pour pouvoir se les procurer.

Les diplomates se voient accorder des roubles D (dollars) qui peuvent se revendre plusieurs fois le cours officiel. D'autre part, lorsqu'ils ont l'autorisation d'importer une voiture occidentale, ils peuvent revendre l'ancienne d'occasion à un prix qui leur laisse un assez large bénéfice.

La santé et la vie

Plus encore que dans les républiques populaires, a baissé l'espérance de vie à la naissance, cette expression si prometteuse ; la mortalité infantile a elle-même augmenté. Une partie des variations constatées est due à des erreurs statistiques, mais celles-ci attestent elles-mêmes un relâchement qui, pour être moins préoccupant que celui de la bureaucratie hospitalière, n'en est pas moins significatif.

Rectifications faites, le pays qui a la plus forte densité médicale dans le monde a une mortalité infantile supérieure à celle de certains pays peu développés.

Contraste étonnant : ce pays de haute culture scientifique, qui le premier a lancé des satellites dans l'espace, qui construit les missiles les plus... efficaces, manifeste des faiblesses dans la simple lutte pour la vie.

CHAPITRE XXI

La Hongrie : quand les parallèles se rencontrent

VRAIMENT exceptionnelle, la situation de ce pays, le plus « occidental » des pays de l'Est, le plus avancé déjà au moment de la prise en main dans l'ordre stalinien, peut-être aussi le plus inventif et le plus soucieux d'évasion. Après le premier choc de 1956, est survenu celui, peut-être plus important sur le plan économique, de 1968, marqué par de nombreuses libérations. Au 1er janvier 1982, il a été, en outre, décidé de favoriser les petites entreprises. Dans le langage des dirigeants d'aujourd'hui, a-t-il même été dit, se décèle moins l'esprit de Marx que celui d'Adam Smith. Sans aller aussi loin, donnons quelques vues sur ce cumul remarquable, inédit, d'organisation et de liberté.

Bien des secrets ayant été levés. la documentation est d'une abondance exceptionnelle [1].

1. Parmi les sources utilisées ici, citons les trois principales, en dehors des statistiques officielles : les publications de Itsvan GABOR et P. GALASI, économistes de l'université Karl-Marx de Budapest, chargés depuis 1978 de recherches sur l'économie parallèle et les activités clandestines ; *L'Economie parallèle en Hongrie,* remarquable étude de M. Pierre COSTE, stagiaire de l'E.N.A. ; « L'économie secondaire en Hongrie : son incidence sur le travail industriel et les efforts pour la contrôler » par Lajos HETHY, dans *Travail et société,* juillet-septembre 1982, revue de l'Institut international de Sciences sociales.

Deux économies

L'économie est volontairement, consciemment, divisée en deux parties :

1° l'économie socialisée, soumise au plan ;

2° l'économie seconde ou parallèle, hors plan.

Dans l'une et l'autre existent des activités légales ou tolérées et des activités illégales.

L'économie parallèle comprend essentiellement :

1° le secteur privé légal ;

2° la production agricole de lopins individuels ;

3° le travail noir ou secteur privé illégal ;

4° certains transferts ou rétributions liés à des activités du secteur socialiste ;

5° la construction de logements par les ménages ;

6° la location de propriétés privées ou de logements d'Etat ;

7° les échanges personnels de biens mobiliers et immobiliers ;

8° les prêts entre personnes.

Loin d'être ignoré, l'illégal fait, lui-même, l'objet d'études et d'observations officielles, telles les recherches de I. A. Gabor et P. Galasi, citées parmi les sources. Les comptes de la nation portent clairement, situation unique au monde, semble-t-il, sur les deux économies.

Importance respective des deux économies

L'économie parallèle, plus dispersée, comprend surtout des entreprises familiales et des artisans, ce qui la limite à des activités déterminées.

Cependant, du fait de l'enchevêtrement des deux systèmes et de la participation de nombreux travailleurs à l'un et à l'autre, une répartition significative devrait porter sur les heures d'activité. N'ayant pas réussi à la trouver, ni à la calculer, bornons-nous à citer les principaux chiffres :

L'économie parallèle comprend 3 à 3,5 millions d'actifs et 1 à 1,5 million d'inactifs, soit 4 à 5 millions au total, un peu plus de la moitié de la population active ; en termes de participation au P.I.B., son importance relative est plus faible.

A cheval sur les deux économies, l'agriculture représente la fraction la plus importante de l'économie parallèle. La surface cultivable du pays se répartit ainsi pour 100 hectares :

Fermes d'Etat	20
Coopératives	70
Fermes privées	10
	100

Les paysans ne constituent plus qu'une minorité, ainsi que le montre la répartition des personnes « disposant d'une exploitation domestique ou auxiliaire », disons exerçant une certaine activité agricole :

	Milliers	%
Paysans	1 435	28
Ouvriers	1 620	31
Non manuels	528	10
Indépendants non agricoles	106	2
Personnes à double origine de revenu	867	17
Retraités	616	12
TOTAL	5 172	100

Les 1 700 000 lopins individuels (en voie de diminution) produisent le 1/3 du produit brut de l'agriculture, pour moitié autoconsommés, soit 10 milliards de forints en 1975, 8 % du revenu des familles.

36,5 % des bœufs, 55,2 % des porcs, 53,9 % des vignes, 48,5 % des légumes, 52,9 % des fruits viennent de l'agriculture privée.

Dans les familles possédant des lopins, les femmes « au foyer », donc inactives par ailleurs, consacrent en moyenne 4,4 heures par jour à cette activité et les retraités 4,2 heures.

Le secteur privé légal

Avec ses 350 000 actifs, il ne représente que 5 % de la population active, mais, en termes de production, sa part est notablement supérieure, 10 à 12 % du produit national. Il comprend des petits « entrepreneurs », industriels ou commerciaux, des artisans prestataires de services et des agriculteurs n'appartenant ni au secteur coopératif ni à une ferme d'Etat.

Voici selon notre estimation approximative sa répartition actuelle :

Agriculture	100 000
Industrie, commerce-restauration	62 000
Bâtiment	37 000
Prestations de service	16 000
Transports et communications	10 500
Activités culturelles	4 500
Autres	20 000
TOTAL	250 000

Les 250 000 se répartissent, d'autre part, en 120 000 travailleurs indépendants, 64 000 aides familiaux et 65 000 employés.

L'exercice d'une activité, dans le secteur privé légal, est autorisé à toute personne justifiant d'une aptitude professionnelle.

Secteur privé illégal et régime de propriété

Le secteur privé illégal, ou travail noir reconnu, mesuré, compte également 250 000 personnes, dont la plus grande partie travaillent dans l'entretien et la réparation. Il s'agit, le plus souvent, d'un travail partiel, exercé par des personnes ayant une activité similaire dans l'économie socialisée. Bien que les outils et même certains produits fongibles de l'entreprise socialisée soient souvent utilisés, cette activité est tolérée, pour des raisons de fait :

l'impuissance du contrôle. Elle représente plus de 25 % des services de cette sorte et une proportion bien plus élevée de certains d'entre eux. Dans 25 % des familles, un ou plusieurs membres participent à ces activités illégales.

Cependant, le premier des deux chiffres ci-dessus nous semble inférieur à la réalité et le second un peu supérieur à elle.

Le revenu mensuel d'un « entrepreneur » privé illégal, à temps partiel, rappelons-le, s'élevait en moyenne en 1978 à 1 400 forints (salaire moyen mensuel : 4 000 forints).

Les moyens de production, matériel immobilier surtout, appartiennent en principe à l'Etat. On signale cependant des privatisations absolues, notamment par des mises aux enchères de restaurants et de petits hôtels. Selon une loi récente, est même autorisée la création de sociétés de service et de conseils en gestion.

Entre les deux économies, le citoyen hongrois est perplexe, partagé entre l'agrément, les latitudes et les gains confortables du secteur privé, légal ou non, et la sécurité de l'économie socialiste, à laquelle s'ajoutent des avantages sociaux (logement, crèches, maisons de repos, etc.). La solution idéale, si l'on peut s'exprimer ainsi, réside dans le cumul confortable d'une situation ferme dans l'économie socialisée et d'une activité complémentaire, avec un salaire quatre fois plus élevé ; le chemin du travail noir est ainsi tout rose.

Mais voici une question grave, parmi les graves : existe-t-il dans l'économie parallèle des salaires privés, payés par une personne ou un groupe familial à un travailleur n'appartenant pas à la famille et cela dans un but marchand ? Cette pratique antimarxiste restant condamnée, les réponses données sont, en général, négatives ; le fait existe cependant, mais il est bien difficile de connaître sa dimension, faible assurément, dans l'ensemble de l'économie.

Construction de logements

Comme dans les autres pays socialistes, cette activité mouvante inégale a toujours été un obstacle sérieux ; la pénurie quantitative, semi-voulue, puisque due aux priorités de l'industrie lourde, semble, en Hongrie, à peu près résolue : il reste les questions de dimension, de qualité et plus encore, de l'entretien-réparation.

Un peu moins de la moitié des logements (40 à 45 000 par an) est aujourd'hui construite dans l'économie parallèle, mais cette proportion semble pour le moment plutôt en voie de diminution. Il s'agit, pour une large part, d'une activité familiale, au sens large du terme. Une vingtaine de personnes participent en effet, en moyenne (pas simultanément) à la construction d'un logement. Le travail se fait surtout pendant les congés et les fêtes.

Comme pour les travaux de réparation, des transferts illégaux de matériaux et d'outils se font de l'économie socialisée vers la construction privée.

D'un intérêt exceptionnel est, sur cette question, la lecture de l'ouvrage : *Faites-le vous-même* de J. Kenedi[1]. Ce sont les aventures et exploits d'un ménage, soucieux de construire une maison et conscient de la vanité d'un appel aux moyens réglementaires. Non seulement, ce récit est si solidement documenté qu'il donne sur la vie du pays des lumières plus éloquentes que toutes statistiques, mais il est assaisonné par un humour qui rappelle quelque peu *Trois hommes dans un bateau* de Jérome K. Jérome.

La location

Plus encore que la construction, la location échappe aux mailles serrées de la planification. Les logements privés, construits en principe pour leur propriétaire, ne sont pas tous habités par lui. Et les logements d'Etat eux-mêmes n'échappent pas totalement à l'utilisation marchande. La location de ces biens procure des rentes de situation, assure des revenus qui ne peuvent que, bien indirectement, être considérés comme fruits du travail. Plus encore que dans les autres secteurs, la famille, cet ensemble sans comptabilité intérieure, a l'art de se retrancher.

250 000 logements sont loués à des mobiles, touristes, étrangers, personnes en quête de stabilité. Parmi les étrangers séjour-

1. Maspero, 1982.

nant en Hongrie, 20 % seulement sont hébergés dans des logements officiels.

Productivité, efficience

Il a fallu plus de vingt ans pour que les gouvernements hongrois se soucient vraiment de la productivité, ce souci permanent de toutes les entreprises, en économie de marché. La conversion a, en somme, comporté deux périodes :

1° *De 1968 à 1978,* latitudes données à l'économie parallèle, plus efficiente.

2° *Depuis 1978,* essai de reconquête et de reprise, dans le secteur socialisé.

La productivité s'avère, dans une activité donnée, bien plus faible dans l'économie socialisée et le coût de production plus élevé, notamment du fait de la pléthore de cadres administratifs.

Deux mécanismes sélectifs agissent, en outre, en faveur de l'économie parallèle :

a) Sélection des tâches. C'est le phénomène de l'*écrémage,* si classique dans l'économie des transports, en économie occidentale, au profit de la route, et au détriment du fer. Non seulement le secteur libre prend les tâches les plus avantageuses, mais il n'a pas le souci du commerce extérieur, qui touche tant l'économie planifiée. Des facilités plus grandes ont certes été accordées aux entreprises pour pouvoir se passer du canal des 35 sociétés de commerce extérieur, mais l'économie parallèle (et plus encore, le travail noir) ne semble pas touchée par cet élargissement.

b) Sélection des hommes. Les travailleurs peu efficients affluent vers le secteur socialiste ou y restent. Des processus sélectifs s'exercent, de même, dans l'agriculture.

C'est cependant ce secteur qui paraît, paradoxalement, le plus susceptible d'assurer l'équilibre futur du commerce extérieur. Déjà 30 % des exportations en devises librement convertibles sont assurées par les aliments. La pleine utilisation des techniques actuelles permettrait à l'économie hongroise de nourrir 3 millions de personnes supplémentaires, mais ce phénomène joue plutôt contre l'économie parallèle, en favorisant de nouveaux contrôles.

Contradictions et perspectives

Quelle que soit leur forme, les contradictions internes d'une société moderne sont une source possible de progrès. Encore faut-il qu'elles soient convenablement utilisées. Les dirigeants hongrois se trouvent devant un problème inédit : utiliser dans le présent cette soupape qu'est l'économie parallèle bienfaisante mais peu propre à financer, directement du moins, les investissements et le commerce extérieur.

Le P.I.B. n'est pas seul en jeu : n'y a-t-il pas risque de formation de nouvelles classes sociales ? Selon I. A. Gabor et P. Galasi, il s'agirait moins de positions professionnelles que de fortunes et de revenus ne venant pas du travail. Les plus pauvres n'accèdent guère, en effet, à l'économie parallèle et sont aussi les moins efficients.

Il s'agit plutôt, à notre avis, d'une transmission de qualités culturelles, comme le montrent les enquêtes sur les inégalités devant l'enseignement, aussi bien dans les économies socialistes que capitalistes. Les enfants des cadres ou de l'intelligentsia ont partout plus de chances d'arriver à l'université que les enfants d'ouvriers.

> « Nous avions toujours dit, a écrit Peter Medgyessy, que seule la grande industrie était efficace, que l'Etat seul était capable de tout organiser, qu'il ne fallait pas accroître les écarts de revenus. Aujourd'hui, nous disons le contraire. »

Parmi les gouvernants, les orthodoxes restent néanmoins hostiles à l'économie parallèle, mais sont pour le moment dominés par les pragmatiques. Ceux-ci entendent se servir de l'économie parallèle pour accroître le P.I.B., améliorer l'ensemble de l'économie et, dans un second stade, pour faciliter la construction d'une économie proprement socialiste.

Bien des leçons peuvent être tirées de cette vaste expérience. Peut-être la faible dimension du pays est-elle un facteur favorable, évolution qui s'opposerait aux conclusions classiques de la concentration et de l'économie d'échelle. Le progrès technique semble favoriser l'économie socialisée, mais peut-être la pression sera-t-elle de plus en plus forte vers de nouvelles formes de liberté, telles que la libre convertibilité du forint, déjà en question. La Hongrie a adhéré au Fonds monétaire international en 1982.

Où irait cette économie, sans la tutelle sévère de l'Union soviétique ? Toutes les opinions sont permises. En tout état de cause, ce pays, vraiment avancé, mérite la plus grande attention.

CHAPITRE XXII

La Pologne : solidarité sans solidité

CELUI qui, sortant de l'économie hongroise, avec l'impression, peut-être excessive, d'un heureux compromis entre autorité des hommes et volonté des choses (le marché), pour entrer dans le chaos polonais, est tenté de penser trouver l'antithèse, le négatif ; il se croit placé devant l'accumulation de tout ce qu'il faut réprouver.

Sans tomber dans cet excès, constatons que l'économie a échappé aux autorités et cela avant même les événements de 1980, conséquence plus que cause.

En 1970, l'issue de l'aventure semblait encore devoir être le cercle vertueux de l'abondance adoucissante ; ce fut, à l'inverse, un cercle proprement vicieux. Au contrecoup de la dépression occidentale se sont ajoutées quelques erreurs de planification, d'où réduction du P.I.B. et accroissement de la pression intérieure, compensée, au début, par une nouvelle accumulation de règlements-bandelettes, conçus dans la froide saison, à Varsovie, pour boucher toutes les fissures. Et cela jusqu'au moment où l'ensemble a sauté. La planification subsiste certes, mais aux nombreuses libertés « octroyées », s'en ajoutent bien d'autres.

Travail noir ou marché noir ?

La clef du système, ce sont les prix. Comme dans les autres pays socialistes, les revenus distribués aux ménages ont, dès le début, systématiquement dépassé les disponibilités en biens de consommation ; façon de satisfaire, apparemment, les citoyens, et assurance du plein-emploi, la perte sociale n'entrant pas dans les comptes. Encore faut-il rester dans des limites supportables. La diminution du P.I.B., au cours des années soixante-dix, a été le coup de grâce ; les verrous ont sauté, c'est-à-dire les prix ; le rationnement est venu, peut-être tard, en face de salaires élevés et d'un programme d'investissements trop ambitieux.

Dès lors, la définition du *travail noir* devient bien délicate, c'est de production noire qu'il est plutôt question, l'alcool n'étant pas seul en cause. Quant au marché noir, il est partout.

Deux économies ?

Il est certes possible de distinguer, comme en Hongrie, deux économies, deux grands secteurs, l'un planifié, réglementé, l'autre à l'air libre. Seulement, les frontières sont bien moins tracées : c'est qu'à l'intérieur même de l'économie socialisée, il faut distinguer le droit écrit et le droit coutumier, la pratique et la théorie. L'illégalité est permanente, diffuse dans les moindres replis.

Détournements

Nous avons, en première partie, décrit les mécanismes du marché noir, et en particulier donné (p. 69) la marche d'une tonne de viande pendant l'occupation allemande, en France, de la ferme au dernier consommateur, selon l'image d'une rivière peu à peu épuisée par les prélèvements successifs des riverains. En Pologne, le détournement des marchandises se fait à tous les stades, de la production initiale (ou de l'importation) jusqu'au malheureux consommateur, obligé dès lors de rechercher lui-même en amont ce qui lui manque, en payant un prix plus élevé.

C'est, par exemple, l'employé du magasin qui, devant l'afflux des acheteurs, cache les produits de qualité, vendus ensuite sous le comptoir, rappelant l'épicier de 1941 qui vendait des artichauts peu visibles derrière l'étalage de rutabagas.

Tout se passe comme si, orgueilleuse, la marchandise cherchait à se valoriser, à faire pleinement valoir son utilité.

Voici quelques prix libres, au début de 1983 [1] :

	Zlotys	*Temps de travail d'une vendeuse*
1 kg de café en grains	6 000	plus d'un mois
1 kg de beurre	700	3 jours
Une paire de chaussures	3 500	15 jours
Un manteau de femme	5 900	1 mois

Le salaire moyen semblant, cependant, supérieur de moitié à celui d'une vendeuse (peut-être en raison des avantages procurés par ce métier), les chiffres ci-dessus peuvent être réduits de un tiers.

Courante est donc la revente au marché noir, fréquentes aussi la concussion, les compromissions, parfois à haut niveau.

Logement

Nous le retrouvons bien sûr, ce cauchemar des planificateurs, encore amplifié par l'accroissement rapide de la population et l'afflux, dans les villes, des paysans en surnombre. Varsovie et Lodz ont dû être déclarées « villes fermées ». Qu'est-ce à dire ?

Vous pouvez vous y installer dans un grand hôtel de la ville, surtout si vous payez en devises, mais impossible d'y obtenir un logement ou un emploi. Si aveugle est l'amour, que cette femme de Varsovie avait néanmoins eu l'idée d'épouser un homme de Lodz, de sorte qu'ils ne pouvaient se rejoindre. Il a fallu l'intervention de l'ambassade de France (où la femme venait faire le ménage) pour arracher la dérogation exceptionnelle en faveur du mari.

Le mètre carré d'habitation, qui valait 4 000 zlotys dans la

1. Stephen KERLIN dans *Valeurs actuelles*, avril 1983.

capitale, en exige plus de 48 000. Celui qui appartient à quelque groupe, ou qui se résigne à attendre plusieurs années, peut s'en tirer à meilleur compte ; il convient cependant, en tout état de cause, de payer un bon acompte, en avance.

Quant à la réparation, elle offre deux solutions, bien mises en évidence par l'exemple suivant, survenu en 1975 :

Mme S... a réussi à avoir à Varsovie un logement d'Etat, prouesse exceptionnelle. Voyant un jour suinter l'humidité au plafond, venant sans doute du toit, elle écrit, après des appels sans résultat, à l'administration compétente dont l'adresse lui a été indiquée.

Quelques jours après, vient un homme correctement habillé, muni d'une serviette :

— C'est une gouttière que vous avez là-haut, madame. Elle doit venir du toit.

— C'est justement pour ça que je vous ai appelé, monsieur.

— Je vois ; je vais vous envoyer un ouvrier.

Vingt-quatre heures après, se présente un homme, pourvu d'outils :

— Je viens, madame, pour la réparation de votre gouttière.

— Vous venez de la part de l'administration de l'immeuble ?

— ... C'est-à-dire que... je suis personnellement prêt à faire la réparation.

— C'est très bien, quand commencez-vous ?

— Tout de suite peut-être, si vous me payez d'avance.

Plutôt que de voir sa tapisserie s'abîmer, Mme S... accepte et la réparation se fait.

Mis au courant par un camarade travaillant dans l'administration en question, l'ouvrier était venu aussitôt, avec les outils de son usine sans doute, pendant les heures de travail.

Cet exemple est... désarmant. Qui faut-il accuser en l'occurrence ? Plus souple, le marché a complété l'œuvre massive de la construction, complément symbolique.

Ce marché maudit et béni, un dessinateur pourrait le montrer sous la forme d'un bonhomme peu aimable, détesté, mais assez habile et auquel chacun est heureux de demander, de temps à autre, un coup de main.

En Pologne, cet appel est permanent.

Les entreprises

Une grande liberté a été accordée aux petites entreprises, liberté obligatoire si l'on peut dire. Comme en Occident, elles doivent en effet « se défendre » ; comme en Occident, elles se plaignent des « gros » et des cartels. Pour se maintenir, elles cherchent donc à leur tour le salut dans l'union. C'est ainsi que 300 entreprises à capitaux en partie étrangers, selon David Buchan [1], se sont groupées, sous le label « Polonia ». Quant aux cartels, ils ont eux-mêmes à se défendre contre la loi anticartels. Le Sherman, là-bas, s'appelle Sadowski.

Les devises

Dans le monde entier, est célébrée l'adresse des Polonais dans l'art de manier les devises. Toutes les sources sont utilisées : missions à l'étranger, location ou vente à des touristes, amis ou famille résidant en d'autres pays, etc. Achat, vente, revente, échange ; si riche est le sujet, si nombreuses les anecdotes que chacun peut recueillir autour de lui, que nous n'insistons pas.

A tout péché miséricorde ou...

La meilleure façon de faire cesser la tentation, dit la sagesse des nations, c'est d'y succomber. La meilleure façon de supprimer le péché, est-il ajouté plus en haut, est de l'autoriser. C'est ainsi que nous voyons, à côté de répressions sévères, couler des flots d'indulgence.

Classique est l'exemple de ce directeur d'usine d'amortisseurs [2] qui, accusé d'avoir détourné pour 200 000 zlotys de marchandises, a été disculpé, sinon acquitté, parce qu'il n'avait pas agi dans un but de profit personnel. La distinction, certes bien légitime,

1. *The Financial Times*, 22 février 1983.
2. *Politika*, 11 octobre 1979.

rappelle le cas de cet ecclésiastique, en France, reconnu coupable d'exactions financières, dans le seul but de renflouer un peu ses bonnes œuvres, « correctement » condamné. Le doute est resté, il est vrai, sur l'application effective de la peine. Discrétion.

Les tolérances ont dû cependant, en Pologne, s'étendre de proche en proche[1] : ce fut d'abord l'absolution totale pour les femmes faisant leur marché pendant les heures de travail. Après tout, ne compensaient-elles pas une infériorité archaïque infligée à leur sexe ? Baissons les paupières.

L'indulgence s'est ensuite étendue aux ouvriers exécutant un travail supplémentaire, en dehors des heures de travail officielles, avec les outils de l'entreprise ; quoi de mal s'ils les rapportent ? Seulement la grâce s'est étendue ensuite aux travaux exécutés pendant l'horaire légal ; vol du temps, complété ensuite par le vol des outils eux-mêmes.

Légal ou illégal ? Moral ou immoral ? Avantageux ou nuisible à la collectivité ? Les frontières se sont estompées durant cette période, à laquelle convient l'épithète de *noire*.

Chômage et « parasitisme social »

Nul n'est tenu de façon absolue de travailler. Si cependant une personne a, pour une raison quelconque, maille avec l'autorité, il faut, comme dans les pays occidentaux, justifier de moyens d'existence.

Mais, toujours comme en Occident, celui qui n'a pas de bons antécédents risque fort de ne pas trouver d'employeur. Le voilà, en quelque sorte, condamné à la clandestinité.

Le 10 septembre 1983, le vice-ministre de l'Intérieur, M. J. Musiol, a annoncé *(Kurier Polski)* que, depuis l'entrée en vigueur de la loi sur le « parasitisme social », 23 190 personnes ont été condamnées au « travail obligatoire ». En face de cette rigueur (et peut-être seulement de l'annonce de cette rigueur), nombreuses sont les tolérances.

Eloignée de l'enfer que certains ont voulu décrire, l'économie

1. Irène GROSFELD et A. SMOLAR, *Futuribles*, janvier 1981.

polonaise a en commun avec lui le caractère d'être pavée de bonnes intentions : il faut que tout le monde vive le moins mal possible et, pour cela, que les salaires soient fixés à un niveau convenable, dans une planification scientifique.

L'ingénuité qui — en dépit de toutes les expériences — persiste, vigoureuse dans les pays d'Europe occidentale, l'a emporté sur les mauvaises intentions qu'ont attribué tant de critiques aux dirigeants de ce pays, digne, à son tour, d'indulgence.

Seulement, toute morale a besoin d'un minimum de confort. Nombreux sont ceux qui, aussi bien en économie bourgeoise que féodale, ont estimé que la vertu n'est concevable ou exigible qu'au-dessus d'un certain niveau alimentaire.

Perspectives

De tous les pays socialistes, la Pologne est celui pour lequel les pronostics sont les plus hasardeux.

La seule certitude est que, placée plus que jamais entre l'Allemagne (pour nous de l'Est) et l'Union soviétique, la Pologne se voit interdire toute échappée vers une démocratie à l'occidentale. Mais, dans le cadre d'une économic socialiste l'aléa est considérable ; au cercle « vicieux » des dernières années peut-il succéder un « cercle vertueux », fait d'influences réciproques entre le progrès du P.I.B. et celui de la morale sociale ?

La question peut être posée d'une façon plus concrète, sous la forme des latitudes qu'accordera le gouvernement au marché, ce créateur immoral. Plus encore, sans doute, qu'en Hongrie, les apôtres de ce marché sont placés devant un redoutable dilemme : l'échec signifierait tant le discrédit de leurs doctrines qu'un appauvrissement supplémentaire de leur pays, déjà si éprouvé ; mais, inversement, la réussite donnerait aux orthodoxes, toujours maîtres du pouvoir, les moyens matériels de reprendre la route du redoutable collectivisme.

CHAPITRE XXIII

Jaune, rouge et noir :
la Chine

Les documents sur les activités clandestines sont en Chine d'un accès plus difficile — on serait tenté de dire « moins facile » — que dans les pays socialistes d'Europe.

La forme de ces activités est, d'ailleurs, assez différente : il est difficile, en particulier, de parler de travail noir, à l'intérieur d'une commune populaire. Il existe certes, en particulier dans les villes, des travailleurs marginaux, voire des loubards ; mais, plus dignes d'attention sont deux formes d'activité illégale, la contrebande et le marché noir, dans un sens très large.

La contrebande

Si, dans les frontières continentales, sévèrement gardées et peu accessibles, elle reste dans des limites très modestes, par contre, le trafic est assez important dans les provinces maritimes et surtout dans la zone franche de Zhejlang (province de Guandong). Les marchandises viennent directement, ou par transit, de Hong Kong, Macao et Formose.

La filiale de la société chinoise d'import-export d'électronique a pour mission, dans la zone franche de Shenzhen, d'importer des pièces détachées dont le montage (téléviseurs, magnétophones, etc.) doit rapporter de précieuses devises. Malheureusement des pièces ont été détournées vers l'intérieur, pour un montant, est-il dit, de plusieurs millions de dollars (chiffre peut-être excessif) sous la protection, a-t-il encore été dit, du maréchal Ye et d'autres personnalités, par ricochet.

Parfois aussi, il s'agit de machines occidentales élaborées (téléviseurs, cassettes, etc.) et d'objets plus simples (bracelets,) montres, bicyclettes, étoffes de nylon et même cotonnades). En six mois, de mars à septembre 1981, la police et la douane ont, pour les seules trois provinces, saisi plus de 800 embarcations, pour une valeur supérieure à 70 millions de yuans.

Ne pouvant guère se faire en marchandises, le règlement se fait en métal, or et, surtout, pièces d'argent. Nombreuses sont les réserves individuelles, enterrées ou cachées dans des murs, à la merci d'une dénonciation ; mieux vaut les utiliser.

En dehors de la grande société citée plus haut et des particuliers isolés, il arrive à des entreprises, à des services publics, de participer à de telles opérations ou, plus exactement, d'acquérir par ce moyen des objets qui leur sont nécessaires.

Du reste, selon quelques auteurs, notamment Wang Zhong, secrétaire du Comité du canton de Haifeng, cette contrebande est utile et s'avère favorable à la construction de l'économie. L'opinion inverse ayant prévalu, la répression s'est accentuée, bien que l'argument ait été utilisé par les partisans de l'ouverture sur le dehors.

A l'entrée de marchandises correspond aussi un départ clandestin d'hommes, mais le nombre de ces émigrants ne semble pas suffisant pour modifier notablement le milliard de Chinois.

Marchés clandestins

C'est moins de travail productif qu'il s'agit, comme en Union soviétique, que de ventes en dehors des circuits officiels, le plus souvent sous forme de détournements. Ceux-ci peuvent être conçus dans l'intérêt de l'entreprise, auquel cas le délit est simplement économique, mais aussi à des fins personnelles, détournements ressortissant alors au droit commun.

Célèbre est notamment le cas de Li Yaozhou. Fonctionnaire, membre du parti, exclu vers 1960, puis réintégré, il a pu longtemps se livrer à ses opérations frauduleuses, en en faisant bénéficier d'autres, par des voies plus ou moins directes, de sorte qu'il n'a été arrêté que fin 1981.

Plus marquant encore a été le cas de Chan-Xi-Hai ; créateur de deux agences commerciales, il a réussi à vendre, avec bénéfice, 1 300 véhicules. D'autres vont plus loin encore, non en volume, mais en intensité de fraude, notamment par corruption.

Toutefois, ces cas spectaculaires, quelque peu mis en valeur par la rumeur et par les adversaires du régime, ne permettent absolument pas de mesurer le volume total de telles pratiques. Plus importante, d'ailleurs, paraît la fraude fiscale commise par les entreprises, fraude dont les dirigeants peuvent bénéficier, tout au moins, sous forme d'avantages en nature.

Les filles tuées

Voilà une forme très particulière d'activité clandestine : afin de réduire le nombre des naissances et de ramener au-dessous de l'unité le renouvellement des générations, les autorités accordent une aide convenable à l'élevage du premier enfant, mais, en cas de naissance d'un second, en demandent le remboursement, du moins dans certaines régions. S'il s'agit d'un garçon, les parents paysans supportent cette perte, parce que, plus tard, le fils les aidera, en particulier pendant leur vieillesse ; mais s'il s'agit d'une fille, elle quittera la maison à son mariage, allant définitivement dans une autre famille, perte totale.

Cette situation entraîne le meurtre de filles, par noyade le plus souvent, pratique réprouvée par les autorités, mais, semble-t-il, sans rigueur excessive. Le phénomène est trop récent pour que le recensement de 1980 permette d'en mesurer l'étendue, sans doute très limitée.

CHAPITRE XXIV

Le reste du monde

Le travail noir, au sens propre du mot, est, si l'on peut dire, un fruit du développement et, plus précisément, de la législation du travail. Ce serait cependant une erreur de considérer l'activité économique clandestine comme une sorte de monopole des pays développés ; partout dans le monde, la marche est à la réglementation (ne serait-ce que pour le passage des frontières) et celle-ci, comme il est classique, s'alimente elle-même. Au Mexique, par exemple, le travail noir gagne chaque année en intensité.

Il ne saurait être question ici de faire un tour d'horizon mondial, même sommaire, de la clandestinité.

Selon les Nations unies, 52 millions d'enfants travailleraient au noir dans le monde, chiffre dont la définition resterait à préciser et, selon le B.I.T., les travailleurs clandestins représenteraient, dans les pays industriels, 10 % de la population active. Rappelons une fois encore que seule une indication sur le volume, en heures de travail, a quelque signification. Tous les commentaires du B.I.T. sont dépourvus de portée sur ce point, comme sur les conclusions tirées.

I. L'Inde

Citons pour mémoire la célèbre campagne de désobéissance passive, commandée par Gandhi, sorte d'apprentissage de la clandestinité.

A l'école de Nehru

Dès la déclaration d'indépendance, a joué le réflexe national : l'Inde a d'autant moins bien résisté à la tentation du protectionnisme, intérieur et extérieur, que sa dimension semblait rendre possible une forte dose d'autosuffisance. Mais, hors du cadre officiel, créé avec minutie, a vite grandi tout un secteur libre, dont on a pu dire qu'il était en fait le véritable protégé.

Au contrôle des prix a fait, en quelque sorte, pendant un immense marché noir, portant même sur des produits aussi lourds que le ciment ou l'acier; ce commerce sous-tendait de nombreuses activités clandestines, les unes résultant de simples dissimulations par des entreprises légales, les autres restant proprement en dehors du système.

L'étendue du secteur illégal a constamment augmenté en volume et en proportion, si bien qu'a été cité le chiffre de 50 %, comme représentant la part de l'économie noire dans le P.I.B., chiffre sans doute comme d'ordinaire supérieur à la réalité.

Le souci de « créer des emplois », contresens qui n'est pas propre aux pays d'Europe, a conduit :

1° à diverses formes de malthusianisme (sous-productivité);

2° à disperser les grandes firmes en plusieurs zones géographiques, chaque Etat réclamant sa part;

3° à freiner les exportations;

4° à favoriser tout un système de prébendes (fonctionnaires chargés de délivrer des permis de toutes sortes notamment).

Libéralisation relative

Sous la double pression des nécessités et du F.M.I., le gouvernement de Mme Gandhi a renoncé, en 1981, à suivre cette voie et décidé une politique de libéralisation. Toute société peut, désormais, augmenter sa production de façon importante, sans subir les tortures du permis; c'est ainsi que la plus grande entreprise de ciment (Associated Ciment) a augmenté sa capacité de 7,5 à 11 millions de tonnes. La disparition de ce goulot a entraîné celle de nombreuses activités, plus commerciales que productrices, travaillant au noir ; mais, du coup, comme dans toute libéralisation, l'abondance relative a eu pour pendant la chasse au débouché. Le résultat d'ensemble paraît satisfaisant, si l'on en juge à la production industrielle, dont le taux de croissance annuel a suivi l'évolution suivante :

1966-1969	+ 2,6 %
1970-1974	+ 3,7 %
1974-1979	+ 6,2 %
1979-1980	– 1,4 %
1980-1981	+ 4,1 %
1981-1982	+ 8,0 %

L'argent n'ayant pas d'odeur, le gouvernement met à profit le travail noir, comme font tous les gouvernements dans le monde pour le jeu. Il a offert à ceux qui détiennent des fonds illicites des possibilités légales d'investissements (blanchiment du travail noir).

Risque de retours de manivelle

Non seulement les activités clandestines sont loin d'avoir disparu (il subsiste de nombreuses licences de production, causes de fraude, un marché noir étendu et de nombreux cas de corruption en dehors même de la fraude fiscale), mais le renforcement de la réglementation protectrice est dans l'ordre des choses. Même si, ce qui est probable, le régime actuel de liberté permet une plus grande production de richesses, donc une possibilité d'améliorer le niveau de vie de tous, il n'est pas certain que tout le monde puisse entrer dans le cercle béni de l'économie productive. Malgré des efforts considérables, en faveur de la prévention des naissances, l'augmentation de la population reste égale à 2 % par an (14 millions) et il semblera toujours qu'une meilleure organisation pourrait faire entrer plus de personnes dans le système. Autrement dit, l'extrême pauvreté s'accommode mal du laissez-faire. Le pouvoir sera donc, sous diverses formes (et, en particulier, si le gouvernement change), incité à prendre des initiatives, à organiser et, ainsi, à favoriser le regain d'une clandestinité, profitant de toutes les formes de la protection.

II. Israël[1]

Sans pouvoir être assimilée à celle des pays occidentaux (ne serait-ce qu'en raison du taux élevé de l'inflation), l'économie israélienne présente, avec elle, divers caractères communs, notamment un important effort social, comportant une sérieuse réglementation du travail et, en contrepartie, une lourde fiscalité, rendue plus sévère encore par l'intensité de l'armement.

Le poids fiscal

On constate un double mouvement :

1. Accroissement de la proportion des recettes fiscales au P.I.B.

2. Augmentation relative de la part des impôts directs.

Celle-ci résulte, en partie, du taux élevé de l'inflation et du retard — semi-volontaire — de la révision des tranches imposables à l'impôt sur le revenu. Longtemps un peu inférieure à 45 %, la part des impôts directs, dans l'ensemble des impôts, est passée à 47 % en 1980 et oscille maintenant autour de 60 %. Quant à la part des impôts directs dans le P.N.B., elle est passée de 22,5 % en 1977 à 31 % en 1983. C'est peut-être la fiscalité la plus élevée du monde.

L'économie souterraine

Deux études d'universitaires nous permettent d'en mesurer l'étendue et de suivre sa progression. Selon MM. Unger et

1. La plus grande partie des données utilisées ici nous a été fournie par le professeur J. KLATZMANN, que nous remercions de son obligeance.

Silberberg de l'université de Bar-Ilan, la part de l'économie souterraine dans le P.N.B., aurait progressé ainsi :

Vers 1960	2 à 10 %
Vers 1977	17 à 24 %

Il s'agit d'une définition large, comprenant le commerce des stupéfiants, la prostitution et la contrebande, ainsi que, semble-t-il, l'ensemble des fraudes fiscales, lesquelles, nous le savons, peuvent ne pas correspondre au travail noir, au sens propre du mot.

Des deux évaluations ci-dessus, même la première est, sans doute, inférieure à la réalité, de sorte que le rythme de progression est surestimé. D'autre part, comme nous l'avons vu pour d'autres pays, une partie de l'activité clandestine a des répercussions positives sur le P.N.B.

Prolongeant cette étude, M. Josef Friedman, de l'université de Tel Aviv, estime que le chiffre de 1983 est compris entre 17 et 28 %, attribuant, lui aussi, cette progression à celle de la fiscalité. Si large est la fourchette qu'on ne peut juger que l'ordre de grandeur, toujours dans une définition dépassant largement le travail noir.

Les personnes âgées

Comme dans tous les pays où la limitation des naissances et la baisse de la mortalité infantile ont pris quelque extension, la population israélienne vieillit, c'est-à-dire que la proportion des vieux y augmente. Cela pose un problème national et aussi à l'intérieur de tout kibboutz.

Une fois obtenue leur retraite, la plus grande partie des vieux entend continuer à travailler. A l'intérieur d'un kibboutz, il ne peut être question de travail noir, mais diverses autorités cherchent à détourner ce désir de travail vers des activités non productives économiquement. C'est la forme classique de malthusianisme, rencontrée dans la plupart des pays occidentaux, elle aboutit au résultat inverse de l'objectif : un nombre élevé de chômeurs.

Des études de gérontologie sont en cours, mais en Europe occidentale, elles ne peuvent espérer résoudre le problème de l'emploi, tant que celui-ci ne sera pas étudié en liaison avec les besoins, publics et privés, de la société.

III. Les bidonvilles

Ces constructions qui s'édifient spontanément, auprès des grandes villes, dans de nombreux pays, déplaisent à l'œil et à l'esprit, inspirant un sentiment trouble, fait de remords et d'atteinte à l'esthétique. La misère n'est supportable que dans la discrétion ou le pittoresque : la casbah, la médina, satisfont bien plus l'œil que les cahutes et posent moins directement la question de responsabilité.

Lorsque des constructions autonomes, amorces de bidonvilles, ont apparu en France, aux environs de Paris, vers 1950, rappelant quelque peu la douloureuse « zone », elles ont inspiré ce sentiment trouble de reproche et de remords. La société ne contrôle guère le confort à l'intérieur des logements, ni moins encore l'alimentation qui s'y consomme ; elle tolère l'entassement de six ou sept hommes sur des paillasses dans une cave, pourvu que l'œil ne soit pas troublé ; pour le visible, c'est le puritanisme ; pour le reste, l'indifférence.

Voici, selon les Nations unies, quelle pourrait être, en l'an 2000, la population de quelques grandes agglomérations :

Mexico	32 millions	Djakarta	17 millions
Calcutta	20 millions	Le Caire	16 millions
Bombay	19 millions	Karachi	16 millions
Séoul	19 millions	Delhi	16 millions

Le bidonville est, en général, construit autour des cités, par de nouveaux arrivants, c'est-à-dire le plus souvent des paysans ; en construisant ainsi, ils ne font que suivre le comportement de leurs pères à travers les siècles. L'illégalité n'est dans leurs vues que l'utilisation d'un terrain vague, qui n'appartient à personne. Les règlements concernant la construction et l'urbanisme ne pouvant guère les toucher, ils utilisent les matériaux qu'ils trouvent, le but essentiel étant de se préserver de la pluie, du vent, du soleil et d'être à proximité d'un lieu de travail.

A l'autre extrémité de l'échelle sociale, et au centre du dispositif, les gouvernements, les dirigeants, la bourgeoisie. Sur l'attitude à prendre à l'égard de ces constructions illégales, le conflit est déjà ancien ; trois solutions ont été proposées :

1° destruction pure par la force ;

2° tolérance et précautions pour éviter les désordres trop violents et les risques d'épidémie ;

3° aménagement, en utilisant cette main-d'œuvre bénévole ; tracés préalables, distribution d'électricité, déversement des ordures ménagères, aménagement d'égouts.

Les autorités et la population des villes ont bien entendu songé à construire des logements collectifs, pour remplacer ces demeures illégales et assainir ces quartiers dangereux. L'obstacle financier a toujours été suffisant pour faire échouer ces projets, mais il n'a pas été le seul.

Voici un exemple à Caracas : une habitation collective avait été construite et les logements, très sollicités, ont été en particulier accordés à des habitants du bidonville voisin. Mais, dans cet immeuble collectif, les troubles n'ont pas manqué : l'absence d'ampoules électriques (elles étaient volées à mesure que l'administration les remplaçait) a entraîné une obscurité favorable aux larcins et même aux viols. Certains ont préféré revenir dans leur bidonville, où règne en quelque sorte la vie de village, avec services réciproques.

La plupart des grandes cités se sont inclinées devant cette force insurmontable et ont composé, selon la deuxième solution, indiquée plus haut.

Certains veulent aller plus loin et créer une collaboration ; le plus en vue, peut-être, est John F. C. Turner. Professeur d'architecture au M.I.T. puis à Londres, anarchiste de tempérament, sinon de parti, il a étudié longuement la question des bidonvilles et, parlant du Mexique [1], il a lancé une vue percutante : « La baraque est un soutien », suivie d'une formule plus sévère : « La maison constitue un fardeau. » C'est une collaboration qu'il

1. *Le logement est votre affaire*, Editions du Seuil, 1979.

souhaite entre l'habitant et l'autorité administrative ou technique. Le rôle du gouvernement municipal est, selon ces vues, de former l'infrastructure, tandis qu'il appartient aux collectivités, disons aux groupes locaux, de construire et d'entretenir. Ainsi, le principe de la décision appartiendra aux usagers et la fourniture aux promoteurs.

Tout est, sans doute, dans l'exécution, mais cela va loin. Lorsque les agglomérations désordonnées, où manque souvent la nourriture, se trouvent à proximité d'un pays occidental, la menace se manifeste d'une migration du désespoir[1]. Cette observation nous conduit à une vue générale sur les mouvements de population non contrôlés dans le monde.

IV. Migrations clandestines

Il est largement commencé, le temps du monde fini, célébré par Valéry. Dans les cinq parties du monde, se sont constituées des nations, politiquement indépendantes, à la tête desquelles se trouve un gouvernement, chargé de faire respecter les frontières, si imprécises que soit leur tracé.

Les densités respectives, dans ces quelque 150 nations, sont loin d'être en rapport avec leurs ressources : tantôt, comme au Brésil, au Zaïre, d'immenses espaces sont à peu près en friche, tantôt, comme en Inde, en Egypte, la pression démographique, déjà forte, s'accentue d'année en année. Nombreux sont, de ce fait, ceux qui cherchent au-dehors une terre ou un emploi ; en outre, des événements politiques poussent parfois hors de leur pays des hommes qui prennent alors la qualité, sinon le statut, de réfugiés. En raison de ce double mouvement (progrès de l'autorité et pressions démographiques croissantes), les migrations prennent, de plus en plus, une forme clandestine.

Ayant déjà exposé le cas du Mexique et des Etats-Unis, nous n'y revenons pas.

1. Voir à ce sujet notre *Mondes en marche* (Calmann-Lévy, 1983), ainsi que *Le Camp des saints* de J. Raspail (Robert Laffont, 1973).

En Europe

Ouvrant largement leurs frontières, lors des « 30 glorieuses », les pays d'Europe occidentale les ont refermées, dès qu'est apparu ce chômage que les gouvernements combattent si maladroitement. Mais ils avaient, en quelque sorte, ouvert la voie, préparé le chemin, donné des habitudes, de sorte que les migrations antérieures se poursuivent de façon clandestine. Très inférieures, pour le moment, au niveau antérieur, elles atteignent, par contre, des pays n'ayant jamais eu recours à l'immigration, comme l'Espagne, l'Italie et la Grèce.

Partout les migrants sont repoussés à la frontière, mais telle est la différence entre les salaires pratiqués dans les deux pays ou même entre l'allocation de chômage du pays européen et le salaire du pays d'origine, que la pression l'emporte parfois. D'autre part, l'expulsion est un acte pénible, de moins en moins conforme à l'esprit de tolérance des pays libéraux. Lorsque l'immigrant est parvenu à séjourner quelque temps, reçu par des hommes de son pays, il acquiert non certes un droit, mais un état qui pousse à l'indulgence et crée le droit.

Les entrées clandestines ne sont encore nombreuses en aucun pays, mais elles ne peuvent que s'accentuer : différence de pressions démographiques, chute de la natalité et refus de la vie en Europe occidentale, laxisme général, tout pousse à un mouvement qui n'est qu'à ses débuts, les pays d'Europe occidentale ne pouvant utiliser les mêmes verrous que les pays socialistes.

En divers pays

L'Amérique latine attire de moins en moins l'attention, pour l'immigration d'outre-mer. Des mouvements clandestins locaux sont, par contre, signalés un peu partout, notamment de l'infortunée Haïti vers la République Dominicaine (et les Etats-Unis), du Paraguay en Argentine, de Colombie au Venezuela. Excessif, sans doute, est le nombre, parfois cité, de 2 millions d'étrangers entrés récemment dans le pays, de façon clandestine, venant notamment de Colombie, mais des expulsions massives sont parfois ordonnées, suivies de retours discrets.

En Afrique noire, mouvements encore peu importants. Il faut cependant signaler des entrées clandestines en Afrique du Sud, en provenance des Bantoustans, créés par les Blancs à la périphérie. Ces Noirs préfèrent la servitude au dénuement.

On peut rappeler aussi que le Nigeria a procédé, en 1983, à une expulsion massive de Ghanéens, Togolais, Dahoméens, entrés de façon illégale.

Dans le monde pétrolier arabe est révolu le temps de l'immigration libre et plus encore de l'appel de main-d'œuvre. Malgré un contrôle de plus en plus sérieux, les entrées clandestines sont encore fréquentes.

En Asie, la clandestinité concerne surtout l'Extrême-Orient. En Birmanie, on estime à 3 millions (soit un dixième de la population) le nombre de Chinois, de Pakistanais, et d'originaires du Bangladesh. Le marché noir, particulièrement actif dans ce pays, et l'étendue des possibilités attirent les migrants.

En Malaisie, affluent des clandestins venus des Philippines, d'Indonésie (200 000 au moins, dit-on) et du Viêt-nam. Comme en d'autres régions, les employeurs débordent souvent les contrôles officiels et facilitent ces entrées de travailleurs peu exigeants. Ceux-ci s'échappent ensuite des plantations pour affluer dans les villes, cette fois en pleine clandestinité.

En Océanie, de plus en plus nombreuses sont les migrations clandestines. L'Australie et la Nouvelle-Zélande sont en alerte perpétuelle, mais ne peuvent pas encore être considérées comme assiégées, tels l'Europe et les Etats-Unis.

Signalons pour terminer une migration clandestine très spéciale et attirant toutes les sympathies, celle des Médecins sans frontières, particulièrement en Afghanistan, accompagnée d'entrées, également clandestines, de produits pharmaceutiques et d'appareils médicaux. Travail noir, certes, dont le mérite compense tant de défaillances.

TROISIÈME PARTIE

VERS L'ÉCONOMIE DE DEMAIN

CHAPITRE XXV

La lumière peut-elle venir du noir ?

Ce bref parcours à travers le monde nous a montré que le travail noir ne connaît pas de frontières. Ni le collectivisme ni le capitalisme organisé ne sont parvenus, en matière de travail, à faire respecter leurs propres lois. Plus aptes à interdire qu'à commander, l'un et l'autre dérivent, selon des voies aussi éloignées des prévisions réalistes que des vues des utopistes.

Les dommages du travail noir

Matériels et moraux, ils sont bien connus, sinon bien mesurés :
Dans le régime occidental, les pertes fiscales et sociales accentuent la dégradation de l'appareil économique et financier, tout en privant les faibles (malades, retraités, familles) de leur dû et en compromettant une amélioration de leur sort. En outre, la fraude, c'est-à-dire la désertion, introduit dans l'opinion un doute sur la solidité du système et favorise un individualisme de mauvais aloi.

Si, pour la France, l'ensemble des travaux « dérobés » atteint, comme on le pense, 3 à 5 % du P.I.B., cela donne une bonne centaine de milliards de production sauvage, et une perte fiscale ou fisco-sociale d'environ 50 milliards. La « règle d'or » du déficit budgétaire (3 % du P.I.B.) invoquée un jour de besoin par M. Fabius étant alors franchie, il faut chercher le complément dans les escarcelles privées ou réduire encore des crédits comprimés à la limite du possible, par exemple ceux de la recherche scientifique ou de la santé, sans parler des éternels oubliés que sont les familles et les pays pauvres.

Loin d'être une avant-garde, le travail noir est, dit le critique, un sinistre retour en arrière, une annulation de cette division du travail, qui nous a portés si haut et aussi un « court-circuit » du travail, générateur de chômage.

Dans les pays socialistes, les pertes sont peut-être plus élevées encore, surtout si l'on compte les pertes sociales. De telles pratiques retardent d'autant la date de l'avènement du stade distributif... pour ceux qui y croient toujours.

Ainsi, dans les deux régimes, aux dommages matériels s'ajoutent les effets de la démoralisation.

Les avantages

Pour certains auteurs, même en dehors des libéraux inconditionnels, le travail noir offre pour l'économie divers avantages. Laissant un moment de côté la morale (en affirmant au besoin qu'elle sera finalement la gagnante dans l'histoire), l'avocat du noir invoque d'abord l'impossibilité de lutter contre les Japonais, les Coréens, moins chargés.

Prodiguées aussi les images : la soupape, l'huile dans les rouages, l'ajustement terminal, etc.

> « Ces multiples actes clandestins de faible dimension, certes contraires à la loi, n'appauvrissent pas le Trésor, poursuit-il, autant que vous le croyez, car le respect strict de la légalité aurait souvent conduit à l'abstention simple. Vaut-il mieux pour le Trésor un travail peu fiscalisé, mais générateur d'activités, en amont et en aval, ou l'absence de travail ? Lequel vous coûte plus cher, le clandestin actif et producteur ou le chômeur ? »

Comparez, ajoute-t-il, le revenu national par tête en Italie, cette championne de l'économie immergée, et en Suède où le travail noir est moins étendu et plus récent et prenez même le P.I.B., tel qu'il est calculé et publié, donc incomplet :

	Suède	*Italie*
1960	100	100
1970	142	157
1980	161	201
1982	166	200

Peut-être les progrès les plus rapides de l'Italie peuvent-ils être attribués, poursuit notre Mandeville 1983[1], à son retard initial sur la Suède ; il n'en reste pas moins qu'un pronostic émis, il y a vingt-cinq ans, par le moins rigoureux des économistes aurait, au vu de la jungle et des gaspillages italiens, émis un pronostic bien plus sombre.

Un optimum ?

Sans prononcer ce terme, plus chargé que jamais de prétention, la plupart des opinions penchent en faveur d'une certaine tolérance ; bien peu se prononcent en faveur de la vertu intégrale, de l'extirpation totale du mal. « Le travailleur au noir est bien rarement un seigneur ; n'est-il pas à la fois plus payant et plus juste de frapper la fraude dans le haut ? » est-il complaisamment ajouté.

Aucune difficulté à cet énoncé, jusqu'au moment où il faut déterminer l'importance de cet optimum. L'opinion, en général, fait preuve d'une certaine indulgence, sans prononcer toutefois de chiffre. A notre connaissance, aucun sondage n'a porté sur le pourcentage admissible de perte de la richesse nationale.

Encore faudrait-il regarder un peu plus bas et se préoccuper des dommages causés à l'artisanat et à la petite entreprise.

1. Auteur britannique de la *Fable des Abeilles* qui fit quelque peu scandale, en montrant les bienfaits des manquements à la morale traditionnelle.

Répression ou repli ?

Par définition, une politique contre le travail noir ne s'impose vraiment que lorsque « l'optimum » est dépassé. En tout état de cause, se présentent trois solutions :

1° réprimer, en renforçant les contrôles et en augmentant les peines ;

2° tolérer, en estimant que l'optimum n'est pas dépassé, du moins pour certaines activités ;

3° céder en réduisant la charge fiscale ou fisco-sociale.

Cette troisième solution, aveu de défaite, n'est jamais présentée comme telle ; les formules politiques abondent en de tels cas. Pour la France, nous pensons qu'elle doit être exclue, excepté, comme nous l'avons indiqué, pour les travaux, si délaissés, de réparation d'objets et d'outils ; la T.V.A. devrait, dans l'intérêt national (commerce extérieur, emploi), être réduite ou supprimée pour eux. Dans le même esprit, les chômeurs seraient autorisés à faire quelques travaux de simple réparation. Si l'employeur est un ménage, il fournirait lui-même le matériel nécessaire.

Hypnotisés par la grande industrie, les hommes politiques oublient le plus souvent l'économie du bas ou ne la regardent qu'avec indulgence, sous forme d'une certaine assistance. C'est elle qui complète, corrige, compense, elle seule qui peut assurer le « paradis » plein-emploi.

Défaillance profonde du système

Indice sérieux, le travail noir confirme que le régime capitaliste a perdu le contrôle de son économie. S'il ne la connaît pas bien, ce n'est certes pas faute d'avoir institué des vigiles, des observateurs, des éclaireurs, pourvus de moyens puissants. Les erreurs profondes, commises par ces experts, notamment aux Etats-Unis, confirment le recul de la connaissance, en économie. Pour nos taupes contemporaines, l'horizon n'est que de un an. A peu près perdues de vue, les études conjoncturelles et dérisoires les prévisions, par blocs de 12 mois.

C'est à cette faiblesse des observateurs, à leur incompréhension de notre système, à leur peur aussi de l'impopularité qu'il faut attribuer l'intensité de nos déboires que cache mal l'emploi, puéril, du mot *crise*.

Monstre parmi les monstres

Dans notre tératologie contemporaine, le monstre le plus affligeant est le couple chômage-inflation. Que, dans tous les pays, les hommes choisis parmi les plus éminents, adeptes des doctrines les plus diverses, disposant de multiples moyens, restent impuissants devant un mal social, donc résultant de nos propres décisions, dénote l'existence d'un tabou parmi les tabous, d'un refus général de pensée.

Des expressions courantes telles que « créer des emplois » décèlent, dès le départ, le contresens absolu à 180°.

L'emploi, ou plus exactement le travail, c'est en économie l'ennemi, du moins le passif en face de l'actif qu'est la création de richesses. Celle-ci doit correspondre aux besoins exprimés par les hommes. Or, tout va dans l'autre sens.

Que, tiraillés en tous sens par leurs mandants, leurs partis, les hommes au pouvoir se contredisent, au point de sembler avoir suivi à l'E.N.A. des cours de palinodie peut se comprendre. Moins acceptable est la défaillance des conseillers, des experts, à l'abri de telles contraintes.

Les théories cultivées depuis un demi-siècle traitent l'économie comme un ensemble homogène, ce qui conduit l'astrologue à proposer du haut de son modèle une politique de l'offre ou une stimulation de la demande.

Or, l'économie est faite de multiples secteurs qui s'entrecroisent et s'intercommandent. Dès lors, le mal général fondamental n'est pas l'excédent de produits et d'hommes, comme le laisse croire le jeu du marché, mais la pénurie.

Les données de notre économie sont mobiles, variables : influence de l'extérieur, récoltes et saisons, évolution des techniques, choix des consommateurs, etc. Elle doit donc bouger cette économie, s'adapter. Or, notre souci de sécurité, de tranquillité, nous conduit, au contraire, à vouloir tout fixer, stabiliser. Du fait de ces rigidités, le mouvement nécessaire se porte vers les deux secteurs impossibles à fixer, l'emploi et la monnaie, d'où chômage et inflation.

La seule base : le besoin

Que l'on soit en économie familiale tribale, capitaliste, socialiste, etc., le but est le même : satisfaire les besoins des hommes. Le travail n'est pas un but en soi, il doit répondre à des *besoins ;* seulement ce mot est maudit.

Que le régime soit capitaliste ou socialiste, il s'agit de :

1° *mesurer les besoins des hommes publics et privés.* Ces besoins doivent être exprimés, non en argent, non en espèces monétaires, mais en nature (alimentation, logement, voyages, culture, etc.). Ainsi, doit être dressé un immense inventaire, objectif fondamental de cette masse de besoins non satisfaits ;

2° *convertir cette masse de besoins* en heures de travail de diverses professions ; d'où la composition professionnelle de la population active, telle qu'elle devrait être ;

3° *agir de façon que la population active* soit conforme à cette répartition. Les moyens de cette adaptation diffèrent selon le régime, le degré de liberté de chacun.

Les deux premières parties constituent une recherche pure, nécessitant une enquête appropriée. Leur but est seulement de faire la lumière.

Le projet d'une telle enquête a été proposé en 1981 à M. M. Rocard, ministre du Plan, particulièrement compétent dans les deux sens du mot. Mais paradoxalement, c'est cette même compétence qui a entraîné, de sa part, le refus.

Ancien directeur de la Prévision, il a bien senti en effet que, pour satisfaire dans un délai raisonnable les besoins exprimés partout, les Français devraient travailler 45 heures par semaine, peut-être 50.

Il faudrait, d'autre part, selon toute vraisemblance, plus d'hommes à la production directe de richesses (forêts, logement, services personnels) et, en valeur relative, moins d'hommes soucieux de soigner leur col blanc, dans les emplois parkinsoniens agréables, où le loisir est suffisant pour supputer les chances d'avancement.

Dès lors, le ministre du Plan était trop clairvoyant pour se prêter au rôle, toujours redoutable, du porteur de mauvaises nouvelles. Annoncer simplement un tel résultat, même sans recommander son application, eût semblé proposer d'allonger la durée du travail et de conseiller aux jeunes d'aller davantage « au charbon ». Aucune chance... dans le plein sens du mot.

Combien différent le sort de la médecine ! Du jour où elle a adopté la voie de la lumière (l'expérience), l'essor a été rapide.

Le point... noir

Ni lois ni enfants, juge l'Occidental. Quels que soient cependant les méfaits du travail clandestin, réalisé par les nationaux, si douloureuses que soient les pertes subies par le budget et la Sécurité sociale, le travail noir, exécuté par des nationaux, n'est encore qu'un phénomène secondaire, dont le pouvoir parviendra à limiter ou même à réduire l'étendue, au prix de quelques assouplissements. Combien plus important l'afflux clandestin inéluctable d'étrangers, dans les divers pays occidentaux. C'est le problème le plus sérieux et le moins étudié. Consacrons-lui quelque attention.

CHAPITRE XXVI

La fuite

En Chine ou en Inde, le vieux qui, sur son lit de mort, saisit la main du jeune qui le remplacera plonge puissamment vers l'avenir. La société occidentale, qui se croit de science et de prévoyance, promet étourdiment les retraites à quarante ans d'avance et, pour ne pas voir le siècle qui vient, a inventé la mythologie infantile de l'an 2000.

La fuite essentielle ne se fait pas vers le travail noir, ni même vers la délinquance. Elle est bien plus profonde.

La destruction de la famille large, sous l'effet de l'urbanisation au XIXe, a rendu nécessaire la Sécurité sociale, qui, à son tour, détruit lentement la famille conjugale. L'enfant n'a plus de place dans la société, rien n'est fait pour lui et il est à peu près devenu l'ennemi public n° 1. « A quoi bon, gémissent sentencieusement les " sages " puisqu'il y a 2 millions de chômeurs ? »

Et les jeunes ?

Déconcertés par leur environnement, saisis devant le chômage, ce mal impardonnable qui a remplacé la turberculose, dominés, sinon écrasés, par les deux générations du dessus, qui désormais survivent et possèdent les biens et les emplois, les jeunes se retranchent, si l'on peut dire, dans une vie toute présente : les finances, les missiles, les pays pauvres, ce sont des histoires de vieux, qui se passent quelque peu au-dessus de leur tête. « *Petting no pershing* » est la nouvelle version de « faites l'amour et non la guerre ». Les jeunes ménages, les jeunes cohabitants ne tiennent ni à savoir ni à prévoir. Ignorant aussi bien la psychose de maternité vers trente-cinq ans, cause de tant de détresses et de suicides, que les affres du quinquagénaire sans racines dans la vie, cette jeunesse, entièrement embourgeoisée, suit le comportement, jadis bourgeois, en comptant sur les autres. Seulement, sait-elle bien compter ?

Toujours est-il que l'habitation dans la solitude progresse en tous pays, y compris l'Italie et l'Espagne. En Allemagne fédérale, le nombre de ménages d'une seule personne a, par rapport aux normes anciennes, plus que doublé en une génération[1]. Mais cette perte du sens de la vie est le domaine d'une extrême discrétion.

Le vrai dieu ?

Il faut, objecte d'ailleurs la voix commune, un conservatisme de béton pour oublier les immenses possibilités offertes par le petit dieu, le progrès technique. Tout sera résolu, les retraites et le reste, par les petites merveilles électroniques qui se créent tous les jours. C'est le robot qui nous portera notre petit-déjeuner au lit et veillera sur notre lit de malade, élèvera les quelques enfants que nous acceptons encore et nous fermera un jour les yeux. Une fois de plus, en devenant de plus en plus intelligente, la machine rend les hommes de moins en moins intelligents.

Dans l'économie contemporainc, les effets du progrès technique, aussi sublime que peu efficace, sont compensés par le laxisme et la désorganisation, en particulier sous la forme de pertes sociales.

En face

De l'autre côté, outre-mer, à une heure d'avion, les hommes vivent, dit la voix supérieure, de la façon « la plus bête », en se

1. Karl SCHWARTZ, « Les ménages en République fédérale allemande 1961-1972-1981 », *Population*, mai-juin 1983.

multipliant sans soucis. Eux non plus ne savent pas compter, mais les conséquences sont à l'opposé.

Voici comment se comparent les naissances en France et en Algérie, au lendemain de l'indépendance et aujourd'hui :

	France	*Algérie*
1963	869 000	490 000
1973	857 000	780 000
1983	750 000	1 000 000

La figure ci-dessous représente cette évolution :

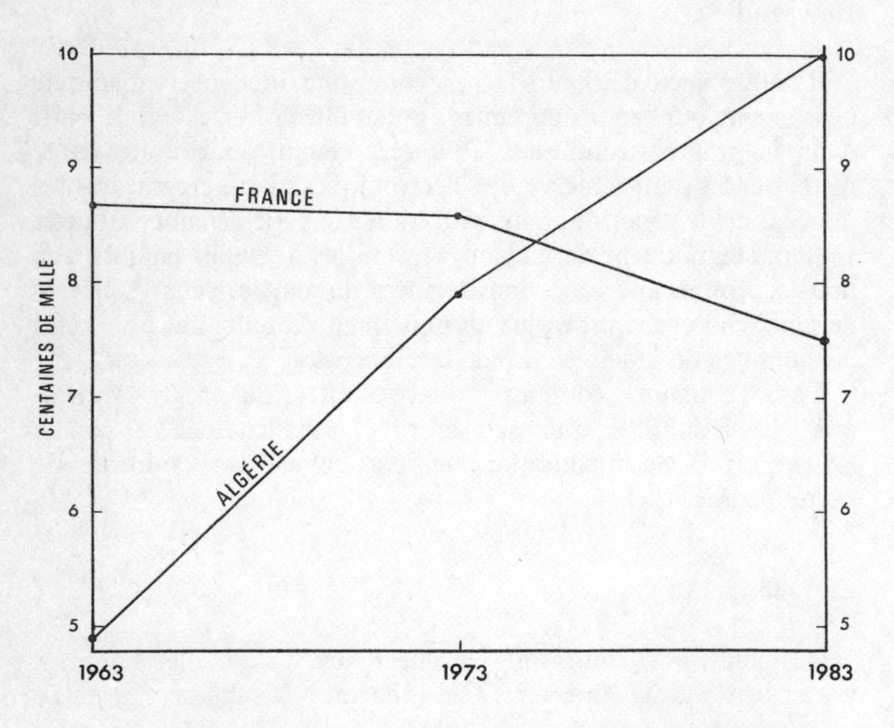

FIGURE 7
Naissances en France et en Algérie de 1963 à 1983

L'ordre est inversé et la différence s'accroît d'année en année. A ce rythme, il naîtrait au cours du fameux an 2000 deux fois et demie plus d'Algériens que de Français.

Le Maghreb, dont les ressources en eau sont comptées, aura à la fin du siècle qui vient 180 millions d'habitants. Cette fois encore, il faudrait mesurer les besoins tels qu'ils s'expriment et juger de la possibilité de les satisfaire. Admirable est la façon dont le problème a été esquivé. Il y a des « tiers-mondistes » formels, des pères Noël du verbe. Mais ils entendent réduire la durée du travail chez eux, de façon à échanger, avec les pays pauvres, cinq heures contre une, au lieu de quatre.

Il est de bon ton aujourd'hui de dénoncer les exactions coloniales et autres, moyen pharisien de se purifier, tout en restant indifférent aux cruautés qui se préparent : en face de ces 180 millions d'hommes manquant de terre, le bassin de la Garonne et d'autres régions sont en voie insolente de désertification. Porte close néanmoins. « N'avons-nous pas 2 millions de chômeurs ? » est-il ingénument (?) répondu.

Certes, nous pouvons, comme tous les riches, profiter pendant quelque temps de la mauvaise défense des faibles. Les représentants de ceux-ci, appelés parfois les 77, semblent avoir choisi les moyens les plus sûrs de ne pas aboutir.

Oubliée, ensevelie, la prévision de Boumediene :

« Un jour des millions d'hommes quitteront les parties méridionales pauvres du monde, pour faire irruption dans les espaces, relativement accessibles, de l'hémisphère nord, à la recherche de leur propre survie. »

Une évolution analogue se dessine pour l'Allemagne et la Turquie :

Voici, dans la ligne actuelle et atténuée à partir de 1990, l'évolution des naissances dans les deux pays :

	Allemagne fédérale	*Turquie*
1981	620 000	1 460 000
1990	590 000	1 680 000
2000	580 000	1 845 000

Déjà important l'écart ne peut que s'accentuer. Entre les deux pays, le P.I.B. par habitant va en outre de 7 à 1. Les quelque 1 500 000 Turcs vivant déjà en Allemagne déploient de multiples efforts pour faire venir des parents et amis. Aucune frontière terrestre, certes, aucun voisinage, mais les communications deviennent d'année en année plus faciles.

L'Europe sénescente

Pourvue d'hommes éminents, disposant de puissants moyens, d'universités florissantes, l'Europe vieillie vit dans une superbe inconscience. Incapable déjà d'assurer sa propre défense, bien que son P.I.B. soit supérieur à celui de ses adversaires, incapable de donner du travail à ses jeunes, bien que les besoins non satisfaits de la nation soient immenses, perdue, ensevelie dans de menus problèmes, envoûtée par les subtilités techniques, elle subit, d'année en année, l'effet immense, méconnu sinon ignoré, du vieillissement. Respectant les principes démocratiques et l'esprit de tolérance, comme jamais encore, l'Europe pense à tout excepté à la vie.

Le pouvoir d'achat a-t-il monté de 0,4 % en 1983 ou est-il resté le même ? Les « rigueurs » imposées sont-elles du barrisme ou dictées par le Fonds monétaire ? Faut-il ajouter un peu de proportionnelle aux prochaines élections ? Qu'attend le gouvernement pour nous « donner » les 35 heures ? Quel est l'avenir de la théorie postkeynésienne ? Telles sont les préoccupations contemporaines les plus élevées. Mais à l'avenir et à la vie ne pensent que quelques « attardés ».

Laxisme et sénescence

De ces deux phénomènes, lequel est cause de l'autre ? Ils s'entretiennent et se nourrissent mutuellement, mais, seul, le premier est parfois décemment prononcé (en dehors, bien entendu, du monde politique). Le bon ton consiste plutôt à s'étourdir sous le nom de crise et à s'extasier devant les merveilles techniques. Leur influence nette sur le niveau de vie a été jusqu'ici très faible, mais il serait sacrilège et d'ailleurs excessif de parler de l'art pour l'art.

Le poste positif, pour l'économie, c'est la diminution des charges de jeunesse, absorbée, il est vrai, par le déclin qualitatif de l'enseignement. Et si l'on comptait la perte sociale, sans doute le P.I.B. par habitant serait-il en recul.

Une fois de plus économie et population vont du même côté, la baisse de la natalité n'a précédé que de peu le ralentissement de l'économie, mais les liens sont si subtils qu'ils peuvent aisément être contestés.

Il faudra bien, cependant, un jour ou l'autre en revenir à l'idée de jeunesse, ne serait-ce que pour être en mesure de payer les folles retraites promises à un peuple fatigué. Pour cela, deux solutions : nos enfants ou ceux des autres.

Nos enfants

Il suffit d'énoncer l'expression « reprise de la natalité », voire le seul mot « natalité », pour provoquer des réflexes de défense. L'expérience est facile à quiconque.

Sur cette question d'ailleurs, la foi punique peut être citée en modèle de loyauté, à côté des arguments employés pour chasser toute idée de source de vie et arrêter la dégradation qui se prépare. Deux attitudes sont bien éprouvées :

1° détourner la conversation. C'est le plus usuel. Essayez, par exemple, de dire à un communiste qu'il faudrait pouvoir, dans une famille, accorder à chacun selon ses besoins et vous verrez la rapide diversion ;

2° contester un postulat, toute possibilité de retour à la jeunesse et éviter même cette expression par un : « Comment voulez-vous qu'un ménage aujourd'hui... ? » ou encore : « Comment voulez-vous que j'exerce ma profession si... » Sans appel. Tout est biaisé dans ce domaine, même les questions posées lors des sondages, de la façon la plus ingénue, peut-être, mais la plus... efficace.

L'esprit est d'ailleurs tourné dans le but d'apaisement. Alors que les efforts de la Chine, en faveur de la famille de un enfant, trouvent une large audience, la reprise de 35 % de la natalité obtenue en R.D.A. par des moyens sociaux est tenue sous silence. Il y a des faits séditieux.

Les Hollandais trouvent brusquement leur territoire trop petit, oubliant que pendant mille ans, ils l'ont conquis sur la mer et qu'ils disposent aujourd'hui de moyens bien supérieurs. C'est que, déjà, leurs vertus millénaires sont émoussées par « l'invisible » vieillissement. Il y a trente ans, des cultivateurs hollandais partaient au Brésil pour y établir de nouvelles cultures. Aujourd'hui, ils ne songent même pas à venir, dans la France semi-déserte, mettre en pratique leur remarquable agronomie.

Dans un tout autre domaine, mais dans le même esprit, il faut mettre un large bandeau sur les causes de la décadence de la Grèce et de Rome. Aucun exemple contraire dans l'Histoire ; partout, le vieillissement de la population a entraîné décadence et chute, mais il ne faut pas le dire.

Les enfants des autres

Dans l'arrière-pensée contemporaine se trouve bien placée, mais discrète, l'idée que nous trouverons toujours, de par le monde, de pauvres diables, trop heureux d'accepter les travaux vils des Européens, parmi lesquels la production d'enfants.

En trente ans d'immigration d'hommes tout faits, aux frais des autres, de 1945 à 1975, la France a gagné une demi-année de P.I.B., soit beaucoup plus que l'aide publique qu'elle a apportée à ces pays.

Ce don constant des pauvres aux riches va-t-il durer ? Un jour ou l'autre, les « 77 » devenus 150 ne vont-ils pas crier leur indignation devant cette exploitation et le don de leurs enfants ?

Ce nouveau système d'exploitation intracolonial pourra-t-il durer ? Sans rappeler la tragédie, évoquée par Jean Raspail[1], du débordement gigantesque, on peut douter de la solidité de ce qu'il faut bien appeler un calcul. La clandestinité se canalise difficilement.

1. *Op. cit.*

Travail noir ?

Ils ont chacun le sien, les deux mondes capitaliste et socialiste, mais, alors que le premier le canalise tant bien que mal et reste, en tout cas, bien fortifié, avec toutes chances de durer, le second s'ouvre largement dans l'insouciance de son destin.

Travail noir ? Ce point de départ de nos réflexions m'a conduit à penser que les dommages de la clandestinité sont véniels, tant qu'ils ne touchent pas les frontières. Peut-être même pourrait-on classer ce sujet parmi les multiples diversions favorables à notre objectif fondamental : ne pas penser.

Ne se lèvera-t-il donc personne, un jeune, une femme, ou mieux les deux, pour jeter un cri ?

Bibliographie sommaire

ALDEN (J.), « Comparative analysis of moonlighting in Great Britain and in the U.S.A. », *Industrial Relations Journal* (Nottingham), été 1982.

ALDEN (J.) et SPOONER (R.), *Personnes ayant plus d'un emploi. Analyse de la deuxième activité dans la communauté européenne,* Eurostat, Luxembourg, 1982.

AMADO (J.), STOFFAES (Ch.), « Vers une socio-économie duale ? » in *La société française de la technologie,* Commissariat général au Plan, Paris, La Documentation française, 1980, pp. 137-151.

ANTONI (A.), *Lutte contre le travail clandestin,* rapport au Conseil économique, mars 1950.

ARCHAMBAULT (E.), *L'Economie cachée de la famille,* document ronéoté, Laboratoire d'économie sociale, université Paris I, Panthéon-Sorbonne, septembre 1982.

AZNAR (G.), *Le Scénario bleu,* Le Seuil, Paris, 1981.

BARTHÉLEMY (Ph.), *Economie souterraine : concepts et mesure,* document ronéoté, Centre d'analyse économique, F.E.A. Aix-en-Provence, décembre 1981 et « Travail au noir et économie souterraine : un état de la recherche », *Travail et Emploi,* n° 12, Paris, 1982, pp. 25-33.

BAUMIER (J.), *Ces banquiers qui nous gouvernent,* Plon, 1983.

BOUNIOL (M.), *Le travail noir,* Chambre de commerce et d'industrie de Paris, Paris, 14 février 1980.

CHADEAU (A.), FOUQUET (A.), « Peut-on mesurer le travail domestique ? » *Economie et Statistique,* I.N.S.E.E., n° 136, septembre 1981, Paris, pp. 29-42.

CHAMBRE DE COMMERCE ET D'INDUSTRIE DE PARIS, « Enquêtes sur le travail noir », mélanges 3. *Etudes et Documents,* 12, Paris, 1980.

CHARREYRON (A.), « L'économie souterraine se développe, à l'Est comme à l'Ouest », *Futuribles,* n° 29, décembre 1979, Paris.

CHARREYRON (A.) et KLATZMANN (R.), « L'économie souterraine », *Problèmes politiques et sociaux*, n° 400, La Documentation française, 24 octobre 1980, Paris.

CORPET (O.), GAUDIN (J.), SCHIRAY (M.), « L'autre moitié : l'économie cachée du secteur domestique et des marchés parallèles », Journée d'étude organisée le 30 mai 1980 à la Maison des Sciences de l'Homme, *M.S.H. Informations*, n° 35, oct. 1980, pp. 20-29, Paris.

COURAULT (B.), *Le travail à domicile en 1981 : des formes passéistes du travail à de nouvelles formes hypothétiques d'emplois ?* Centre d'études de l'emploi, P.U.F., n° 24, juin 1982, pp. 112-156, Paris.

DELOROZOY (R.) (rapport de), *Le travail clandestin*. Document ronéoté, Assemblée permanente des Chambres de commerce et d'industrie de Paris, février 1980, Paris.

DELORS (J.), GAUDIN (J.), « Pour la création d'un troisième secteur », *Echange et Projets*, n° 17, janvier 1979, Paris.

DUCHÊNE (G.), « Le vrai scandale du travail au noir », *Esprit*, n° 9, septembre 1981, Paris.

DURAND (J.), DURAND (J.-P.), MACLOUF (P.), SHAPIRO (R.), *Le travail à domicile, étude exploratoire*. Document ronéoté, université de Limoges, ministère du Travail, décembre 1980.

FAU (J.) (rapport de), *Le travail illégal*. Groupe national de lutte contre le travail effectué dans des conditions illégales. Ministère du Travail et de la Participation, novembre 1980, Paris.

FAUGÈRE (J.-P.), « L'allocation du temps entre travail domestique et travail marchand », Discussion autour d'un modèle. *Revue Economique*, vol. 31, n° 2, mars 1980, Paris.

FÉDÉRATION NATIONALE DU BÂTIMENT, *Rapport sur les moyens à mettre en œuvre pour lutter contre le travail clandestin*. Rapport Metton, février 1979, Paris.

FONDATION POUR LA RECHERCHE SOCIALE, « Le tiers secteur non marchand », *Recherche sociale*, n° 67, juillet-septembre 1978, Paris.

FOUCHER (L.), *Les activités professionnelles des étudiants*. Document ronéoté, Centre d'études de l'emploi, juillet 1982, Paris.

FOUDI (R.), STANKIEWICZ (F.), VANEECLOO (N.), *Les chômeurs et l'économie informelle* in *Travail noir, productions domestiques et entraide*. Document ronéoté, L.A.S.T. Lille, C.N.R.S., 1982, pp. 11-124.

GERSHUNY (J.), « L'économie informelle », *Futuribles*, n° 24, juin 1979, pp. 37-49, Paris.

DE GRAZIA (R.), « Le travail noir, un problème d'actualité », *Revue internationale du travail*, vol. 119, n° 5, septembre-octobre 1980.

ID., *Le travail clandestin*, Bureau international du travail, Genève, 1983.

GREFFE (X.), « L'économie non officielle », *Revue de socio-économie*, C.R.E.D.O.C., n° 3, 1981.

HENRY (S.), *Controlling the hidden economy*, Badford, 1979.

HOUSTON (Marion F.), « Aliens in Irregular status in the United States Characteristics and Role in the U.S. Labor Market », *Migrations internationales*, revue trimestrielle du Comité Intergouvernemental pour les migrations européennes, n° 3, Genève, 1983.

ILLICH (I.), *Le travail fantôme*, Le Seuil, Paris, 1981.

INTERSOCIAL, *Le travail noir en Europe et aux U.S.A.*, n° 61, Paris, 1980.

KLATZMANN (R.), *Le travail à domicile dans l'industrie parisienne du vêtement*, A. Colin, 1958.

ID., « Le travail noir », *Futuribles*, n° 26, septembre 1979, Paris.

ID., *Le travail noir*, P.U.F., coll. « Que sais-je ? », Paris, 1982.

LANVIN (B.), *L'économie souterraine dans le monde*, Analyse de la S.E.D.E.I.S., n° 24, novembre 1981.

LEBARS (J.-J.), CAMUS (G.), COSSET (A), NOTTOLA (Y.), *Essai d'analyse des causes socio-économiques du développement du travail au noir dans les métiers du bâtiment*. Document ronéoté, S.E.D.E.S., C.O.R.D.E.S., Paris, juillet 1980.

MACAFEE (K.), « A glimpse of the Hidden Economy in the National Accounts », *Economic Trends*, février 1980.

MANDELIEVICH (E.), *Le travail des enfants*, B.I.T., Genève, 1980.

MEILHAUD (J.), « Le vol du temps », *L'Usine nouvelle*, janvier 1983.

MENDRAS (H.) et FORSE (M.), « Vers un renouveau du troc et de l'économie domestique ? », *Revue de l'O.F.C.E.*, n° 2, octobre 1982.

O.C.D.E., « L'économie souterraine », Etudes spéciales, *Perspectives économiques de l'O.C.D.E.*, juin 1982.

O'HIGGINS, *Measuring the Hidden Economy*, texte ronéoté, juillet 1980.

OUVRARD (rapport), *Analyses des causes du travail clandestin*. Document ronéoté, Conseil national de la sous-traitance, Paris, 1976.

POMMEREHNE (W.) et FREY (B.), *L'étendue de l'économie souterraine et son évolution : méthodes de mesure et estimations*. Chroniques de la S.E.D.E.I.S., mai 1982.

ID., « Les modes d'évaluation de l'économie occulte », *Futuribles*, n° 50, décembre 1981, Paris, pp. 3-32.

RAGOT (M.), *Le travail clandestin*, rapport au Conseil économique et social, 1983.

ROSANVALLON (P.), « L'économie souterraine et l'avenir des sociétés industrielles », *Le Débat*, n° 2, juin 1980, Paris, pp. 15-27.

SACHS (I.), « L'économie cachée : esquisse d'une problématique », *I.F.D.A.-Dossier,* Fondation internationale pour un autre développement, n° 22, mars-avril 1981, Nyon, pp. 19-26.

SEUROT (F.), *Inflation et emploi dans les pays socialistes,* P.U.F., 1983.

SMITH (A.), *Vues sur l'économie informelle dans les pays de la Communauté.* Commission des Communautés européennes, Bruxelles, 1981.

S.O.F.R.E.S., *Le travail clandestin,* Paris, 1979.

SOUPA (J.), *Le travail clandestin,* rapport au Conseil économique et social, mai 1971.

STOLERU (L.), « Le travail noir hors de la loi », *Futuribles,* n° 26, septembre 1979, Paris.

TAHAR (G.), *Le marché du travail marginal et clandestin en France, au Royaume-Uni et en Italie.* Document ronéoté, Commission des Communautés européennes, étude n° 79/42, Bruxelles, février 1980.

TANZI (V.), « L'économie occulte est liée à des activités illicites qui sont difficilement quantifiables », *Bulletin du F.M..I.*, 11 février 1980.

TORRACINTA (C.), *Les banques suisses en question,* Editions de l'Aire, Lausanne, 1981.

VITEK (J.), *Le travail noir... un frein à l'emploi ?* B.I.T., Genève, 1977.

Index des noms cités

Table des figures

Table des matières

TROISIÈME PARTIE

VERS L'ÉCONOMIE DE DEMAIN

Achevé d'imprimer en janvier 1984
sur presse CAMERON
dans les ateliers de la S.E.P.C.
à Saint-Amand-Montrond (Cher)
pour le compte des Éditions Calmann-Lévy
3, rue Auber, Paris 9e
N° d'Édition : 11020. N° d'Impression : 2712-1913
Dépôt légal : janvier 1984.